S0-BIY-242

UNIVERSITY OF NOTRE DAME

PUBLICATIONS IN MEDIAEVAL STUDIES

VOLUME XXI

# PUBLICATIONS IN MEDIAEVAL STUDIES

In preparation and in various stages is the editing of Books III-V of the *Sententiae* of Peter of Poitiers, Udo's *Summa super Sententias Petri Lombardi*, the *Quaestiones theologicae* of Stephen Langton, and the Bamberg *Summa "Breves dies hominis"* of Pseudo-Langton.

PRAEPOSITINI CREMONENSIS
TRACTATUS DE OFFICIIS

PUBLICATIONS IN MEDIAEVAL STUDIES
THE MEDIAEVAL INSTITUTE
THE UNIVERSITY OF NOTRE DAME
EDITED BY
JOSEPH N. GARVIN, C.S.C., AND A. L. GABRIEL

————————————XXI————————————

# PRAEPOSITINI CREMONENSIS TRACTATUS DE OFFICIIS

*Edited by*

James A. CORBETT

OF THE MEDIAEVAL INSTITUTE

UNIVERSITY OF NOTRE DAME PRESS
NOTRE DAME    1969         LONDON

230.2C
P883t
7911276

Copyright © 1969 by
University of Notre Dame Press
Notre Dame, Indiana 46556

Library of Congress Catalog Card Number: 76-75157
Printed in the United States of America

# TABLE OF CONTENTS

# INTRODUCTION

Praepositinus of Cremona was a theologian, liturgist and, in his later years, chancellor of the University of Paris.[1] The limited evidence available suggests that he was probably born in northern Italy about 1150 or earlier. Innocent III wrote to him in 1203 and addressed him as old.[2] Nothing is known of his family, his early life and his academic formation.

The first information we have on him is that he was named *scholasticus* in 1194-1195 at the cathedral school of Mainz. While there he acted as judge delegate of the pope on at least three occasions[3] and signed a number of acts from January 3, 1195 on.[4]

---

[1] For a detailed study of his life and works see Georges Lacombe, *La vie et les œuvres de Prévostin* (Bibliothèque thomiste XI), Le Saulchoir (Kain) 1927; G. Lacombe, "Prepositinus Cancellarius Parisiensis," *The New Scholasticism* I (1927) 307-319; and his final study of Praepositinus: "Prévostin de Crémone," *Dictionnaire de théologie catholique* 13. 162-169. Reviews of *La vie et les œuvres* are listed in the *Bulletin thomiste* 8 (1930-1933), pp. 234-235.

[2] *Regestum* VI. 38 (PL 215.43-44): "Credebamus hactenus quod sapientia regnaret in senibus, et ornaret prudentia litteratos; sed in te iam, quod dolentes didicimus, econtrario experimur, quod senio desipis, qui tempore sapueras juventutis, et multae litterae ad insipientiam te adducunt." Lacombe, *La vie*, p. 33, n. 3 prints the whole letter and translates it.

[3] Cf. Lacombe, *La vie*, pp. 21-35, and Daniel E. Pilarczyk, *Praepositini Cancellarii de sacramentis et de novissimis [Summae theologicae pars quarta]. A Critical Text and Introduction* (Collectio urbaniana, series III, Textus ac documenta 7), Rome 1964, pp. 2-3.

[4] Cf. Lacombe, *La vie*, p. 15. William of Auxerre in his *Summa aurea* II.7.1 (Paris 1500) f. 52a says that Praepositinus was a missionary among heretics, but does not state when or where. Cf. Lacombe, *La vie*, p. 11, n. 3 and p. 41, n. 1.

A second known date in his life is 1206. In that year he was at Paris as chancellor of the university[5] and judge delegate. He was replaced as chancellor by John of Chandelles in 1209[6]. Praepositinus seems to have died Feb. 25 in the year 1210 or later[7]. Since there is no mention of him later than 1210 it is possible, as Lacombe suggests, that he retired and finished his days in the quiet retreat of some religious house, perhaps at Saint-Martin-des-Champs.

Seven works were attributed to Praepositinus by Lacombe[8] and described by him in the following order: 1) *Questiones Prepositini cancellarii Parisiensis*[9], 2) *Summa de penitentia*

[5] H. Denifle, Ae. Chatelain, *Chartularium universitatis Parisiensis* I (Paris 1889), p. 65 n° 6.

[6] Lacombe, *La vie*, p. 44, n. 1 and the *Chronica Albrici monachi Trium Fontium*, MGH.SS, xxiii, Hanover 1874, 891: "Post cancellarium Parisiensem magistrum Prepositinum, virum venerabilem, natione Lombardum, qui fecit optimos sermones et quasdam postillas sententiarum, fuit cancellarius quidam magister Iohannes de Candelis, et post eum magister Stephanus, decanus Remensis."

[7] Lacombe, *La vie*, p. 46 and DTC 13.165, says that Praepositinus died Feb. 25 or 26 and gives as his source the obituaries of Saint-Martin-des-Champs and Sainte-Geneviève respectively, without further reference. Pilarczyk, *op. cit.*, p. 4, referring to Lacombe, *La vie* p. 45, has Feb. 25 as the date in both obituaries. Auguste Molinier, *Obituaires de la province de Sens*, I. *Diocèses de Sens et de Paris* (Recueil des historiens de la France. *Obituaires*), part I, Paris 1902, pp. 427-428, 281 and 487, printed the obituaries of Saint-Martin-des Champs, Saint-Germain-des-Prés, and Sainte-Geneviève. The death of Praepositinus is not mentioned at all in the obituary of Sainte-Geneviève; that of Saint-Germain-des-Prés under Feb. 26 has only the name "Prepositinus"; that of Saint-Martin-des-Champs under Feb. 25 has "Prepositini Parisiensis ecclesie cancellarii [ca. 1209] bone memorie et pie recordationis." If the length of the notice means anything we may say he died at Saint-Martin-des-Champs on Feb. 25 in 1210 or later.

[8] "Prévostin de Crémone," in DTC 13.165-169. The works are listed in *La vie*, p. IX, in a different order.

[9] These *Quaestiones* are preserved in Paris, Bibliothèque Mazarine,

*iniungenda*,[10]  3) *Summa contra hereticos*,[11]  4) *Summa de officiis*,  5) *Collecta ex distinctionibus Prepositini*,  6) *Summa super Psalterium*,  7) *Summa theologica*,[12]  8) *Sermones*.

ms. lat. 1708, ff. 232^r-261^v, have been dated 1170-1180, and are not by Praepositinus. Cf. Odon Lottin, "Le traité sur le péché original des *Questiones Prepositini*," *Recherches de théologie ancienne et médiévale* 6 (1934) 416-422, reprinted in Lottin's *Psychologie et morale aux XIIe et XIIIe siècles*, VI. *Problèmes d'histoire littéraire de 1160 à 1300*, Gembloux 1960, pp. 19-26, with the title "Un traité de l'école porrétaine attribué faussement à Prévostin de Crémone"; Artur Landgraf, "Quelques collections de *Questiones* de la seconde moitié du XIIe siècle," *Recherches de théologie ancienne et médiévale* 6 (1934) 379-380; 7 (1935) 117-121 and "Petrus von Poitiers und die Quästionenliteratur des 12. Jahrhunderts," *Philosophisches Jahrbuch* 52 (1939) 202-222, 348-358.

Since the *Quaestiones* are not authentic, it cannot be said that Praepositinus studied under Maurice of Sully, an unindentified Peter, and a Magister G (not A, as indicated by Lacombe, *La vie*, p. 9), as stated by J. N. Garvin in his articles on Praepositinus in the *Lexikon für Theologie und Kirche* 8 (1963) 696 and the *New Catholic Encyclopedia* (New York 1967) XI, 660. In the first article A. Borst's name should replace that of H. Grundmann.

[10] This work has been proved to be unauthentic by Ludwig Hödl, *Die Geschichte der scholastischen Literatur und der Theologie der Schlüsselgewalt* I (Beiträge zur Geschichte der Philosophie und Theologie des Mittelalters XXXVIII/4), Münster 1960, pp. 276-289. A longer version of the *Summa de poenitencia iniungenda*, attributed to a Richard and closer to the original than the version known to Lacombe (Vienna, Nationalbibliothek lat. 1413), has been discovered by M. Boháček in Kynžvart, Library of the Chateau of Metternich 20-H-27, and Stuttgart, Landesbibliothek HB-I-70 ; cf. Pavel Spunar "Bulletin codicologique," *Scriptorium* 20 (1966) 94, nr. 66.

[11] That the *Summa contra haereticos*, edited by J. N. Garvin and J. A. Corbett, *The Summa contra haereticos Ascribed to Praepositinus of Cremona* (Publications in Mediaeval Studies 15), Notre Dame 1958, is not authentic was shown by A. Borst in his review in *Zeitschrift für Kirchengeschichte* 70 (1959) 166-169.

[12] Book IV of the *Summa* has been edited by D. E. Pilarczyk (cf. n.3 above). He believes (cf. pp. 9-10) that the *Summa* was written between

Of all these works the *Tractatus de officiis* is the one that had "the most success and influence"[13] because of the extent of its influence on William Durandus, bishop of Mende and author of the *Rationale divinorum officiorum*,[14] "the most widely used book on the liturgy ever written."[15]

There is no doubt about the authenticity of the *De officiis*. The five known manuscripts attribute it to him, and some passages in it are found in other works of Praepositinus,—the *Sermones*, the *Summa theologica*, and the *Summa super Psalterium*—too many to make doubtful the attribution of the *De officiis* to Praepositinus.[16]

The *Tractatus de officiis* seems to have been written before 1196-1198. The rubricators of the Salzburg and Klosterneuberg manuscripts listed at the top of the first folio of the text

1188 and 1197. Damien van den Eynde, "Précisions chronologiques sur quelques ouvrages théologiques du XIIᵉ siècle," *Antonianum* 26 (1951) 239-241, believes the work was written between 1190 and 1194.

[13] Lacombe, "Prévostin de Crémone," DTC 13.166.

[14] I have used the Lyons 1503 edition of the *Rationale divinorum officiorum*. As this edition does not divide the work into subsections, I have used in the source apparatus the book, chapter, and section numbers of the French translation : *Rational ou Manuel des divins offices de Guillaume Durand*, translated by Charles Barthelémy, 5 vols., Paris 1854. For other editions of the *Rationale* cf. L. F. Hain, *Repertorium bibliographicum*, Berlin 1925, nᵒˢ 6461-6503 (pp. 289-296); W. A. Copinger, *Supplement to Hain's Repertorium bibliographicum*, Part I (London 1895), nᵒˢ 6461-6500; Part II, vol. I (1898), nᵒˢ 2129-2135; D. Reichling, ed., *Appendices ad Hainii-Copingeri Repertorium bibliographicum. Additiones et correctiones*, Fasc. I (Munich 1905), p. 139; *Indices fasciculorum I-VI* (Munich 1911), p. 323; *Supplementum* (Munich 1914), p. XLVIII. For the career of Durandus and recent studies cf. Michel Andrieu, *Le pontifical romain au moyen-âge*, III. *Le pontifical de Guillaume Durand* (Studi e Testi 88), Città del Vaticano 1940.

[15] Lacombe, "Prévostin de Crémone," DTC 13.166.

[16] Lacombe, *La vie*, pp. 7, 9-81. Cf. R. M. Martin's review of *La vie* in *Revue d'histoire ecclésiastique* 24 (1928) 661-664.

the names of others who had written on the liturgy: Isidorus,[17] Rabanus,[18] Amalarius,[19] Alcuinus,[20] Henricus Solitarius,[21] Rolericus,[22] Hugo de Sancto Victore,[23] Johannes Beleth,[24] and Prepositinus. All these liturgists wrote during the twelfth century

[17] *De ecclesiasticis officiis*, PL 83.737-826. References to the *Etymologiae* in my edition are to W. M. Lindsay, *Isidori Hispalensis Episcopi Etymologiarum sive Originum libri XX*, 2 vols., Oxford 1911.

[18] *De clericorum institutione*, PL 107.293-420.

[19] Ioannes Michael Hanssens, *Amalarii episcopi Opera liturgica omnia* Studi e Testi 138-140), Città del Vaticano 1948-1950 ; PL. 105.985-1242. Cf. also Allen Cabaniss, *Amalarius of Metz*, Amsterdam 1954.

[20] Pseudo-Alcuinus, *Officia per ferias*, PL 101. 509-612. On the non-authentic character of this work cf. André Wilmart, "Le manuel des prières de Saint Jean Gualbert," *Revue bénédictine* 48 (1936) 259-299, esp. 260-265.

[21] Honorius Augustodunensis, *Gemma animae sive de divinis officiis*, PL 172.541-738 and *Sacramentarium*, PL 172.737-806. On Honorius of Autun or, preferably, of Regensburg, cf. Eva M. Sanford, "Honorius, Presbyter and Scholasticus," *Speculum* 23 (1948) 397-425. She says on p. 403: "Most of the manuscripts call him 'inclusus' or 'solitarius'". Cf. also Yves Lefèvre, *L'Elucidarium et les Lucidaires*, Paris 1954, pp. 191-230; Marie-Odile Garrigues, "Honorius et la *Summa gloria*," *Positions des thèses soutenues par les élèves de la promotion de 1967* (École des chartes, Paris 1967), pp. 39-46; R. Bauerreiss, "Honorius von Canterbury (Augustodunensis) und Kuna I., der Raitenbucher, Bischof von Regensburg (1126-1136)" [should be 1132], *Studien u. Mitteil. Gesch. Benediktiner-Ordens* 67 (1956) 306-313.

[22] The reference is probably to Rupert of Deutz's *De divinis officiis per anni circulum*, PL 170.12-332. Cf. Wilhem Kahles, *Geschichte als Liturgie. Die Geschichtstheologie des Rupertus von Deutz*, Münster 1960. Hrabanus Haacke, *Ruperti Tuitiensis Liber de divinis officiis* (Corpus Christianorum, Continuatio mediaevalis VII), Turnholt, 1967.

[23] *De sacramentis christianae fidei*, PL 176.173-618; *De caeremoniis, sacramentis, officiis et observationibus ecclesiasticis, auctore, ut videtur, Roberto Paululo*, PL 177.381-456. P. Glorieux, "Pour revaloriser Migne," *Mélanges de science religieuse* 9 (1952), *Cahier supplémentaire, p. 70* : "peut-être Robert Paululus". He refers to E. Amann's article "Robert Paululus" in DTC 13.2753.

[24] Johannes Beleth, *Rationale divinorum officiorum*, PL 202.13-166.

or earlier. The rubricators did not mention Sicard of Cremona and William of Auxerre, who wrote on the liturgy at the end of the twelfth or early in the thirteenth centuries—nor did Praepositinus refer to their works.

The Salzburg, British Museum Add. 18325 and Klosterneuburg manuscripts quoted some passages from Beleth in the margins and in one place referred to Beleth's chapter on the Feast of Fools,[25] which was banned by Bishop Eudes of Sully in 1198. Although the Feast of Fools continued to be celebrated well into the sixteenth century, the rubricators of the two manuscripts, who knew well the liturgy of Paris, to judge by their marginal references to its special character, seem to have been unaware of the condemnation of the Feast in Paris, and hence may have worked before 1198. Durandus, who also mentioned the Feast of Fools, did not refer to the condemnation.

The *Summa super Psalterium* of Praepositinus, which Lacombe has shown was written between 1196 and 1198,[26] contains substantial passages of the *De officiis*.

## THE MANUSCRIPTS

The *Tractatus de officiis* has come down to us in five thirteenth-century manuscripts; the first three are described in Lacombe's *La vie*, pp. 73-74 and the other two, described later, are referred to in his article in the DTC.

---

[25] On the Feast of Fools cf. M^r du Tilliot, *Mémoires pour servir à l'histoire de la fête des Fous*, Lausanne et Genève 1751 ; B.E.C. Guérard, *Cartulaire de l'église Notre Dame de Paris*, Paris 1850, I.clxxvi; E. K. Chambers, *The Medieval Stage*, 2 vols. (Oxford 1903), I, pp. 274-371; Karl Young, *The Drama of the Mediaeval Church* (Oxford 1933), I, pp. 104-111; cf. M. N. Maltman, "Feast of Fools" and "Feast of Asses," *New Catholic Encyclopedia* (1967) V. 865; Lacombe, *La vie*, p. 78. Cf. Dur. 6.15.16.

[26] Cf. *La vie*, 112-113.

1. London, British Museum, ms. Add. 18325, ff. 60-99ᵛ, hereafter referred to as M. The description is that of the Catalogue.[27]

"MAGISTRI Pauli Prioris Predicatorum Summa de confessione," f. 2 b;—Sententiae ex Gratiani Clusini Decreto desumptae, f. 12;—"Summa magistri Alani [de Insulis] de arte predicandi," f. 17;—"Apollogium Bernardi Abbatis Clarevallensis," in monachos Cluniacenses, f. 48 b;—"Penitentiale, secundum magistrum Alanum" [de Insulis], f. 53b; —"Liber officiorum Prepositivi [Cancellarii Parisiensis] de divino officio . . . per totum circuitum anni,f. 60;— "Cantica Canticorum, secundum Petrum Rigam" [de Riga]; *rythmice*, f. 100;—"Tractatus magistri Alani [de Insulis] de sex alis Cherubin," f. 110—"Liber Job," secundum Petrum de Riga; *rythmice;* compiled from St. Gregory's exposition, f. 113;— Carmina in honorem Conradi Abbatis, f. 118 b;—Successio Imperatorum, usque ad Henricum VI., f. 120;—Versus de diebus faustis et infaustis, *etc.*, f. 121. Vellum; xⅢth cent. At the beginning is a leaf of a theological MS. of the ixth century. Small Quarto.                    [*Add.* 18,325.]

2. London, British Museum, ms. Add. 18335, ff. 26-66, hereafter referred to as B. The description is taken from the Catalogue.[28]

Praepositini, Cancellarii ecclesiae Parisiensis, Sermones, f. 2b; Eiusdem "Tractatus de divino officio, per circulum anni," f. 26; Sermones in festis praecipuis, f. 66; "Passio S. Achacii," f. 88b; Carmen "de salvacione Salomonis," f. 89; Hymnus in S. Chunegundem, f. 90; "Tractatus in Canticis Canticorum Remigii [Autissiodorensis] eximii doctoris," f. 90b; Alphabetum Graecum, f. 187. Vellum; xⅢth. cent. Small Quarto.                    Add. 18,335

---

[27] *Catalogue of Additions to the Manuscripts in the British Museum 1843-1853; Additional Manuscripts 17278-19719* (London 1868), p. 99.
[28] *Ibid.* p. 100.

3. Salzburg, Stiftsbibliothek von St. Peter, Ms. a.VI.32, ff. 1-50ᵛ, hereafter referred to as S. The description is based upon Lacombe's *La vie et les œuvres de Prévostin*, pp. 73-74.[29]

ff. 1-50: Tractatus officiorum magistri Prepositini.

f. 50ᵛ: Formulae of magic[30] and a liturgical fragment.

ff. 51-64ᵛ: Sermones Prepositini.[31]

ff. 65-104: Lamentationes Jeremie. Glosa ordinaria et interlinearis.

ff. 104ᵛ-122: Quomodo sola sedet probitas[32], with glosses.

f. 123: Quid sit Threnos.

ff. 124-135: Epistola sancti Pauli ad Romanos.

ff. 136-145: Epistola prima sancti Pauli ad Corinthios.

ff. 146-147: Epistola secunda sancti Pauli ad Corinthios.

XIIIth century, parchment, 147 ff. 210 × 143 mm.; modern pagination; one column of 45 lines. The manuscript is of German origin, but the red and black rubrics in the margins seem to be of a later French hand.

---

[29] The unpublished handwritten *Katalog der Handschriften des Stiftes St. Peter in Salzburg* (1910-1912) by P. Augustin Jungwirth is an index of authors and their works and a subject index of the works contained in the manuscripts of Stiftsbibliothek St.Peter; it is not a descriptive catalogue of the manuscripts and their contents.

[30] Lacombe transcribed this text in *La vie*, p. 74, n.1.

[31] *Ibid.*, 183-200.

[32] The incipit of Henry of Settimello's poem *Elegia de diversitate fortunae et philosophiae consolatione*, PL 204.843-868, reprinted from Polycarp Leyser, *Historia Poetarum et poematum medii aevi* (Magdeburg 1721), pp. 453-497. Cf. Hans Walther, *Carmina medii aevi posterioris latina*, I. *Initia carminum ac versuum medii aevi posterioris latinorum* (Göttingen 1959), p. 852, nr. 16339, for manuscripts and other editions, including the latest, by Giovanni Cremaschi, *Enrico da Settimello, Elegia* (Orbis christianus I; Bergamo 1949) reviewed by Jean G. Préaux, *Latomus* 9 (1950) 319. Cf. F. J. E. Raby, *A History of Secular Latin Poetry in the Middle Ages* (Oxford: Clarendon Press 1934, 2ⁿᵈ ed. 1957) II, 163-164.

This manuscript has a number of excerpts, mostly from John Beleth's *Rationale divinorum officiorum*, written in the margins. Sometimes they are close to the text of the *Rationale* printed in Migne, PL 202, sometimes they omit sentences or phrases of the passages of Beleth. Each excerpt from the *Rationale* is preceded by the word Beleth or B. We have not identified the few passages which are not from Beleth. Lacombe has printed in extenso those that refer to the Church in Paris (*La vie*, pp. 77-78).

Both S and K have in the upper right corner of f. 1 in S and f. 56 in K the same marginal note which lists liturgists who have written on the Divine Offices: "Nomina eorum qui tractaverunt de officiis divinis: Ysidorus, Rabanus, Amularius, Alquinus, didascolus Karoli, Hanricus Solitarius, Rolericus, Hugo de Sancto Victore, Iohannes Beleth, Prepositinus."

The excerpts from Beleth in S, M and K and references to the edition of the *Rationale* in PL 202 are as follows:

bottom of f. 4 in S, f. 58ᵇ in K and f. 63ᵛ in M: Sequitur vigilia Natalis . . . hi psalmi: laudate (cap. 68, PL 202.75C, lines 1-7);

bottom of f. 4ᵛ in S and f. 63ᵛ in M: Nunc de ipso die . . et rubicundum (cap. 69, PL 202.75D, lines 1-8);

bottom of f. 5 in S and f. 64 in M: At dixerit hic . . . tunc rubet (cap. 69, PL 202.76C, lines 8-10);

lower left margin of f. 6ᵛ in S and f. 65ᶜ in M: debent vero vespere . . . die B. Johannis (cap. 70, PL 202.77BC, lines 3-13);

lower margin of f. 6ᵛ in S and 65ᶜ in M: Stephanus post passionem domini . . . in celis (cap. 70, PL 202.77CD, lines 23-32);

at top of f. 7ᵛ in S: Sunt enim nonnullae . . . lacte matris (cap. 71, PL 202.78CD, lines 13-30);

side margin of f. 7ᵛ in S: atque haec proprie . . . anno revoluto (cap. 73, PL 202..79B, lines 5-16);

bottom of f. 7ᵛ in S: Si queratur . . . sit dissoluta (cap. 73, PL 202.79CD, lines 19-36);

side margin of f. 8 in S: Debet duo evangelia · . . non poterat (cap. 74, PL 202.80CD, lines 6-11);

bottom of f. 8 in S: Festum hypodiaconorum . . . confuso
(cap. 72, PL 202.79A. Lacombe, *La vie*, p. 78, prints the
complete text);

bottom of f. 9ᵛ in S: Festum autem . . . in eis est (cap. 81,
PL 202.86BD); lines 4-37;

bottom of f. 9ᵛ in S: Fuit autem . . . honorem candelas
(cap. 82, PL 202.87AB);

bottom of f. 10 in S: Hoc item . . . Petri epularum (cap. 83,
PL 202.87CD, lines 1-23);

bottom of f. 11 in S: Ut autem . . . commemorationem (cap.
84, PL 202.88).

4. Klosterneuburg, 367, ff. 56-97ᵛ, hereafter referred to as K.
The description is that of the Catalogue[33].

Membr. s. xiii. et xiv.; f. 154; 33 × 24,5 cm; col. 2; man.
plures; ligat. rec.; litterae initiales rubrae, multae desideran-
tur; f. a cap. b: fragmentum iuridicum, s. xiv.; f. 56: "*Liber
sancte Marie in Niwenburga*," s. xiii. ex. (Alb. Saxo, cf.
cod. 5); f. 154: "*Liber sancte Marie virginis in Newnburga
Claustrali*," s. xv.; f. 1: "*Sum ex libris can reg. Claustroneo-
burgensis bibliothecae 8. Iulii 1656*; "folia ultima tineis laesa.
1. F. 1-40. (**Mauritii distinctiones in usum prae-
dicatorum alphabetice digestae,** incompl.)
Inc.: "*Circa abiectionem nota, qualiter in scriptura sumi-
tur.*" *Expl.* (per verba): "*Qui non moriatur in baptismo
. . .*" Pertingit tantum usque ad litteram B.
Idem opus asservat bibl. univers. Pragensis, cf. Truchlář,
*Catalogus codicum manu scriptorum latinorum qui in C. R.
Biblioteca publica atque universitatis Pragensis asservantur*
(Prague 1905-1906), I, n. 615.

---

[33] H. Pfeiffer and B. Cernik, *Catalogus codicum manu scriptorum qui in
Bibliotheca Canonicorum Regularium S. Augustini Claustroneoburgi asservantur* II (Vienna 1922), 140.

2. F. 41-52'. (**Nicolai Vischel imago beatae virginis Mariae.**)

Praemisso registro capitulorum inc.; "*Nomen virginis Maria . . . Quia enim omne bonum melius amatur*". Expl.: "*Se gaudent reparata. Amen.*" Editiones vide ap. Hain n. 11759.—De auctore cf. Hurter IV 407; Visch o. c. 250.

3. F. 52'-53'. (**Proprietates diversarum creaturarum similitudine convenientes virtutibus matris creatoris.**)

Praemissis capitulis inc.: "*Primo beata virgo comparatur celo.*" Expl.: "*Rutilans ignis caritatis.*"

Idem opus extat in cod. 773 (3).

In fine versus: "*Da michi dona tria, sanctissima virgo Maria,*
   *Da spacium vite, da divicias sine lite,*
   *Regnum celeste post mortem da manifeste.*"

[H. Walther, *Initia carminum*, n⁰ 4017, pp. 202, 1127; *Proverbia sententiaeque* I, n⁰ 4837a, p. 558].

4. F.56-97' (s. XIII.) Inc.: "*[E]cce nunc tempus acceptabile, ecce nunc dies salutis. Tempus acceptabile.*" Expl.: "*Ad patrie gloriam suspirare.*" (R.) **Explicit liber officiorum (Guilelmi) Praepositini de divino officio et divino per totum circuli anni.**

In fine: "*Sifridus. Valete. Vale.*"

5. F. 98-154. (**Trac:atus medicinales et therapeuticae de conversatione sanitatis, de aegritudinibus et doloribus corporis,** incompl.)

Exhibentur quinque diversi tractatus ab initio et in fine manci et incompleti, diversis manibus scripti.

5. Assisi, Biblioteca communale, Ms. 55, hereafter referred to as A. ff. 1-72 (first numbering): [Postilla in priores psalmos quinquaginta]. Cf. Lacombe, *La vie*, p. 104.

ff. 1-40 (second numbering): Incipit summa magistri Prepositini Cremonensis super officium ecclesiaticum totius anni. Cf. Lacombe, *La vie*, p. 104 and his notebook, in the library of the San Francisco College for Women, pp. 44-47. Parchment, XIIIth c., mm. 180 × 270, 2 cols.[34]

---

[34] G. Mazzatinti, *Inventari dei manoscritti delle Biblioteche d'Italia* IV (Forlì 1894), 32.

CONTENTS OF THE *DE OFFICIIS*

Praepositinus began his treatise with a prologue in which he pointed out that one solar year is composed of four seasons: Winter, Spring, Summer, and Fall (lines 11-12). Winter corresponded to the period from Adam to Moses, Spring to the period from Moses to Christ, Summer to the primitive Church, and Fall to the time since then (lines 15-29). The Church recalls these four stages every year in the liturgy, celebrating the winter season from Septuagesima to Easter, Spring during Advent, Summer from the octave of Easter to the octave of Pentecost, and Fall for the rest of the year, that is, from the octave of Pentecost to Advent (lines 45-86). The substance of this prologue was taken over by Durandus and made part of chapter one of his sixth book.

The work was divided by Lacombe into four books, The first and longest covers the Offices for Advent, the Christmas season, and Lent through Good Friday.[35] The second book describes the Offices from Holy Saturday to the vigil of Pentecost.[36] The short third book describes the Offices from the vigil of Pentecost through Trinity Sunday.[37] The fourth book studies the Offices of the various hours of the day and night.[38]

Lacombe made this division—since none of the manuscripts made any—on the basis of the Salzburg manuscript, in which the rubricator, a hand different from that of the text, numbered the questions with Arabic numbers from 1 to 464. Then he erased the numbers from 254 to 464, but imperfectly, for we can occasionally make out the Arabic number alongside the

[35] *La vie*, pp. 84-93.
[36] *Ibid.*, 93-97.
[37] *Ibid.*, 97-98.
[38] *Ibid.*, 99-103.

Roman numeral. From 254 on the rubricator or another hand numbered the questions in two series of Roman numerals, from I to CXXVIII and then from I to XXIII. The remaining rubrics were not numbered. Lacombe called Book I the questions numbered 1 to 253, Book II those numbered I to CXXVIII, Book III those numbered from I to XXIII and the unnumbered questions 24-31, Book IV the remaining unnumbered questions, which he numbered 1 to 119.

The last question of Book III, that is, our number 31, has the rubric: *De autumpno. Quare dicatur tempus declinationis.* Its text ends abruptly with: *De hoc igitur tempore dicit.* Then all the manuscripts treat the day and night Offices, called Book IV by Lacombe. Since this subject normally preceded the treatment of the mobile and fixed feasts of the year in contemporary writers on the liturgy, Lacombe thought that this Book IV must have been Book I before the order of the text became disorganized. In our question 113 [Lacombe's 110] in Book IV we come suddenly upon: *Nos diximus de officio nostri autumni et in generali; nunc dicendum in speciali. Tempus illud quod vocamus autumnum est tempus declinationis, et idcirco oportet nos surgere ad prelium contra hostes, ne forte per desidiam in hiemem recidamus.* After nine sections (n[os] 114-122) relevant to the first part of this season the text ends with an explicit common to the five manuscripts. The Divine Office of Autumn, extending for Praepositinus from the octave of Pentecost to Advent, used for its Lessons the books of Kings, the Sapiential books, Job, Tobias, Judith, Esther, Macchabees, and the Prophets. Praepositinus in section 114 said he would treat of Kings, the Sapiential books, Job, and Tobias, but in fact he did not treat Tobias nor the remaining books of the Old Testament. Therefore our manuscripts lack the sections dealing with Tobias, Judith, Esther, Macchabees and the Prophets. The loss of this part of the text apparently occurred before any of the surviving manuscripts were copied or perhaps he never treated them.

## SOURCES AND INFLUENCE

The principal sources of Praepositinus for the *Tractatus de officiis* were the *Liber officialis* of Amalarius and the *Gemma animae* of Honorius. The first writer was the great Carolingian liturgist of the ninth century. He supplied not only the order of the treatise of Praepositinus but frequently its ideas. Praepositinus sometimes copied Amalarius word for word, sometimes took only his ideas and some phrases. Praepositinus used the *Rationale divinorum officiorum* of John Beleth to some extent, Honorius' *Gemma animae* extensively. He also cited frequently Jerome, Augustine, Isidore of Seville, Gregory the Great, and Bede, but it is difficult to know in many cases whether he quoted them directly or indirectly through some other author. In trying to trace the sources of Praepositinus one is inclined to agree with the experience of Fr. V. L. Kennedy, C. S. B., in trying to run down the sources of Guy of Orchelles. He describes the attempt this way: "It is no easy task to determine all the sources used by a medieval liturgist owing to the repeated borrowings and mutual dependence of preceding writers".[39]

Although Guy of Orchelles used Praepositinus, as Father Kennedy has shown,[40] the one who used him most was Du-

[39] V. L. Kennedy, C.S.B., "The 'Summa de Officiis Ecclesiae' of Guy d'Orchelles," *Mediaeval Studies* I (1939) 26. Kennedy's edition will be referred to in our text as Guy d'Orchelles.

[40] *Ibid.*, 28. Guy also used Praepositinus extensively in his *Tractatus de sacramentis*, ed. Damianus et Odulphus Van den Eynde, *Guidonis de Orchellis Tractatus de sacramentis* (Franciscan Institute Publications, Text series 4, St. Bonaventure, N. Y. 1953): "of the 316 sections of Guy's

randus, Bishop of Mende, the author of the most popular and widely used book on the liturgy for several centuries. His *Rationale divinorum officiorum* incorporated a large part of Praepositinus' *De officiis* in the fifth and sixth books. Nowhere, however, did he even mention Praepositinus by name. It is interesting to note not only that Durandus failed to give credit to Praepositinus but that others, too, suffered a similar fate. Thus in Book I, n° 104, Praepositinus referred to the *Gemma animae* of Honorius; Durandus took the passage but dropped the reference to the *Gemma animae*. On another occasion, in Book II, n° 111, Praepositinus gave a rather lengthy discussion of the seeming conflict in the Gospel narratives on the coming of Mary Magdalene, SS. Peter and John and others to Christ's tomb on Easter morning. The solution Praepositinus preferred was presented by Durandus as though it was his own.

Comparison of Praepositinus and Durandus shows not only the extent of the dependence of Durandus but also that many of the opinions given as his own were taken by him from his sources,—sources he did not always name.


THE RUBRICS


The rubrics used in this edition of the text are those of the Salzburg manuscript. The only other manuscript with practically the same rubrics is K. M has no rubrics at all. Because the work is not divided into books in any manuscript and because the rubrics of A and B are fewer and different at times, we list them here so as not to have to report them or their

work, 41 descend immediately from the *Summa theologica* of Praepositinus," p. xxxiv. They are listed on pp. 341-342.

omission among the variants.  The numbers refer to the books
and *questiones* of the text.

RUBRICS OF MANUSCRIPT B

[London, British Museum, ms. Add. 18335]

| | |
|---|---|
| f. 26. | Incipit tractatus de divino officio magistri pre-postini (*sic*) per circulum anni. |
| f. 28. | De nativitate domini nostri Jesu Christi (liber 1. section heading). |
| f. 30ᵛ. | De festo sancti Stephani (1.43). |
| f. 30ᵛ. | De festo sancti Johannis Evangeliste (1.44). |
| f. 30ᵛ. | De festo Innocentum (1.45). |
| f. 31 | De octava domini (1.47). |
| f. 31. | De Epiphania (1.49). |
| f. 34. | De hyeme (1. section heading after line 83). |
| f. 35. | De capite ieiunii (1. section heading after line 103). |
| f. 35ᵛ. | De XLᵃ (1.112). |
| f. 37ᵛ. | De secunda hebdomada (section heading after 1.38). |
| f. 38. | De .IIII. hebdomada (1.143). |
| f. 39. | De missa (1.152). |
| f. 39. | De passione domini (1.155). |
| f. 39ᵛ. | De palmis (1.160). |
| f. 40. | De cena domini (1.170). |
| f. 42. | De extinctione luminum ante pasca (1.217). |
| f. 43ᵛ. | De vigilia pasce (2.1). |
| f. 47ᵛ. | De unctione in cerebro (2.50). |
| f. 47ᵛ. | De veste candida (2.51). |
| f. 47ᵛ. | De confirmatione (2.55). |
| f. 48ᵛ. | De patrinis (2.64). |
| f. 49. | De missa (section heading after 2.65). |
| f. 49ᵛ. | De .VIII. diebus (section heading after 2.79). |
| f. 50. | De officio resurrectionis (2.88). |
| f. 50ᵛ. | De introitu (2.92). |

## Rubrics of manuscript A
[Assisi, Biblioteca communale, ms. 55]

Incipit summa magistri Prepositini Cremonensis super officium
ecclesiasticum totius anni.

f. 8ᵇ.          In purificatione beate Marie virginis (1.84).

f. 8ᶜ.          Nunc dicendum est de hyeme (section heading after 1.84).

f. 8ᵈ.          De septuagesima dierum (1.88).

f. 9ᵃ.          De terminatione .LXXᵉ. (1.93).

f. 9ᵇ.          Allegoria (1.93).

f. 9ᵈ.          De capite ieiunii (section heading after 1.103).

f. 10ᵇ.         De septuagesima (1.99).

f. 10ᵈ.         De quadragenario (1.112).

f. 11ᵃ.         De velo suspenso (1.120).

f. 11ᵇ.         De prima hebdomada .XLᵉ. (1.126).

f. 37ᵃ.         De matutino officio (4.94).

Although it is difficult to explain the disorganization of the text, the five manuscripts follow the same order of questions. They resemble one another rather closely except for the varying pattern of rubrics just described and occasional substantial omissions. Thus A and B both lack in Book I questions 198 to 217. The manuscripts tend to break down into two groups: KMS frequently stand together against AB.

In this edition we have standardized the spelling and have not reported variants in spelling. Inversions have also gone unreported un-unless the inversion affects the sense. For the sake of convenience we have included the references to Durandus and to Guy of Orchelles in the source apparatus. To avoid complicating and enlarging the critical apparatus we have identified the quotations from Holy Scripture in the text. Suprascript letters refer to variants in the critical apparatus; sources are reported by referring to line numbers.

We have been helped in establishing the text by the transcription made of manuscript B by Msgr George Lacombe for his study of the text and sources published in *La vie et les œuvres*. His premature death prevented him from carrying out his plan to publish an edition of this and the other works of Praeposi-

tinus. We have collated from microfilms and photostats the
five manuscripts of the work which he discovered, checked
his list of sources as given in *La vie et les œuvres*, and added
substantially to it. His Lordship George Cardinal Flahiff,
Archbishop of Winnipeg, was kind enough to read the text
and to make a number of valuable suggestions. My principal
debt of gratitude is owed to the Rev. Joseph N. Garvin,
C.S.C., whose patience and kindness equal his exceptional
competence as an editor. Few indeed are the volumes in this
series which have not been greatly improved as a result of the
suggestions prompted by his profound knowledge of medieval
thought and by his painstaking care with the manuscripts
submitted. This one is no exception.

# TRACTATUS DE OFFICIIS

## SIGLA

A  Assisi, Biblioteca Communale 55
B  London, British Museum Add. 18335
K  Klosterneuburg 367
M  London, British Museum Add. 18325
S  Salzburg Stiftsbibliothek a.VI.32

# PRAEPOSITINI CREMONENSIS
# TRACTATUS DE OFFICIIS[a]

## [PROLOGUS]

(2 Cor 6.2) *Ecce nunc tempus acceptabile, ecce nunc dies salutis.* Tempus acceptabile et dies salutis dicitur tempus gratie quia in eo (Lc 1.78) *visitavit nos Oriens ex alto.* Dicitur etiam tempus Quadragesime tempus acceptabile propter
5 remedium[b] penitentie, quia in ea tota ecclesia christiana penitentiam recipit[c]. Non minus convenienter tamen tempus Adventus Domini potest dici tempus acceptabile. Illud enim est tempus suppliciorum, istud est tempus desideriorum; illud est tempus desperationis, istud est tempus[d] respirationis;
10 illud[e] est tempus hiemis, istud est tempus[f] estatis vel veris. Quatuor siquidem sunt anni tempora: hiems, ver, estas, autumnus. In hieme regnat obscuritas, in estate claritas. Ver aliquid habet luminis et multum obscuritatis, autumnus aliquid[g] habet obscuritatis sed plus claritatis.
15 Iuxta hunc modum quatuor sunt tempora mundi: tempus hiemis fuit ab Adam usque ad Moysen, tempus veris fuit a Moyse usque ad Christum, tempus estatis fuit[h] in primitiva

---

1-3 Durandus, *Rational ou Manuel des divins offices de Guillaume Durand*, traduit par Charles Barthélemy, 5 vols. (Paris 1854), III, 6.1.4.
12-14 Dur. 6.1.3.

[a] Hoc titulo utimur quia maius cognitus est. Incipit tractatus officiorum magistri prepositini S/ incipit tractatus de divino officio magistri prepostini per circulum anni B/ om KM/ incipit summa magistri prepositini cremonensis super officium ecclesiasticum totius anni A   [b] *om* M   [c] ecclesia . . . recipit] militia christiana confugit ad gratiam per penitentiam A   [d] *om* BMS   [e] istud BS   [f] est tempus *om* M   [g] aliquantulum A   [h] *om* BKMS

3

ecclesia, tempus autumni modo est et iam diu incepit. Tempus hiemis fuit[h] ab Adam usque ad Moysen, in quo miseri
20 homines a Deo, qui est lux vera, omnino recesserunt et nihil illuminantis doctrine habuerunt. Tempus veris fuit a Moyse usque ad Christum, in quo, etsi erraverunt homines in tenebris ignorantie, habuerunt tamen aliquid luminis, scilicet legis et prophetice doctrine. Tempus estatis [fuit] in primitiva ecclesia,
25 in quo Dominus, qui est sol iustitie, sua presentia mundum visitavit et propria doctrina sufficienter illustravit. Tempus autumni modo est, in quo multum luminis est, quia de Dei misericordia revelata sunt divina mysteria, sed aliquid habet obscuritatis, et utinam non nimis nostra faciente negligentia.
30 In primo tempore viror fidei, flos spei, fructus caritatis frigore infidelitatis exaruit. In secundo vinea Domini aliquatenus viruit et floruit. In tertio virens et florens fructus uberrimos attulit. In quarto cadentibus foliis verborum bonorum decolorari cepit, et tantum decolorata est quod nobis timendum est ne in
35 hiemen simus lapsi. Iam enim videtur instare illud tempus de quo dicit Dominus (Lc 18.8): *Putas cum venerit Filius hominis, inveniet fidem super terram*? Hunc habet locum illud poeticum: "Nusquam tuta fides"; "fratrum quoque gratia rara est."
Primum igitur tempus fuit peccati et miserie, secundum
40 legis et prophetie, tertium libertatis et gratie, quartum est laboris et penitentie, quod nos facimus declinationis et negligentie. Primum fuit desperationis, secundum respirationis, tertium liberationis, quartum est exercitationis, quod nos facimus derivationis.

18-21  Cf. Dur. 6.1.2.
24-26  Dur. 6.1.4.
26-44  Dur. 6.1.5.
38  Nusquam tuta fides: Verg. *Aen.* 4.273; fratrum quoque . . .: Ovid.
*Met.* 1.145. Cf. Hans Walther, *Carmina medii aevi posterioris latina.* II/3
et 2 *Proverbia sententiaeque latinitatis medii aevi* (Göttingen 1965, 1964), n[os]
19392 et 9944.

45  Hec .IIII. tempora representat ecclesia singulis annis: pri-
    mum a LXXᵃ usque ad Pasca, secundum in Adventu, tertium
    ab octava Pasce usque ad octavam Pentecostes, quartum
    reliquis temporibus anni.

    Tempus hiemis representat a Septuagesima usque ad Pasca,
50  unde subticenturⁱ omnia cantica letitie excepto cantico trium
    personarum, *Gloria Patri et Filio*, etc., quod idcirco non sub-
    ticeturʲ quodᵏ non fuit aliquod tempus in quo non fuerant ali-
    qui cultores Trinitatis; tamen circa finem illius temporis etiam
    subticetur quia populus Israeliticus, qui solus in fide unius
55  Dei remanserat, circa finem illius temporisˡ idolatrie sub Pha-
    raone deservisse probatur. Et si aliquiᵐ erantⁿ inmunes ab
    idolatrie scelere, affligebantur variis tribulationibusᵒ, in luto
    et latere, et tanto gravius quia dixerunt (Ex 3. 18): *Ibimus*
    *viam trium dierum ut sacrificetur Deo nostro*; sic post hym-
60  num (Dan 3.57-58) trium puerorum non dicimus *Gloria Patri*,
    quia ipsi in contemptu veri Dei, qui est trinus et unus, in
    ignem proiecti sunt. Ad notandum igitur contemptum Trin-
    itatis a perfidis factum et tribulationem viris sanctis, perfidis
    parere nolentibus, inflictam, *Gloria Patri* subticemus. De hoc
65  tamen inferius, ubi specialiterᵖ de hoc agetur, aliam rationem
    subdemus.

    Tempus veris representaturᑫ in Adventu; unde ad notandum
    quod aliquid luminis habebantʳ patres illius temporis sed mul-
    tum obscuritatis respectu sequentium patrum, minora cantica
70  letitie celebrat [Ecclesia], scilicet *Alleluia* et *Gloria Patri*, et

45-51  Dur. 6.1.6.
64-65  Cf. infra nᵒ 156, ll. 894-897.
67-98  Dur. 6.1.7-9.

ⁱ subticet ABKS/ subticent M      ʲ subticet ABKS      ᵏ quia A
ˡ etiam . . . temporis *om* A      ᵐ qui M      ⁿ essent A      ᵒ scilicet *add*
A      ᵖ spiritualiter A      ᑫ representat ecclesia A      ʳ habuerunt A

maiora supprimit, scilicet *Gloria in excelsis, Te Deum laudamus*, et Sequentias.

Tempus estatis representat Ecclesia ab octavis Pasce usque ad octavam Pentecostes. Unde omnia letitie cantica et fere
75 post singulas dictiones *Alleluia* multiplicat ad significandum gaudium habitum de nostra redemptione et fervorem caritatis quo accendimur pro revelatione veritatis.

Tempus autumni representat per reliqua tempora anni, unde cantat omnia cantica letitie, sed non semper, nec ita multipli-
80 cat *Alleluia* ut in tempore precedenti. Quod autem omnia cantica letitie cantat significat gaudium de hoc quod revelata sunt divina mysteria; quod quandoque quedam subticet nec multiplicat *Alleluia* significat declinationem a bono quam in nobis nostra peperit negligentia. Cantat etiam Graduale
85 ante *Alleluia* in signum laboris per quem transeundum est ad patriam vite.

In principio hiemis homo quasi desperatus dicit (Ps 17.5): *Circumdederunt me gemitus mortis.* In principio veris quasi respirans dicit (Ps 24.1): *Ad te meam levavi animam.* In prin-
90 cipio estatis architectus ecclesie Petrus per baptismum renatis et per gratiam illuminatis dicit (1 Pet 2.2): *Quasi modo geniti infantes, alleluia,* etc. In principio autumni exultans de Dei misericordia qua liberatus est dicit (Ps 12.6): *Domine, in tua misericordia speravi,* sed attendens miseriam in qua ex sua
95 negligentia lapsus est, statim subiungit versiculum (Ps 12. 1): *Usquequo, Domine, oblivisceris me in finem?* et Graduale (Ps 40.5): *Ego dixi: Deus, miserere mei; sana animam meam, quia peccavi tibi.*

88 Introitus dominicae Septuagesimae (Amalarius, *Liber officialis* I.1.19,23; 29.7 [II.34,36,155]).
89 Introitus Dom. I Adventus (Amal. 3.40.7[II.376]).
89-102 Cf. Amal. *Liber de ordine antiphonarii* 15.6 (Hanssens, III, 50).
91-92 Introitus Dom. I post Pascham.
93-98 Introitus, Versiculus et Graduale Dom. I post Pentecosten.

Notandum autem quod Ecclesia utitur ordine prepostero:
100 preponit enim ver hiemi. Non enim incipit a LXXª sed ab
Adventu, quia ipsa est mater misericordie et pietatis. Si enim
inciperet ab hieme, utens verbis desperationis, posset homo
audiens illa desperare, sed incipit a vere ut cum postea audierit
verba desperationis non desperet, quia processit certa promis-
105 sio vere liberationis, que scilicet fit in Adventu.

Nota<sup>rbis</sup> etiam quod avicule in vere cantare incipiunt et
ecclesia cantum suum in Adventu inchoat, scilicet Antiphona-
rium et Graduale. Diximus in principio Adventus cantari
(Ps 24.1-3) *Ad te levavi.* Si quis tamen diligenter attendat,
110 in dominica precedente preparatio Adventus Domini inchoatur
quoad quedam que ostendit Epistola que in eadem die legitur, in qua dicitur (Jer 23.5): *Ecce dies venient, dicit Dominus
et suscitabo David germen iustum*; et finis Evangelii eiusdem
diei hoc idem insinuat, scilicet (Jn 6.14) *Hic est vere propheta,*
115 *qui venturus est in mundum*, et hoc bene convenit quod precedenti dominica inchoetur, quia non respiraret desperatus nisi
precederat certa promissio vere liberationis. Precedit autem
quia in Introitu prioris dominice dicitur (Jer 29.11) *Dicit
Dominus*: *Ego cogito cogitationes pacis* et in Epistola (Jer
120 23.5): *Ecce dies veniunt*, etc.; unde audita promissione libera-
toris respirans clamat (Ps 24.1)*: Ad te levavi animam meam.*
Verum quia etsi quidam excitantur, alii somno torpent, idcirco cantor elevat vocem suam clamando: *Ad te levavi animam
meam* ; non incipiendo a superiori descendit inferius sed po-

101-105  Dur. 6.1.12.
109-117  Dur. 6.2.11.
109-127  Amal. 3.40.5-7 (II.375-376).
110, 128-133, 140 Primam ex quinque hebdomedarum Adventus ceterarum praeparativam fuisse scriptores rerum liturgicarum saeculi noni
finxisse videntur: A. Chavasse, "Le calendrier dominical romain au
sixième siècle. Les dimanches de l'Avent", *Recherches de science religieuse* 38 (1951) 244-245. Cf. Hanssens, II, 374 adnot.

r<sup>bis</sup> notat *mss*

125 tius incipiendo ab inferiori ascendit superius in nota, quod proprium est excitantis. Hoc idem notatur in Epistola que sequitur, scilicet (Rom 13.11) *Hora est iam nos de somno surgere.*
In V^a igitur hebdomada ante Nativitatem Domini inchoatur
preparatio Adventus, sicut iam dictum est. Unde in antiquis
130 Gradualibus titulus est: V^a dominica ante Nativitatem Domini,
et hoc quoad Graduale et quoad Lectionarium, nam quinque
sunt dominicalia officia et .V. lectiones et .V. Evangelia a
dominica illa usque ad Nativitatem Domini. In quarta^rter
vero Dominica inchoatur preparatio Adventus quoad officium
135 matutinale et quoad multiplicem varietatem officiorum, quia
.IIII^a. officia dominicalia matutinalia sunt ab illa dominica
usque ad Nativitatem. Quod autem dicimus in .V^a. et in
.IIII^a. Adventum inchoari, totum pro parte ponimus, quia
non semper sunt quinque hebdomade vel quatuor usque ad
140 Nativitatem ab illis dominicis. In .V^a. igitur fit inchoatio, in
qua Salvator tribus nominibus significatur, scilicet que sunt
Rex, Dominus, et Propheta: Rex ubi dicitur in Epistola (Jer
23. 5): *Regnabit rex et sapiens erit;* Dominus, in eadem (Jer
23· 6): *Hoc est nomen quod vocabunt eum: Dominus, Iustus, nos-*
145 *ter*; Propheta, in Evangelio, ubi dicitur (Jn 6. 14): *Hic est vere*
*propheta* etc. Ipse est vere rex, de quo scriptum est (Ps 20. 2):
*Domine, in virtute tua letabitur rex.* Ipse est rex unctus (Ps
44.8) *oleo letitie pre consortibus suis.* Ipse est Dominus de quo
dicitur (Ps 8. 2): *Domine, Dominus noster, quam admirabile*
150 *est nomen tuum*, etc. Inde est quod Augustus Cesar precepit
populo ne vocaret eum dominum. Quod in eo, licet ignorante,
operatus est Spiritus sanctus, quia illius imminebat nativitas
qui est Dominus dominantium. Ipse quoque est propheta,

128-138 Dur. 6.2.11.
150-151 Tertullianus, *Apologeticum* 34 (PL 1.512); Suetonius, *De vita*
*Caesarum*, II. *Divus Augustus* 53; cf. III. *Tiberius* 27.

r^ter utraque BKMS

de quo dicit Moyses (Deut 18. 15): *Prophetam suscitabit Do-*
155 *minus$^s$ de fratribus vestris; ipsum tamquam me audietis.*

Est ergo duplex inchoatio Adventus, scilicet in .IIII$^a$. et in
.V$^a$. Dominica, cuius rei triplex est ratio.

Prima ratio est quia quinque etatibus mundi Dominus fuit
exspectatus et quadruplici ordine librorum predictus, videli-
160 cet libros$^t$ legis, prophetarum, psalmorum, et initio Evangelii.
Initium Evangelii vocamus quidquid est in libro Luce, qui
historiam plenius prosecutus est quam alii ante nativitatem
Domini, sicut est de angelo misso ad Zachariam prenuntiante$^u$
nativitatem precursoris et sicut est de prophetia$^v$, videlicet
165 (Lc 1.68): *Benedictus Dominus Deus Israel,* et (cf Lc 1. 26-27)
de Gabriele archangelo misso ad virginem, et si que sunt his
similia.

Secunda ratio est quia quinque sunt sensus corporis, immo
totum corpus quod consistit ex quatuor elementis nos pur-
170 gare oportet ut Dominum advenientem hospitio recipiamus,
sicut ipse dicit (Jn 14. 23-24): *Ego et Pater ad eum adveniemus,*
*et mansionem apud eum faciemus; qui diliget me et mandata*
*mea servat.*$^w$

Tertia ratio: duo sunt ordines fidelium expectantium Sal-
175 vatorem et celebrantium eius adventum, videlicet seculares
et spirituales.

Seculares sunt qui licite his rebus transitoriis utuntur que
quinque sensibus corporis administrantur; spirituales sunt qui
ipsis abiectis nudi nudum Christum secuntur. Ad primos
180 pertinet quinarius, ad secundos quaternarius. Unde in quinta

---

156-202 Amal. 4.30.1-8 (II.500-502); Dur. 6.2.12-13,15.
179 Nudi nudum Christum secuntur. Cf. M. Bernards, "Nudus nudum
Christum sequi", *Wissenschaft und Weisheit* 14 (1951) 148-151.

---

$^s$ suscitabit dominus] excitabit vobis A        $^t$ libro ABKS        $^u$ an-
nuntians A        $^v$ propheta AK        $^w$ observat A

Dominica legitur Evangelium<sup>x</sup> (cf. Jn 6. 9-11; Mt 14. 17-21)
de miraculo .V. panum quibus satiati sunt .V. milia hominum,
quod exponunt sancti expositores dicentes: Quinque milia
sunt qui licite his temporalibus utuntur et non abiciunt<sup>z</sup>, qui
185 bene per quinarium numerum intelliguntur, propter quinque
sensus corporis quibus hec administrantur.<sup>y</sup>   Hii satiantur
quinque panibus, quia legalia instituta eis proponenda<sup>a</sup> sunt;
que per quinarium intelliguntur propter quinque libros Moysi.
His etiam dicendum est (Ex 20. 13-14): *Non occides, non me-*
190 *chaberis*, etc.; non est dicendum eis (Mt 19. 21): *Vade et vende*
*omnia que habes, et da pauperibus* et his similia.

Ad spirituales pertinet quaternarius.  Quod in Evangelio
(cf. Mt 15. 36-38) apparet, in quo .IIII. milia .VII. panibus
satiati sunt.  Spirituales sunt .IIII. milia quia sunt Evangelica
195 perfectione sublimes et sunt .VII. refecti panibus, id est septiformi gratia eruditi et repleti.

Hanc distinctionem figuravit Dominus in Moyse, cum in
introitu tabernaculi Dei (cf. Ex 36. 36-38) iussit poni .V. co-
lumnas et ante oraculum, id est sancta sanctorum, .IIII.
200 Quinque columne exterius posite sunt seculares, qui in istis
exterioribus maxime versantur<sup>b</sup>; quatuor columne ante oraculum posite sunt spirituales, qui quasi interius positi Domino
devotius obsecuntur.

Propter hanc eandem distinctionem clerici, qui [cum] secu-
205 laribus celebrant in vespertino, .V. psalmos cantant officio,
et monachi, qui altiorem elegerunt viam et religiosi cantant,
non nisi quatuor cantant psalmos.

---

183-188 Beda, *In Lucae evangelii Expositio* 9.14 (PL 92.450AB); cf.
*Glossa ord.* (Lyons 1589: Mc 6.44).

<sup>x</sup> sequitur K      <sup>y</sup> et . . . administrantur *om* A      <sup>z</sup> abiciuntur M
<sup>a</sup> preponenda KMS      <sup>b</sup> conversantur A

Ad seculares pertinet quod legitur in Epistola Dominice quinte, scilicet (Jer 23. 7-8) *Non dicent amplius*: *Vivit Domi-*
210 *nus, qui eduxit filios Israel de terra Egypti, sed dicent*: *Vivit Dominus, qui eduxit et adduxit eos de terra Babilonis.* *Egyptus* tenebre interpretatur et significat tenebras infidelitatis, a quibus educimur[c] per catechismum et alia que precedunt baptismum et per baptismum ducimur[d] in terram promissionis,
215 id est Ecclesiam. Et si contingat nos postea peccare mortaliter, ducimur in confusionem peccati, sed tamen reducit nos Dominus.

Ad spirituales pertinet quod dicitur in Epistola Dominice quarte, scilicet (Rom 13. 11): *Nunc proprior est nostra salus*
220 *quam cum credidimus.* Quanto enim quis ascendit de virtute in virtutem, tanto magis salus ei appropinquat et ipse saluti. In quarta hebdomada[e] innovatur cantus et non in quinta, quia spiritualium est canticum novum cantare et non secularium, qui adhuc quasi veteres sunt et quorum mala adhuc recentia
225 sunt; potius debent lugere quam gaudere.

Ad spirituales pertinent duo versiculi, quorum alter cantatur in officio vespertino, scilicet (Is 45. 8): *Rorate celi, desuper,* alter in matutino, scilicet (Is 40. 3): *Vox clamantis in deserto.* In primo ostenditur quid facere debeant, in secundo exsecun-
230 tur. Ipsi sunt celi rorantes et nubes pluentes. Ros est subtilior et pluvia grossior. Tunc sunt rorantes cum subtilia dicunt de incarnatione Salvatoris (Jn 1. 14) *Verbum caro factum est,* et Unigenitus Dei Patris factus est Filius matris, et his similia; tunc sunt pluentes cum dicunt grossiora, id est, intellectu fa-
235 ciliora, sicut est quod Maria desponsata est Ioseph et quod puer natus est in Bethlehem et reclinatus in presepio. Isti

222-251  Cf. Amal. 4.30.8-13 (II.502-504).
222-225  Dur. 6.2.14.
226-255  Dur. 6.3.1.

[c] adducimur K    [d] ducimus AM    [e] dominica A

faciunt quod (Is 45. 8) *aperiatur terra et germinet Salvatorem.*
Ad litteram, terra est virgo Maria, que aperta quantum ad
fidem cordis sine damno virginitatis et concepit et peperit
240 Salvatorem, sed moraliter[f] est cor humanum, quod viri spirituales sua predicatione aperiunt et germinant Salvatorem,
id est Christus in eo formatur, iuxta illud Apostoli (Gal 4. 19):
*Filioli mei, quos iterum parturio, donec formetur Christus in
vobis.* Isti sunt (Is 40. 3; Mt 3.3) *vox clamantis in deserto,* id
245 est in mundo: *Parate vias Domini, recte facite semitas eius.*
Vie sunt opera, semite sunt cogitationes quas debemus prepa-
rare in adventum Salvatoris[g]. Hanc preparationem notat Apostolus in Epistola quarte Dominice, dicens (Rom 13. 13-14):
*Non in commessationibus et ebrietatibus*[h]*, non in pudicitiis et*
250 *cubilibus, non in contentione et emulatione, sed induimini Dominum Iesum Christum.* Hoc idem notat Sacramentum, id
est oratio que post Communionem sequitur, dicens (Ps 47. 10):
*Suscepimus, Deus, misericordiam tuam in medio templi tui,*
ut reparationis[i] nostre ventura[j] sollemnia congruis honoribus
255 precedamus[k].

Dictum est quod ante Nativitatem Domini in .IIII[a]. Dominica inchoatur matutinum officium. Ordinator igitur matutini
officii, scilicet beatus Gregorius, incepit (Dan 7. 13): *Aspiciebam in visu noctis,* et quidam alius, ut dicitur, monachus

253   Postcommunio Dom. I Adventus.
256-273   Cf. Amal., *De ordine antiphonarii* 8: *De officio "Aspiciens a longe"* (III.37-40), et Hanssens, *"Tabula", ibid.* p. 147. Cf. Amal., *De regula
Sancti Benedicti praecipui abbatis,* III, p. 273.14-18.
257-266   Dur. 6.3.2.
258-259   (Dan. 7.13) *Aspiciebam in visu noctis*: Respons. 2 Dom I.
Adventus.

[f] terra *add* A      [g] quas . . . salvatoris *om* A      [h] et ebrietatibus *om*
A      [i] recuperationis A      [j] votiva A      [k] predicamus K/ de matutino officio *add* rubr A

260 adiecit Responsorium (Mc 15. 40): *Aspiciens a longe,* quod inde
apparet quod infra hebdomadam non repetitur, sed alia[e] repetuntur. Si quis vero obiciet quod illo deposito non remanent
nisi octo Responsoria illi diei dominico, respondetur quod
novem sunt, connumerato illo[m] quod in vesperis Sabbati[n]
265 cantatur, scilicet (Jer 23.5): *Ecce dies veniunt,* quod iuxta ordinem Gregorii nonum est.

In illo autem Responsorio, scilicet: *Aspiciens a longe,* quod
habet tres versus et unum *Gloria,* inventor eius quatuor attendit tempora, scilicet tempus ante legem, tempus legis, tempus
270 prophetie, tempus gratie. Ante legem enim pauci secuti sunt
unum Deum. In lege aliquid fuit imperfectionis quia data
fuit infirmis, unde dictum est (cf. Deut 28.12): *Omnibus aliis
gentibus fenerabis, genti autem tue non fenerabis.* Nulla quoque fuit in ea aperta Salvatoris promissio. Quod enim dictum
275 fuit (cf. Deut 18.18): *Prophetam suscitabit vobis Dominus[o] de
fratribus[p] ipsum tanquam me audietis,* Judei pene omnes de
Josue tantum dictum intellexerunt. Postea adiecta est prophetarum doctrina ut quod infirmis in lege dictum erat immutaret, dicens (cf. Ps 14.5) illum habitaturum in tabernaculo
280 Domini[q] (Ps 14 5) *qui pecuniam[r] non dederit[s] ad usuram;*
adiecta etiam ut vitia pullulantia corrigeret et adventum Salvatoris manifeste promitteret. Tandem secutum est Evangelium in quo est consummatio.

Alloquens[t] autem Ecclesia homines[u] qui fuerunt ante legem
285 dicit in .1o. versu (Ps 48. 3): *Quique terrigene* etc., id est, vos

260 *Aspiciens a longe*: Honorius, *Gemma animae* 3.1 (PL 172.643).
267-271 Dur. 6.3.5.
284-299 Dur. 6.3.5.
285 *Quique terrigene*: Vers. Responsorii 1 Lectionis 1 Dom. I Adventus.

[1] omnia *add* A   [m] connumerato illo] computato eo A   [n] precedentis *add* A   [o] deus A   [p] nostris *add* A   [q] immutaret ...
tabernaculo domini *om* A   [r] suam *add* A   [s] dedit A   [t] aliquo-
tiens BKMS   [u] hominibus A

divites et pauperes, (Mt 25.6) *ite in obviam ei*, et dicite (cf Mt
11.3; Lc 7.19-20): Indica nobis si tu es ipse qui recturus[v] es in
populo Israel. In secundo versu in persona hominum qui
fuerunt sub lege[w] legis ipsum datorem[x] alloquitur dicens (Ps
290  79.2): *Qui regis Israel, intende qui deducis velut oves Ioseph*,
id est qui populum Israel lege tua regis et sicut pastor ovem
eum deducis[y], (cf. Mt 11.3; Lc 7.19-20) indica nobis si tu es
ipse qui recturus es in populo Israel. In tertio iam ex dictis
prophetarum certificati, de adventu Salvatoris ex desiderio
295  clamant (cf. Ps 79.3): *Excita potentiam tuam et veni, qui
regnaturus es in populo*. In quarto gratias agens Salvatori
de adventu suo quia dignatus est venire, immo toti Trinitati,
dicit: *Gloria*[z]. Ad notandum omnium desiderium repetit Responsorium, dicens: *Aspiciens a longe*.

286-288  *Ite . . . Israel*: pars Respons. "*Aspiciens*".
290  Versiculus 2 Respons. "*Aspiciens*".
295-296  *Excita potentiam*: olim Grad. 4 Sabb. Quat. Temp. Adventus.

[v] regnaturus A      [w] qui . . . lege *om* BKMS      [x] dominatorem K
[y] ducis A      [z] patri et filio et spiritui sancto *add* A

# [LIBER PRIMUS]

[DE OFFICIIS AB ADVENTU USQUE AD PARASCEVEN]

### 1. QUARE ANTIPHONE IN LAUDIBUS
### TERMINENTUR CUM *ALLELUIA*

Notandum quod omnes Antiphone dominicales in matutinis
Laudibus terminantur in *Alleluia* ad notandum gaudium
de certitudine Salvatoris[a] habitum, ut in matutino officio
quasi sit predicatio et in matutinis Laudibus notetur exul-
5 tatio.

### 2. QUARE IIII[a] HEBDOMEDA[b] IN FERIIS
### HABET XV RESPONSORIA

Item notandum quod in prima et secunda et tertia hebdomada repetuntur Responsoria dominicalia, sed in quarta sunt
specialia[c] Responsoria que infra hebdomadam cantantur,
que sunt .XV., quia ille exspectatur venturus qui instauravit
10 Vetus Testamentum et erat instituturus Novum. Quindena-
rius enim consistit ex septenario et octonario, et septenarius
ad Vetus Testamentum et octonarius ad Novum refertur.

### 3. QUARE IN QUARTA IN LAUDIBUS SINGULI
### PSALMI HABEANT ANTIPHONAM

Item nota quod in aliis hebdomadis una Antiphona super
psalmos matutinarum Laudium cantatur, sed in quarta heb-
15 domada in singulis matutinis Laudibus singuli psalmi singulas
habent Antiphonas. Quid hec significent in istis exterioribus
intelligi potest, nam si veniat nuntius venturum[d] imperatorum
prenuntians gaudemus sed non plene credimus, si veniat se-

1-12  Dur. 6.2.8.
13-26  Cf. Dur. 6.11.6.

[a] adventum *add* A  [b] feria B *om* AM  [c] spiritualia AK  [d] multum B

15

cundus et magis gaudemus, si veniat tertius et adhuc magis.
20 Sed eo appropinquante crebrescunt nuntii eius adventum
nuntiantes, unde nobis ingens[e] gaudium generatur et ita gaudemus quasi eum presentem habeamus.[f] Hoc idem significat nobis Antiphonarum varietas et multiplicatio. Sic in
matutinis Laudibus ultime hebdomade Antiphonas multipli-
25 camus ad notandum gaudium servorum de certissimo adventu Domini sui exultantium.

### 4. QUARE CANTENTUR ANTIPHONE ET QUARE QUIDAM PLURES, QUIDAM PAUCIORES

Ita circa finem Adventus cantamus in Vesperis sacramen-
tales[g] Antiphonas *O Sapientia*[h] cum reliquis ad notandum
desiderium tam antiquorum patrum quam modernorum. Ex-
30 pectaverunt enim antiqui patres cum desiderio primum Salvatoris adventum; expectant moderni secundum. Illorum
desiderium representatur verborum istorum tono, nam omnes
ille Antiphone sunt secundi toni in signum quod secundum
expectamus adventum. Si tamen diligenter attendamus et
35 quantum ad verba, quedam pertinent ad eos qui expectant[l]
secundum adventum, quedam ad eos qui expectant[j] primum.
Ille enim Antiphone que in principio habent verba pertinentia
ad deitatem pertinent ad eos qui expectabant primum, ut
*O Sapientia, O Adonai.* Illa vero que habent vocabula ad
40 humanitatem pertinentia pertinent ad expectantes secundum,
ut *O radix Iesse, O clavis David.* Sunt alique que convenienter ad utrumque referuntur, ut *O rex gentium,* nam Dei filius
dicitur rex secundum deitatem iuxta illud (Ps 71.2): *Deus,*

27-48  Cf. Dur. 6.11.4.

[e] adventum . . . ingens *om* B      [f] habemus K      [g] dominicales A
[h] adonay etc *add* A      [l] eos qui expectant] patres expectantes A
[j] eos qui expectant] patres expectantes A

*iudicium tuum regi da*, etc. et dicitur secundum humanitatem
45  iuxta illud (Ps 20.2): *Domine, in virtute tua letabitur rex.*
Sepius tamen secundum humanitatem rex dicitur, quia secundum eam unctus est (Ps 44.8) *oleo letitie pre consortibus
suis.* De illis Antiphonis quidam cantant .VII., quidam .IX.,
quidam .XIII. vel plures, sed non sunt nisi septem que habent
50  *veni.*

### 5. QUOT SINT ADVENTUS[k]

Notandum quod quadruplex est adventus, scilicet primus
adventus generalis et primus particularis et secundus generalis
et secundus particularis: primus adventus generalis in quo
factus est homo ut hominibus visibiliter appareret, de quo
55  dictum est (Mt 21.9): *Hosanna filio David; benedictus qui
venit in nomine Domini*; primus particularis quo[l] cotidie venit
in corda fidelium invisibiliter eius mandata implentium, sicut
ipse ait (Jn 14.23): *Ego et Pater meus ad eum veniemus et mansionem apud eum faciemus*; secundus generalis in quo ipse
60  veniet in futuro ad generale iudicium, de quo scriptum est
(Ps 49.3): *Deus manifeste veniet*; secundus particularis est
quo venit ad quemlibet fidelem in obitu suo, de quo dicit
Iacobus (5.7): *Patientes estote[m] usque ad adventum Domini,*
de quo[n] quadripartito adventu Domini in tempore Adventus
65  cantatur et legitur quasi indifferenter nunc[o] de hoc, nunc[o]
de illo.

### 6. QUOD FERE OMNES COLLECTE
### PERTINENT AD PRIMUM
### ADVENTUM PARTICULAREM

Nam ad primum adventum particularem pene omnes Collecte, et que in Adventu et[p] de adventu dicuntur pertinent;

51-63  Cf. Dur. 6.2.2.

---

[k] de quadripertito      adventu A      [l] quod K      [m] fratres mei *add* A
[n] hoc A      [o] modo A      [p] que *add* M

una est que pertinet ad generalem adventum secundum:
70 Conscientias nostras, quesumus, Domine, visitando purifica,
etc.�q Cantus qui cantatur in prima Dominica ad missam pene
totus de primo adventu particulari est. Epistola ad primum
et secundumʳ particularem referri potest quia in eademˢ (Rom
13.11) *proprior nunc est nostra salus quam cum credidimus.*
75 Evangelium est de primoᵗ generali quia in fine dicitur (Mt
21.9): *Hosanna filio David.*

In secunda Dominica quicquid cantatur fere pertinet ad
secundum generalem. Introitus (Is 30.30): *Populus Sion,
ecce Dominus*ᵘ; sed hoc etiam convenienter ad primum refer-
80 tur. Epistola ad secundum particularem, ubi dicitur (Rom
15.4): *Quecumque scripta sunt ad nostram doctrinam scripta
sunt,* etc.ᵛ Patientia enim et consolatio scripturarum nobis
necessarie sunt usque ad finem vite. Graduale et Evangelium
manifeste pertinent ad secundum: Graduale (Ps 49.2): *Ex
85 Sion species,* etc. Evangelium (Lc 21.25): *Erunt signa in sole
et luna.* Ad primum autem generalem adventum multa de
his que cantantur in aliis hebdomadis respiciunt, et hec diligens lector per se inquirere potest.

### DE NATIVITATE DOMINI
#### NOSTRI IESU CHRISTIʷ

In Nativitate .IIII. varietates in divino inveniuntur officio.
90 Prima varietas est que in duabus primis nocturnis in Antiphonis ostenditurˣ sine *Alleluia,* in .IIIᵃ. nocturna cum *Alleluia.* Secunda varietas quod tres misse cantantur, prima

---

70 *Lib. sacram.* 765 (p. 65); *Sacram. greg.* n° 193.2.

 q etc] inveniens jesus christus dominus noster cum omnibus sanctis pa-
ratam sibi in nobis inveniat mansionem A      ʳ adventum *add* A      ˢ dicitur *add* A      ᵗ adventu *add* A      ᵘ veniet ad salvandas gentes *add* A
ᵛ etc] ut per patientiam et consolationem scripturarum spem habeamus A      ʷ de varietate officii nativitatis domini A      ˣ sunt A

in nocte, secunda in aurora, tertia in die clara. Tertia varietas quod in singulis missis post prophetiam statim sequitur
95 Epistola, nec Collecta nec cantu mediante, quod etiam fit in
vigilia. Quarta varietas quod legitur Evangelium, scilicet
*Liber generationis,* et statim sequitur *Te Deum laudamus.* In
illa etiam sollemnitate quidam nullos pannos suspendunt, quidam viles et veteres, optimos quidam, que omnia non sunt
100 sine mysterio^y.

### 7. QUARE IN PRIMO ET SECUNDO
### NOCTURNO ANTIPHONE SINT SINE *ALLELUIA*
### SED NON IN TERTIO

Primum ergo queritur quare in prima et secunda nocturna
Antiphone sint sine *Alleluia,* et in tertia cum *Alleluia.* Notandum igitur quod tria tempora sunt distincta in quibus fideles
Deo Trinitati servierunt, scilicet tempus ante legem et tem-
105 pus sub lege et tempus gratie.

In tempore ante legem etsi multi Deo servierunt, tres tamen specialius commemorantur, scilicet Abraham, Isaac, et
Iacob; unde sepe legitur (Ex. 3.6): *Deus Abraham, Deus Isaac,*
*Deus Iacob.* Hii specialius^z in reliquis commemorantur quod
110 per hos tres .III. virtutes significantur, in quibus tota meriti
nostri summa consistit, scilicet fides, spes, caritas; Abraham
fides, Isaac spes, Iacob caritas. Per Abraham fides rationaliter
intelligitur, quia cum ei fieret promissio quod (Gen 22.18) *in*
*semine eius benedicerentur omnes gentes,* credidit Deo, ut dicit
115 Apostolus (Gal 3.6) *et reputatum est ei*^a *ad iustitiam,* unde et
ipse prima credendi via dicitur. Per Isaac intelligitur spes,
quia Isaac interpretatur risus seu gaudium, et spes est virtus
que facit nos^b etiam in tribulationibus gaudere, unde Apos-

101-129  Cf. Dur. 6.13.7.
108  Initium Respons. Lectionis 9 Dom. I Adventus.
112  Hodie Evangelium Dom. IV Adventus.

^y ministerio A      ^z spiritualius AK      ^a illi A      ^b *om* KMS

tolus (Rom 12.12): *Spe gaudentes.* Per Iacob intelligitur cari-
120 tas, quia per Iacob intelligitur supplantator, et caritas est
virtus que maxime in nobis vitia supplantat.

In tempore quoque quod fuit sub lege servierunt patres
Deo Trino, venerantes ea que de eo dicuntur in lege, prophetis,
et psalmis, sicut dicit Dominus (Lc 24.44): *Que scripta in*
125 *lege et prophetis et psalmis de me.*

In tempore gratie servierunt fideles Deo Trinitati, in quo
fides Trinitatis expresse revelata est, unde Dominus dicit
(Mt 28.19): *Baptizantes eos in nomine Patris et Filii et Spiritus sancti.*

### 8. QUARE TRES PSALMOS IN PRIMO NOCTURNO
### ET IN SECUNDO ET IN TERTIO

130     Propter horum trium temporum patres dicimus .III. psalmos in prima nocturna, .III. in secunda, .III. in tertia, sed
fideles tam primi quam secundi temporis ab eterno gaudio dif-
ferebantur, scilicet a patria, in quo iuxta Apocalypsim (19.1)
*Alleluia* cantatur. Sancti autem temporis gratie statim post
135 mortem admittuntur ad illud gaudium quod in die Nativitatis
ab angelis pastoribus nuntiatum est, et idcirco in Antiphonis
prime et secunde nocturne non ponitur *Alleluia*, sed tantum
in Antiphonis tertie.

### 9. QUARE TRES MISSE[c]

Prima missa est de eterna genitura, secunda de promissione
140 antiquis facta, tertia de veritate nobis exhibita. Prima est de
eterna genitura, unde cantatur (Ps 2.7): *Dominus dixit ad me:*

---

119  Introitus Dom. XXIII et ceterarum post Pentecosten.
124-125  Epistola Dom. I Adventus.
133  Apoc 19.1,3,4,6.
139-158  Beleth, *Rationale divinorum officiorum* 69 (PL 202.76BC);
Dur. 6.13.19,23.

c  de prima missa nativitatis A

*Filius meus es tu, ego hodie genui te,* id est eternaliter. "Hodie" enim presentiam significat, ut dicit Augustinus, et "quod
eternum est semper presens est". Secunda est de promissione
145 antiquis facta, unde cantatur: *Lux fulgebit hodie;* non dicitur
"Lux fulsit" vel "fulget" sed "fulgebit". Tertia est de veritate nobis exhibita, unde cantatur (Is 9.6): *Puer natus
est nobis.* Ibi utimur[d] futuro ad notandum promissionem, hic[e]
preterito ad notandum promissionis impletionem.

### 10. QUARE CANTENTUR DIVERSIS TEMPORIBUS

150     Et quia eterna generatio est nobis occulta, iuxta illud Isaie
(53.8): *Generationem illius quis enarrabit,* idcirco missa de
eterna genitura cantatur nocte profunda. Quia vero antiqui
patres quibus facta est promissio certi erant de incarnatione
Domini,[e bis] sed non tantum quantum patres Novi Testamenti
155 quibus exhibita est veritas, inde est quod missa de promissione cantatur in aurora, in qua est modicum lucis. Quia
vero patribus[f] Novi Testamenti manifesta est veritas, inde
est quod missa, que est exhibitio veritatis, cantatur luce clara.

### 11. QUARE[f bis] LEGITUR EVANGELIUM
### DE ETERNA GENITURA CUM IPSA

Notandum tamen quod in missa de eterna nativitate[g] legi-
160 tur Evangelium de humana, scilicet (Lc 2.1): *Exiit edictum
a Cesare Augusto,* et in missa de nativitate humana legitur
Evangelium de divina, scilicet (Jn 1.1): *In principio erat
Verbum,* ad notandum quod ex quo humanitas divinitati fuit
unita nec deitas sine humanitate nec humanitas sine deitate
165 fuit, nec est nec erit. Hanc rationem assignat David[h] in
Psalterio.

142-144  Aug. *Enarr. in Ps.* 2.7 (PL 36.71A).
159-166  Dur. 6.13.24.

[d] utitur A      [e] utitur *add* A      [e bis]) certi . . . domini *add. Durandus*
[f] temporibus A      [f bis]) non *add* KS      [g] genitura A      [h] marcus A/
magister *Durandus*

## 12. DE QUADRUPLICI CHRISTI NATIVITATE

Est et alia ratio in aliquo huic conveniens: quadripartita est nativitas Salvatoris: nativitas eterna de Patre, nativitas temporalis de matre et nativitas temporalis in matre, et nati-
170 vitas spiritualis in fideli corde. De prima dictum est (Ps 2.7): *Ego hodie genui te* et item (Ps 109.3): *Ante luciferum genui te*; de secunda (Mt 4.20): *Quod in ea natum est de Spiritu sancto est*; de tertia (Lc 1.35): *Quod nascetur ex te sanctum vocabitur filius Dei*; de quarta dicit Apostolus (Gal 4.19):
175 *Filioli mei, quos iterum parturio donec formetur Christus in vobis* et Dominus in Evangelio (Mt 12.50): *Qui facit volutatem[i] meam vel Patris mei qui in celis est, ipse meus frater et soror et mater est.* Si tu es mater eius, ipse est Filium tuus, quia tu eum in corde concepisti (cf Gal 5.6) per fidem operantem
180 per dilectionem. De quarta nativitate nil ad presens tractabimus.

Ad eternam nativitatem pertinet quod cantatur in prima missa (Ps 2.6): *Dominus dixit ad me*; ad nativitatem temporalem in matre pertinet quod dicitur[j] in secunda (cf Is 9.2, 6):
185 *Lux fulgebit hodie Salvator noster quia natus est nobis Dominus*, nam quod dicitur *natus est nobis* notat nativitatem in utero, et quod dicitur *lux fulgebit* notat nativitatis promissionem ex utero et ita quoad aliquid secunda missa de veritate est impleta, et quoad aliud[k] est de promissione rei future.
190 Tertia missa est de nativitate ex utero, unde dicitur (Is 9.6): *Puer natus est nobis.*

167-173 Verba adhibita in sermone quodam Praepositini, Monacensis, lat. 14126 f. 1ᵈ; cf. Lacombe, *La vie*, p. 80.
183 *Dominus dixit ad me*: Introitus Missae 1 Nativitatis Domini (Marbach 61).
185 *Lux fulgebit*: Introitus Missae 2 Nativitatis Domini (Marbach 306).
187-196 Cf. *Glossa ord.* (Lyons 1589); Mc 6.32-44; Lc 9.10-17.
191 *Puer natus*: Introitus Missae 3 Nativitatis Domini (Marbach 306).

[i] meam vel *add* BMS     [j] cantatur A     [k] secunda . . . aliud *om* AB

### 13. ALIA RATIO DE ORDINE MISSARUM

Si ordinem rei geste et divini officii attendere volumus, aliam causam invenire poterimus. Scimus enim quod Dominus noster natus est in nocte et ab angelo nuntiatus pastoribus et
195 a multitudine angelorum cantantium (Lc 2.14) *Gloria in excelsis Deo*, idcirco Telesphorus[1] papa instituit ut missa eo tempore cantaretur in quo diceretur *Gloria in excelsis Deo*. Hoc manifeste in Evangelio eiusdem misse dicitur; hoc insinuat Collecta: Deus, qui hanc sacratissimam noctem[m], cui etiam
200 consonat prophetia, scilicet (Is 9.2): *Populus gentium, qui ambulabat in tenebris*, et Epistola (Tit 2.11): *Apparuit gratia salvatoris nostri Dei*, etc. Cantus tamen Gradualis pene totus est de eterna genitura, scilicet Introitus (Ps 109.1): *Dominus dixit ad me*, et Graduale (Ps 109.3): *Tecum principium*, Alle-
205 luia: *Dominus dixit ad me*, et Communio (Ps 109.3): *In splendoribus sanctorum*, etc. Collecta, Lectiones et Evangelium sunt de humana nativitate, ad insinuandum quod qui erat ab eterno unigenitus Filius Patris factus est in tempore unigenitus Filius matris.

### 14. NOTA QUOD OFFERTORIUM RESPONDET EVANGELIO

210 Solum Offertorium (Ps 95.11,13) *Letentur celi* est de humana genitura quia conveniebat ut Offertorium Evangelio responderet. Cantatur igitur *Gloria in excelsis Deo* in illa missa; quod[n] per totum Adventum suppressum est, ut quasi

---

192-202 L. Duchesne, *Liber pontificalis* I, p. 129; cf. Dur. 6.13.18,17.
196 Gratianus, *Decretum* III, *De consecr.* dist. I, c. 48, "Nocte" (Friedberg I, 1306).
199 *Sacram. greg.* n⁰ 6.1.
201-202 Epistola Missae 1 Nativitatis Domini.
210 Missa 1 Nativitatis Domini.

[1] celestinus B     [m] veri luminis fecisti illustratione clarescetur etc. *add* A     [n] quia AB

de novo incipiat cantari[o] eo tempore quo ab angelis cantari[p]
215 auditum est.

### 15. QUARE PRIMA MISSA TERMINETUR CUM
### *BENEDICAMUS DOMINO*

Hec missa terminatur in pluribus ecclesiis per *Benedica-*
*mus Domino* eo quod nativitas Salvatoris paucis ab angelo
nuntiata sit, scilicet[q] pastoribus, qui ministros ecclesie figurant. In primitiva namque ecclesia cum[r] ministri ecclesie
220 missam celebrabant[s] non presente populo, et claudebatur
missa per *Benedicamus Domino*; quando autem populus erat
presens, quia nesciebat quando missa esset terminata, dice-
batur eis *Ite, missa est,* quasi diceret eis: Ite, recedite, quia
missa est pro vobis hostia ad Dominum.

### 16. QUARE DICANTUR *ITE* IN FESTIS
### ET *BENEDICAMUS* IN PROFESTIS

225 Tamen obtinuit consuetudo: in profestis diebus, quasi soli
ministri presentes sint, dicitur *Benedicamus Domino* et in
solemnitatibus *Ite, missa est.* Dicitur ergo in prefata missa
*Benedicamus Domino,* quasi soli ministri sint presentes, quia
sic dictum est solis pastoribus dum ab angelo nuntiatus fuit
230 Dominus.

### 17. QUARE QUIDAM ETIAM SECUNDAM MISSAM
### CANTENT IN NOCTE, UT ROMANI

Secunda missa a quibusdam cantatur in nocte, a quibusdam
in ortu diei. In nocte enim cantatur a Romanis, nam primam
missam cantat apostolicus ad Sanctam Mariam et secundam
apud Sanctam Anastasiam, et deinde vadit ad Sanctum Pe-
235 trum et invenit ministros ibi servientes adhuc Matutinas

216-230  Dur. 4.57.7.

o cantare K    p *om* K    q sed KM    r dei BKM/ dicitur S
s celebrant AKMS

cantantes. Qui cantant in nocte hoc attendunt quod pastores
nocte visitaverunt presepe Domini, quod notat Evangelium
eiusdem misse, scilicet (Lc 2.20) *Pastores*, etc. Qui vero in
ortu diei cantant hoc attendunt quod ille natus est qui in ortu
240 fuit lux tam in ortu in utero quam ex utero. Quilibet enim
homo cum nascitur quasi nox est per tenebras originalis peccati, nisi aliquis ex utero miraculose sanctificetur, ut Iohannes,
et tamen ipse in nativitate, qua fuit in utero, fuit nox nec
ipse unquam proprie fuit lux, id est ex se lucens, unde Evan-
245 gelista (Jn 1.8): *Non erat ille lux, sed ut testimonium perhi-
beret de lumine*, sed Dominus fuit vere lux et est.

### 18. QUARE A QUIBUSDAM IN ORTU

Cantatur ergo in ortu huius temporalis lucis missa, quasi
ipso facto dicatur: *Orta est nobis lux*. Huic consonat Introitus
*Lux fulgebit*[t] et Graduale[u], in quo dicitur: (Ps 117.27) *Deus*
250 *Dominus, et illuxit nobis*, et Alleluia: (Ps 92.1) *Dominus*
*regnavit, decorem induit. Induit decorem*, id est carnem luci-
dam, sicut in alio psalmo dicitur (Ps 103.2): *Amictus*[v] *lumine*
*sicut vestimento*. Quod in uno psalmo dixit *decorem*, hoc in
alio dixit *lumen*, ita et alia consonant.

### 19. DE TERTIA NON EST QUESTIO

255 De tertia missa non est querendum quare tunc cantetur,
quia ipsa cantatur eo tempore quo institutum est ut missa
cantetur. Ipsa tamen est de publicatione nobis facta qua
publicatum est nobis quod qui est Deus et homo natus est
nobis.

236-240 Ps-Alcuinus *Liber de div. off.* 1 (PL 101.1175D); Dur. 6.13.21.
247-251 Cf. Dur. 6.13.21,26.
248 Cf Ps 96.11.
249 Introitus Missae 2 Nativitatis Domini; Ps 96.11.
249-250 Graduale et Alleluia Missae 2 Nativitatis Domini.

t fulgebat BMS     u gradualis BMS     v accinctus K

## 20. NOTA QUOD FERE UBIQUE IN TERTIA
## DEITAS ET HUMANITAS INSINUATUR

260  Inde est quod fere ubique in illa missa deitas[w] et humanitas
insinuatur, verbi gratia (cf Is 9.6): *Puer natus est nobis* ad
humanitatem; *et Filius datus est nobis* ad divinitatem; *cuius
imperium super humerum eius*, hoc ad humanitatem: in passione enim tulit crucem in humero in qua meruit principa-
265  tum. *Vocabitur nomen eius magni consilii angelus*, hoc ad
deitatem: LXX enim in qua interpretes dixerunt: *Magni
consilii angelus* ubi hebraica vetustas[x] dicit (Is 9.6): *Admira-
bilis, Consiliarius, Deus, Fortis*, etc. Ita in prophetia[y] (Isaias
52.6): *Ego ipse qui loquebar*, hoc ad deitatem; *ecce assum*,
270  hoc ad humanitatem. Ita in Epistola, in qua dicitur (Heb
1.3): *Qui cum sit splendor glorie*, etc., hoc ad deitatem; (Heb
1.2) *quem constituit heredem universorum*, hoc ad humanitatem.
Ita in Evangelio (Jn 1.1): *In principio erat Verbum*, hoc ad
deitatem ; (Jn 1.11) *In propria venit*, (Jn 1.14) *Verbum caro
275 factum est*, hoc ad humanitatem, et ita singula possumus notare.

## 21. *LIBER GENERATIONIS* A QUIBUSDAM
## LEGITUR STATIM POST
## PRIMAM MISSAM

Cantatur etiam (Mt 1.17) *Liber generationis* in pluribus
ecclesiis statim post primam Missam, idcirco quia duo erant
nobis necessarii testes adminus. Primus testis fuit Lucas
(2.11), qui narravit iuxta verbum angeli *Dominum natum in*
280 *civitate David*. Adductus est alius testis qui dicit (Mt 1.1)
eum natum de David acsi diceretur: Non tantum est natus
in civitate David, sed etiam de David.

261-266  Introitus Missae 3 Nativitatis Domini.
271-274  Epistola et Evangelium eiusdem Missae.
276-280  Cf. Beleth, *Rationale* 69 (PL 202.75D-77B).

[w] divinitas M    [x] hebraica vetustas] hebrea veritas A/ hebraica ves-
tustas BMS    [y] ita in prophetia *om* KMS

### 22. QUARE PRIUS NOMINETUR
### DAVID QUAM ABRAHAM

Unde Mattheus (1. 1) prius[z] nominat David quam Abraham, dicens: *Filii David, filii Abraham*, quamvis alia assignari[a] pos-
285 sit causa quare prius nominetur, quia David prior est Abraham dignitate, nam ille tantum patriarcha, iste patriarcha et rex.

### 23. QUARE POST EVANGELIUM
### *TE DEUM LAUDAMUS*

Audito igitur uno teste ab ecclesia, quia vix est quod uni testi credatur, unus terminat Missam dicens: *Benedicamus Domino*; ecclesia quasi voce demissa respondit[b]: *Deo gratias.*
290 Sed adiecto alio qui et generationem dominicam[c] describit, tunc plene confidens ecclesia clamat, exultans: *Te Deum laudamus*.

### 24. QUARE IMMEDIATE PROPHETIA
### ET EPISTOLA

Prophetia vero legitur ante Epistolam immediate ut basis sit sub columna—Vetus enim Testamentum est quasi basis—,
295 et Evangelium quasi columna innitens basi: non enim que dicuntur in Evangelio impleta crederentur nisi essent in Veteri Testamento predicta. Duo in precedentibus diximus et eorum causam, scilicet quod post prophetiam pronuntiatam legitur Epistola immediate et quod post *Liber generationis* cantatur
300 *Te Deum laudamus.*

### 25. QUOD IN QUIBUSDAM ECCLESIIS
### NON LEGITUR PROPHETIA

Hec duo non in omnibus ecclesiis observantur. Alique enim ecclesie sunt que non legunt prophetiam in aliqua missa Nativitatis sed tantum Epistolam.

283-290  Dur. 6.13.16.
293-297  Dur. 6.13.20.
301-303  Dur. 6.13.20.

[z] primus K      [a] *om* ABK      [b] respondet A      [c] domini K

## 26. QUOD IN QUIBUSDAM ECCLESIIS NON SERVATUR ORDO PREDICTUS

Et alique sunt que statim post Matutinas cantant *Te Deum*
305 *laudamus* et postea missam, tandem *Liber generationis*, que
tamen lectiones Novi Testamenti significant[d] quod (2 Cor
5.17) *vetera transierunt et nova facta sunt omnia*, quasi dicant:
ipso facto cesset figura quia venit veritas. Ideo statim post
Matutinas cantant: *Te Deum laudamus*—misticant enim nos
310 exultare cum angelis—postea dicunt missam ex causa predicta, et inde *Liber generationis*, non tantum ex predicta causa
sed ut ostendant[e] lineam in cuius fine est hamus quo captus
est Leviathan. Ad hoc ut capiatur piscis hamo linea necessaria est, et hamus in fine linie et esca in hamo. Linea est
315 genealogia Salvatoris quam descripsit Mattheus, dicens (1.2):
*Abraham genuit Isaac*, etc.; hamus ipse est Dei Filius, esca
humanitas eius. Appetiit Leviathan escam, id est diabolus
escam humanitatis, et captus est hamo divinitatis, unde Dominus ad Iob (40.20): *Numquid capies Leviathan hamo*, quasi
320 dicat: Non tu capies sed ego capiam.

## 27. QUARE POST QUODLIBET RESPONSORIUM PRIME NOCTURNE DICATUR *GLORIA*

Nunc[f] dicendum est aliquid de matutino officio et primo
de tribus primis Responsoriis, post quodlibet[g] quorum dicitur
*Gloria*, et in tertio Responsorio fit triplex iubilus, scilicet in

---

304-320  Hon. *Gemma animae* 3.10 (PL 172.646A).
311-320  Cf. Gregorius M., *Moralia* 33.9.17 (PL 76.682-683B).
321-334  Dur. 6.13.10,9.
323-324  Amal., *Liber de ordine antiphonarii* 18.10-11 (Hanssens III, 56).
Responsoria primum et secundum hodierno breviario adhuc adhiben-
tur; ex responsorio tertio, scilicet "Descendit de coelis missus ab
arce Patris. Introivit per aurem Virginis in regionem nostram, indutus stolam purpuream. Et exivit per auream portam lux et decus
universae fabricae mundi. Versus: Tanquam sponsus Dominus pro-

---

[d] significat KS   [e] ostendatur A   [f] numquid K   [g] quilibet K

*fabrice,* in *tamquam,* et in *Gloria.* In tribus Responsoriis
325 tria significantur, scilicet restauratio angelorum, reparatio
hominum, et modus[h] quo ista facta sunt ineffabiliter aliquatenus explicatur sicut res ineffabilis potest explicari. Restauratio angelorum notatur in primo, ubi dicitur: *gaudet exercitus
angelorum*; reparatio hominum in secundo, ubi dicitur: *pax
330 vera descendit.* Modus quo hec facta sunt vel potius quo descendit ille qui fecit insinuatur in tertio, in quo ostenditur
Dominum descendisse a Patre in virginem et ita [ad] nos[i].
Et quia hec facta sunt per Trinitatem, idcirco post quodlibet
Responsorium illorum *Gloria* cantatur.

### 28. QUARE IUBILUS IN *FABRICE*

335   Fit autem triplex iubilus. In tribus enim commendamus
Salvatorem, ostendentes quod qui ineffabiliter fabricam mundi creavit ineffabiliter de thalamo virginis processit et ineffabiliter equalis Patri Spirituique sancto permansit, sicut
fuit ab eterno et erit in eternum. Hec tria triplici iubi-
340 lo significamus; primum primo, secundum secundo, tertium
tertio.

### 29. QUARE SUPER A ET O

Et ut expressius tertium significetur in quibusdam ecclesiis
cantatur *Gloria Patri . . . sicut erat in principio* usque *Amen.*
Et nota quod fit[j] iubilus super A et super O: super A in *fa-*

cedens de thalamo suo" *Liber responsalis* (PL 78.734A) nunc sumuntur solum Versus (Ps 18.6): *Tanquam sponsus* ut antiphona 2 ad Mat.
in Nativitate Domini et Vers. et Respons. ante Lectiones 1-3. Cf.
Amal., *De ordine antiphonarii* 15 (Hanssens III, 49-50).
324-355 Cf. Hon. *Gemma animae* 3.7-9 (PL 172.645B-646A); Dur.
6.13.10-12.
324 Ant. 2 Mat. Nativitatis Domini (Marbach 81).
328-330 Adhuc Resp. Lectionum 1 et 2 Nativitatis Domini.

[h] in  tribus . . . modus] in K       [i] et ita nos *om* M       [j] quod fit] qui sit
KMS

345 *brice* et *tanquam,* super O in *Gloria,* ad notandum quod ille<sup>k</sup>
cui fit est Alpha et Omega[1].

## 30. DE RESPONSORIIS SECUNDI ET TERTII NOCTURNI

Restat adhuc de .VI. Responsoriis dicere. In duobus primis
secunde nocturne agimus de partu, in tertio de parturiente;
et e contra in duobus primis tertie nocturne agimus de par-
350 turiente, et in tertio de partu, in quo sedulitatem mulierum
imitamur. Consueverunt enim mulieres visitare parturientes
et partum et portare eis munuscula sua, et nos parturientem
et partum quodammodo visitamus cum pro modulo nostro
eos magnificamus, et ipse laudes munuscula sunt que offeri-
355 mus.<sup>m</sup>

## 31. QUARE IUBILUS IN ULTIMO RESPONSORIO

In fine ultimi Responsorii ponitur iubilus ad notandum
immensitatem gaudii quod habent viri perfecti de hoc quod
(Jn 1.14) *Verbum caro factum est plenum gratia et veritate.*
Poterat Verbum fieri caro, et in hoc parvam vel nullam pu-
360 taremus utilitatem, sed cum audimus quod est *plenum gratia et veritate,* exultamus de confidentia quasi dicamus: Plenus es gratia, ergo ipse nobis dabis gratiam; plenus es veritate,
ergo implebis quod nobis promisisti, videlicet quod captivitatem nostram reduceres a cunctis locis ad patriam.

## 32. QUID SIT IUBILUS

365 Propterea viri perfecti prorumpunt in iubilum, qui est exultatio mentis habita de eternis in vocem prorumpens et tamen
voce explicari non potest; unde utimur voce non significativa.
Verum quia tantum perfectorum est iubilus et in magnis sol-

356-358 Dur. 6.13.11.
368-376 Dur. 5.2.32.

<sup>k</sup> quod ille *om* A  [1] id est principium et finis *add* A  <sup>m</sup> et . . . offe-
rimus *om* KMS

lemnitatibus non tam maiores quam minores in laude Dei
370 exultant, inde est quod in quibusdam ecclesiis vox non significativa in vocem significativam convertitur et in loco "iu-
bili" tropi pro se cantantur, scilicet *Quem ethera*, etc. Hoc
idem representamus in Sequentiis.

### 33. QUARE POST *ALLELUIA* SEQUENTIA

Post *Alleluia* sequitur neuma quod iubilum significat, qui
375 est perfectorum, sed quia ad Laudes omnes admittuntur,
etiam minores, loco finalis melodie Sequentia cantatur et ipsa
melodia tacetur.

### 34. QUARE SUPER "E" IUBILUS

In libro tamen qui intitulatur *Gemma anime* dicitur quod
ideo super "E" fit iubilus quia in feminino genere verbum
380 "caro", et feminine prima vox est "E" sicut masculi prima
vox est "A". Sed hanc rationem nec approbo nec reprobo[n]
quia nescio utrum[o] equipollens huius nominis "caro" in greca
lingua, qua scriptum fuit Evangelium, sit feminini generis.

### 35. DE PSALMIS IN MATUTINIS[p]

De Lectionibus[q] nihil aliud dicimus nisi hoc, quod in tri-
385 bus primis que de[r] prophetiis[s] sumpte[t] sunt fit promissio;
in aliis ostenditur promissionis impletio, maxime in ultimis,
que sunt Evangeliorum expositiones. De psalmis ad quid
cantentur[u] antiphone de eis sumpte insinuant[v].

### 36. QUARE IDEM PSALMI IN DIVERSIS FESTIVITATIBUS

Hic notanda est regula de psalmis, videlicet quod unus et
390 idem psalmus in variis festivitatibus cantatur, quia inveniun-

378-383  Hon. *Gemma animae* 3.10 (PL 172.646A).
389-403  Dur. 5.2.38.

[n] nec reprobo *om* B     [o] inter BKS     [p] de psalmis in matutinis] de
lectoribus A     [q] lectoribus A     [r] que de] quod BKMS     [s] prophetie
KMS     [t] scripte A     [u] cantantur A     [v] insinuantur KM

tur versus ad eas pertinentes, verbi gratia (Ps 44.2) *Eructa-*
*vit cor meum* cantamus in Nativitate, quia in eo dicitur (Ps
44.3): *Speciosus forma pre filiis hominum* etc., et cantamus
in festo virginum quia in eo dicitur (Ps 44.15): *Adducentur*
395 *regi virgines,* in festo apostolorum quia in eo dicitur (Ps 44.17):
*Pro patribus tuis nati sunt tibi filii.* Ita ille psalmus (2.1):
*Quare fremuerunt gentes*[w] cantatur in Nativitate propter illum
versum (2.7) *Dominus dixit ad me,* et in Passione propter
illum versum (2.2) *Astiterunt reges terre.*
400    Item nota quod unum et idem vocabulum secundum varias
acceptiones accipitur, verbi gratia, ut hoc nomen "templum"
significat corpus Christi, ut ibi (Jn 2.19): *Solvite templum*
*hoc.* Aliquando significat templum materiale; inde est quod
illum psalmum (47.2) *Magnus Dominus* cantamus in Nati-
405 vitate, in quo est ille versus (47.10) *Suscipimus, Deus, miseri-*
*cordiam tuam,* et intelligimus ibi de templo corporis, et eundem
cantamus in Purificatione et accipimus de materiali templo,
quia eo die fuit presentatus in templo.

### 37. DE DUPLICI OFFICIO NOCTURNO

Hic notandum quod in primitiva ecclesia duplex erat noc-
410 turnum officium, unum quod cantatur in initio noctis a pontifice cum clericis, et cantabatur sine Invitatorio, quia[x] quasi
nullus adhuc invitabatur, sed sicut dictum est, pontifex cum
capellanis suis cantabat, et vocabantur vigilie, quod habuit
principium a pastoribus servantibus vigilias noctis supra gre-
415 gem suum ut[y] populus tota nocte in lege Dei et laude persis-
tat[z].

409-419  Hon. 3.6 (PL 172.644C).

w et populi meditati sunt inania *add* A    x *om* KM    y et AB
z persistebat AB

### 38. QUARE INVITATORIUM

Aliud fiebat[a] media nocte, sicut hodie fit, cum Invitatorio, in quo significamus angelos invitantes pastores ad videndum regem natum.

### 39. QUARE IEIUNIUM SIT INSTITUTUM

420   Verum quia subintraverunt illusores qui, cum deberent vacare Dei laudibus, vacabant (Rom 13.13) *commessationibus et ebrietatibus* et aliis turpitudinibus[b], sublatum est ipsum officium et institutum est ut priori die sit ieiunium, quod nomen officii retinuit, id est vigilie. In matutinis Laudi-
425   bus quasi choream ducimus, unde in prima dicimus Antiphona: *Quem vidistis, pastores? Dicite.* Ipsi respondent[c]: *Natum vidimus.*

### 40. QUARE DIVERSOS PANNOS SUSPENDAMUS IN ECCLESIA, ET QUARE QUIDAM NULLOS

Nunc dicendum est quod supra tetigimus, scilicet quod quedam ecclesie suspendunt pannos, quedam viles, quedam bo-
430   nos, quedam nullos.

Que nullos suspendunt nostrum ruborem figurant[d]; si enim nobis maximum gaudium sit[e] de nato Salvatore, non tamen debet esse sine rubore, qui debet esse ex hoc quod tantum fuit peccatum nostrum quia necessarium fuit[f] ut Dei Filius
435   seipsum exinaniret, (Phil 2.7) *formam servi accipiens.* Propter hoc etiam in obitu eius non cum letitia sollemnizamus sed ieiunium accerimum facimus, cum in obitu aliorum sanctorum leti sollemnizamus et aliquantulum lautius in cibis

417-419   Dur. 6.13.6.
420-424   Hon 3.6 (PL 172.644CD); Dur. 6.17.8.
428-445   Dur. 1.3.40.

[a] aliud fiebat] alii fiebant K    [b] temporibus *mss*    [c] regem *add* B    [d] significant A    [e] fit MS    [f] quia ... fuit *om* A

et potibus nobis indulgemus. Rubor enim nobis est quod[g]
440  mortuus est Dominus propter peccata nostra. Sancti vero non
sunt mortui propter peccata nostra sed propter Christum.
Qui viles suspendunt hoc significant[h] quod Dominus ser-
vilem formam induit et quod vilibus pannis eo die involutus
est. Qui bonos[i], attendunt gaudium de rege habitum et quales
445  esse debeamus in receptione tanti hospitis ostendunt.[j]

### 41. QUARE PANNOS VARII COLORIS

Purgatur enim ecclesia, suspenduntur curtine candide et
super eas panni varii coloris, in signum quod cor nostrum
debet esse purgatum a vitiis et in eo debent esse cortine virtutum[k] et varietas bonorum operum.

### 42. QUARE HOC FESTUM NON VARIETUR SICUT ALIA[l]

450  Hic videndum etiam quare alia festa Salvatoris sint variabilia, scilicet Passio et Resurrectio, etc., et istud invariabile.
Illa enim per varia tempora mutantur, istud semper in eadem
Kalenda. Ad hoc respondet Augustinus quia istud tantum
pertinet ad memoriam, illud vero ad memoriam[m] et ad sacra-
455  mentum, et quia istud tantum sufficit ad memoriam, notare
quoto die mensis Christus natus fuerit, et quia illud ad sacramentum, oportuit ut semper fieret eadem feria, verbi gratia,
passus fuit Christus .VI[a]. feria ut hominem qui .VI[a]. feria
ceciderat .VI. feria redimeret. Alcuinus tamen dicit quod hoc
460  festum per singulos dies variatur quia natus est Dominus qui
singulos dies mundat qui per peccatam Ade sunt maculati.

446-449  Dur. 1.3.39.
450-461  Aug. *Epist.* 55.2 (PL 33.204-205); Ps-Alcuinus *De div. off.*
(PL 101.1175B) qui Augustini disputationem citat; Dur. 6.13.4-5.

[g] quia M     [h] figurant BKM     [i] bonus BM/ bonum A     [j] ostenditur
BKMS     [k] virtutem ABM     [l] quare . . . alia] de aliis festis salvatoris
variabilibus A     [m] illud vero ad memoriam *om* K

### 43. DE FESTO[n] SANCTI STEPHANI

In festo beati Stephani eius agonia et triumphus tam in diurno quam in nocturno officio exponitur. Notandum autem quod obitus eius fuit in Augusto, eo die quo corporis eius
465 inventio celebratur, et inventio corporis eius fuit sequenti die post Nativitatem, quo obitum celebramus. Sciendum autem quod ante inventionem corporis eius non erat multum celebris in ecclesia eius memoria. Quo invento placuit Ecclesie in ipsa die inventionis celebrare memoriam passionis et obitus
470 eius habere mentionem, idcirco quia in libro authentico de his agitur, scilicet in Actibus Apostolorum. Crescente vera religione, quia inventio corporis miraculose facta fuerat, placuit etiam ipsam celebriter agere, sed quia institutum fuerat, noluerunt immutare, et idcirco in die obitus festum inventionis
475 posuerunt.

### 44. DE FESTO[o] SANCTI
### IOHANNIS EVANGELISTE

Transitus quoque beati Iohannis Evangeliste fuit in Nativitate beati Iohannis Baptiste, nam ipse[p] tunc a Domino vocatus sepulchrum sibi parari fecit et, missa celebrata fratribusque communione data, in defossum sibi sepulture locum in-
480 travit et subito fratres claritas circumfulsit ita ut sepulchrum videre non possent. Qua ɪecedente, sepulchrum vacuum invenerunt, excepto quod adhuc hodie manna ibi scaturire dicitur, unde a pluribus presumitur quod tunc obierit et statim resurgens ad Dominum transivit.[q]
485 Ea tamen die eius festum celebrari non potuit propter celebrem Nativitatem Baptiste, sed tertia die a Nativitate Domini constituerunt sancti patres eius festum celebrari, quia ea die

462-475  Beleth 70 (PL 202.77C); cf. Dur. 7.21.1.
485-492  Beleth 70 (PL 202.77D-78A); Dur. 7.21.1 et 7.42.9.

[n] invencione A      [o] transitu A      [p] nam ipse] hic autem M      [q] transierit A

rediit de Patmos insula$^r$ vel quia$^s$ in honorem eius fuit prima
ecclesia dedicata, et hoc ultimum$^t$ mihi verisimile videtur,
490 quia dum de eo nulle reliquie vel parve habeantur, congruum
fuit ut festum eius celebraretur in dedicatione ecclesie, ex quo
ut dictum est alias agi non potuit.

### 45. DE FESTO$^u$ INNOCENTUM

De festo Innocentum non est querendum quare tunc fiat,
quia transacto biennio a Nativitate Domini .IIII$^a$. die postea
495 eos credimus interfectos.

### 46. DE ORDINE ISTORUM FESTORUM

Assignant tamen magistri nostri de his tribus hanc rationem,
dicentes quod$^v$ triplex est martyrium: martyrium passionis$^w$
et voluntatis ut Stephani, et martyrium$^x$ voluntatis et non
passionis$^y$ ut Iohannis, et martyrium$^z$ passionis et mortis$^a$
500 et$^b$ non voluntatis ut Innocentum. Primum est excellentius,
postea secundum$^c$; idcirco iuxta hunc ordinem hec tria festa
posita sunt.

Item hec ratio de duobus, scilicet de Stephano et Iohanne,
quia de Innocentibus non oportet ut queratur, ut dictum est.
505 Duo sunt opera privilegiata, scilicet martyrium et virginitas,
que duo$^d$ in Domino fuisse non dubitamus. Martyrium est
excellentius virginitate$^e$: martyrium enim omnia vitia extinguit. Virginitas vero pugnat contra unum specialiter$^f$, et
quia Stephanus fuit primus in martyrio imitator Domini, ideo

493-495  Beleth 70 (PL 202.78AB).
496-523  Cf. Dur. 7.42.2-10; V. L. Kennedy, "The 'Summa de Officiis
Ecclesiae' of Guy d'Orchelles", *Mediaeval Studies* I (1939) 28.
496-502  Cf. Paris, Bibl. Nat., lat. 14526, f. 41$^d$; Lacombe, *La vie* . . . p. 79.

$^r$ *om* KMS    $^s$ *om* AB    $^t$ *om* KMS    $^u$ festivitate A    $^v$ quia MS
$^w$ sive mortis *add* B    $^x$ *om* AKMS    $^y$ et mortis *add* B    $^z$ *om*
AKMS    $^a$ *om* AKMS    $^b$ sed B    $^c$ postea secundum] secundo et
tertio B    $^d$ *om* AB  | $^e$ immo quod *add* AB    $^f$ spiritualiter AK

510 statim post Nativitatem ponitur.[g] Iohannes autem virgo fuit
electus[h]; ideo ei subsequenter celebramus. In festo Innocentum tacemus *Te Deum laudamus* et *Gloria in excelsis* et *Alleluia*; in missa tristitiam martyrum representamus[h bis].

Quod in[i] die Innocentum[j] in multis ecclesiis diaconi non
515 utuntur dalmaticis nec subdiaconi subtilibus significat quod In-
nocentes in morte primam stolam statim non receperunt, quia[k]
ad infernum descenderunt. Si autem in die dominico est festum
eorum, fuerit *Gloria in excelsis* et alia cantica letitie. Ita de
eis canimus ut[l] de aliis sanctis, quia ex resurrectione Christi
520 eos cum aliis sanctis primam stolam[m] recepisse non dubitamus. In octava[n] omnia cantamus de eis sicut de aliis[o], quia
in octava etate illos cum aliis secundam stolam[p] recepturos
esse speramus.

### DE OCTAVA DOMINI

#### 47. QUOD NATIVITAS DOMINI ET IOHANNIS BAPTISTE ET BEATE VIRGINIS NON HABENT OCTAVAM NEQUE RESURRECTIO

Nunc dicendum est de Octava Domini. Primum videtur
525 quod Nativitas Domini non habeat octavam ea nativitate
qua tendebat ad mortem. Obitus enim sanctorum ideo habent octavas quia ipsi tunc nascuntur ea nativitate que est
ad vitam eternam; unde eorum obitus natalia vel natalicia vocantur. Post illam enim nativitatem que est in morte speran-
530 da est gloria resurrectionis que dabitur in octava, non post

514-523  Hon. 3.14 (PL 172.646-647).
524-538  Dur. 7.1.43-44.
526-530  Hon. 3.17 (PL 172.647).

[g] agitur de eius martyrio et quia *add* AB       [h] a domino *add* AB   h[bis])
in festo . . . representamus *om* KMS      [i] eodem AB      [j] *om* AB       [k] sed
AB      [l] *om* ABKS      [m] id est glorificationem anime *add* B       [n] etiam
ipsorum *add* AB      [o] sanctis *add* AB       [p] id est glorificationem corporis
*add* AB

nativitatem que est ad mortem. Secundum hoc igitur Nativitas Domini et Nativitas Beate Virginis et Nativitas beati Iohannis Baptiste non habent octavam; sed nec Resurrectio Domini habet octavam. In resurrectione stolam corporis
535 accepit Dominus que omnibus fidelibus generaliter in octava dabitur. Verum quia in multis ecclesiis consuetudo est ut omnium harum festivitatum octavam celebrent, non eas reprehendere videamur.

### 48. DE DUPLICI OCTAVA

Dicimus quod duplex est octava, scilicet octava devotionis
540 et octava institutionis. Octava devotionis est illarum festivitatum, scilicet Nativitatis Beate Virginis et beati Iohannis et Resurrectionis Domini. Celebrant enim octavas harum pro sola devotione, non pro aliquo mysterio.

Octava institutionis tripartita est, quia est octava suppletionis et octava alterius negotii significationis et octava future
545 tionis et octava alterius negotii significationis et octava future glorie figurationis[r].

Octava Nativitatis Domini est suppletionis quia in ea supplemus quod minus factum est in Nativitate. In Nativitate enim multum actum est de partu, parum de parturiente. In
550 octava plenius agitur de parturiente[s], quod apparet in Antiphonis in matutinis Laudibus. Etiam in diurno officio institutum fuit ut cantaretur (Ps 44.13) *Vultum tuum*, sed usus obtinuit ut cantetur *Puer natus est*, unde in quibusdam Gradualibus utrumque officium intitulatum reperitur.
555 Est etiam hec octava alterius negotii significationis, et est duplex negotium quod in ea significatur[t], unum circumcisio Domini, quod in Evangelio exprimitur,[u] alterum adventus

539-581  Cf. Beleth 71,75 (PL 202.78CD, 81A).
539-551  Dur. 7.1.44,47.

[r] significationis K     [s] in . . . parturiente *om* A     [t] figuratur A
[u] exponitur K

hominis ad Deum. Est enim duplex adventus, adventus Dei
ad hominem, de quo agitur in octava, quod notant Antiphone
560 in<sup>v</sup> Laudibus, ut illa: *O admirabile commercium*, nam commercium est ubi aliquid accipitur et ubi aliquid datur: Dominus
nostram accepit humanitatem ut nobis suam daret deitatem,
quod notatur in sequenti, nam cum dicit: *Animatum corpus
sumens de virgine*<sup>w</sup>, notat quod accepit Dominus, et cum dicit:
565 *Largitus est nobis suam deitatem*, notat quid dederit. Secunda
et quarta terminantur: *Te laudamus, Deus noster*, quasi dicat:
ad te venimus laudando te. Tertia terminatur: *Dei genitrix,
intercede pro nobis*, quasi dicat: Intercede pro nobis<sup>x</sup> ut Filius
tuus suscipiat nos. In .V<sup>a</sup>. (Jn 1.36-38) dicitur quod dixit
570 Baptista: *Ecce Agnus Dei*, scilicet quasi diceret: Ad eum venire debetis<sup>y</sup>, unde Andreas et alius discipulus Iohannes hoc
audito secuti sunt Dominum. In Antiphona que est super
*Benedictus* dicitur: *Renovatur natura nostra*<sup>z</sup>. Nostra enim
natura recedendo a Deo est inveterata et redeundo ad Deum
575 est renovata<sup>a</sup>.

Octava alterius negotii significationis, ut octava Agnetis.
In ea enim representatur quod beata Agnes octava die visa
est gloriosa a quibusdam fidelibus, unde in martyrologio debet
esse scriptum Agnetis secundo; quidam tamen dicunt eam tali
580 die natam fuisse; [octava] future glorie<sup>b</sup> figurationis, ut octava cuiuslibet sancti obitus. Dominica que intervenit significat tempus quod Dominus venit in Egyptum, ut in Communione dicitur: *Tolle*<sup>c</sup> *puerum*, etc.

560-565  Textus citati sunt Antiphonae octavae Domini.
576-579  Dur. 7.1.47.

<sup>v</sup> *om* KMS      <sup>w</sup> nasci dignatus est *add* K      <sup>x</sup> pro nobis *om* AB
<sup>y</sup> debemus K      <sup>z</sup> renovatur . . . nostra] renovantur nature A      <sup>a</sup> in-
veterata . . . renovata] innovata A      <sup>b</sup> *om* KMS      <sup>c</sup> tollite BKS

## DE EPIPHANIA

### 49. QUOD QUATUOR MIRACULA IN HAC DIE

Nunc dicendum est de Epiphania, scilicet de multiplici mira-
585 culo istius diei, et de varietate officii.

Quadruplex miraculum ea die contingit per revolutionem
annorum, nam tertiodecimo die a Nativitate stella magos
duxit ad presepium, ut[d] tertiodecimo tricesimi anni vel tricesimi primi Dominus baptizatus fuit. Eodem die, anno revoluto,
590 aquam in vinum mutavit, et eodem die sequentis anni de quinque panibus .V. milia hominum satiavit. Unde dies ille vocatur a pluribus Dies Epiphaniarum, id est illustrationum sive
manifestationum.

Quidam vero .IIII. nominibus hec .IIII. miracula distin-
595 guunt, que sunt Epyphania, Theophania, Bethphania, [Phagi-
phania][e]. Epiphania, illustratio per stellam, ab *Epyphe* quod[f]
"supra" quia[f bis] scriptum est (Mt 2.9): *Usque dum veniens
staret supra ubi erat puer.* Theophania, quasi "divina illustratio", a *Theos*, quod est Deus, eo quod in baptismo tota Trini-
600 tas notificata fuit, scilicet Pater in voce, Filius in homine,
Spiritus Sanctus in columba. Bethphania, "illustratio in domo", a *Beth*, quod est domus, quia in domo per mutationem
aque in vinum se Dominus notificavit. Phagiphania[g] "illustratio in cibo", a *phagin*, quod est comedere, quia fuit in
605 quinque panibus.

### 50. QUARE TANTUM DE TRIBUS FIAT FESTUM

In hoc tamen festo de quarto miraculo[h] nulla fit mentio
sed tantum de tribus; unde cantatur: *Tribus miraculis.* Quare

---

584-605 Cf. Beleth 73 (PL 202.79BC); cf. Dur. 6.16.2,5,7-8.
606-612 Cf. Beleth 75 (PL 202.81BC); cf. Hon. 3.18 (PL 172.647C);
Hon. *Speculum ecclesiae* (PL 172.849A); Dur. 6.16.8.
607 Antiphona ad *Magnificat* 2 Vesp.

[d] et AKMS    [e] *om mss*    [f] quasi K    [f bis]) quasi MS    [g] phania
AKMS    [h] *om* BKMS

hoc? Quia dies ille fuit celebris in honore Augusti Cesaris
propter triplicem eius triumphum, quo tempore[i] ipse Roma-
610 no imperio subiecit tres regiones, scilicet Partiam, Egyptum,
et Mediam; sed illam celebritatem mutavit Ecclesia in melius,
celebrando Christo pro eius triplici triumpho[j].

### 51. QUOMODO ET UBI IN FESTO MENTIO
### FIAT DE QUOLIBET MIRACULO

Verumtamen de primo miraculo hodierna die fere totum
canitur[k], de secundo duo Responsoria, de tertio cum aliis una
615 Antiphona, scilicet *Tribus miraculis*. De primo idcirco fere
totum canitur quia in eo specialiter[l] Nativitas Salvatoris gentibus notificata est, de secundo duo Responsoria cantantur,
scilicet primum [*Hodie in Jordane*] et *In columbe specie*, quod
a pluribus ecclesiis idcirco nonum ponitur quia in baptismo,
620 quod est primum sacramentum nostre redemptionis per quod
reformamur, similes angelis efficimur, quorum sunt .VIIII.
ordines.

### 52. QUARE IN RESPONSORIO *IN COLUMBE*
### DICITUR QUOD NON DEBET ESSE
### *IPSUM AUDITE*

Nota quod Berno[m], corrector officii antiphonarii, dicit quod
[in] *In columbe specie* non debet esse *Ipsum audite* idcirco quia
625 in baptismo non fuit hoc dictum a Patre sed in Transfiguratione (Mt 17.5) et qui agunt festum Transfigurationis cantant
Responsorium in quo illud continetur.

615 Respons. ad 1 et 2 Lectiones.
623-627 Cf. Berno Augiensis (Reichnau), *De varia psalmorum atque
cantuum modulatione* 10 (PL 142.1150A); *Hodie in Iordane* et *In columbe
specie*: Responsoria 1 et 2 Epiphaniae (Marbach 384).

[i] *om* BKMS     [j] [triumpho] miraculo sicut gentilitas celebrabat augusto
pro eius triplici triumpho A     [k] cantatur K     [l] specialiter B
[m] brenno BKMS

### 53. QUARE INVITATORIUM NON CANIMUS

Quare in principio non ponatur Invitatorium duplex est causa: una est quod gentium primitie vocate sunt ad fidem
630 per rem irrationabilem[n], scilicet per stellam, alia est in detestationem dolose convocationis Herodis qui ea die dolose vocavit Iudeos, querens ab eis locum in quo Christus erat nasciturus. Multa enim supprimimus in detestatione malorum, ut in Parasceve non flectimus genua pro Iudeis in detestationem ge-
635 nuflectionis quam fecerunt Domino illudendo, et in sollemni missa, in Cena Domini, non datur osculum pacis in multis ecclesiis propter osculum Iude.

### 54. QUARE INFRA OCTAVA CANITUR INVITATORIUM

Infra hebdomadam dicimus tamen Invitatorium in persona Magorum aliis que viderant nuntiantium[o].

### 55. QUARE PREPOSTERO ORDINE PSALMI CANTENTUR

640 Quare psalmus ille cantatur in tertia nocturna (Ps 45): *Deus, noster refugium* cum ipse precedat ultimum psalmum prime nocturne et omnes secunde? Idcirco quia in eo agitur de baptismo quod tertio tempore, id est tempore gratie, nobis est collatum; quod notat Antiphona (Ps 45.5) *Fluminis*
645 *impetus*[p]. Inde est quod Antiphone tertie nocturne ponitur *Alleluia* ad notandum letitiam quam habemus[q] de remissione peccatorum in baptismo nobis collato.

628-639  Cf. Dur. 6.16.9.
628-630  Hon. *Gemma animae* 3.20 (PL 172.648); Beleth 73 (PL 172.80AB); cf. Dur. 6.16.10.
640-647  Beleth 73 (PL 202.80AB); Hon. 3.20 (PL 172.648B); cf. Dur. 6.16.10.

[n] non rationalem A    [o] nunciativum KS/ nunciatum B    [p] letificat *add* AK    [q] habuimus A

## 56. QUARE EVANGELIUM LUCE
### CANTATUR[r] IN EPIPHANIA

Ad hoc idem notandum quod post Matutinas statim cantatur Evangelium Luce, in quo (3.21-22) de baptismo Salvato-
650 ris plene agitur et (3.23-38) genealogia eius ascendendo describitur, quam Mattheus (1.1-16) in descendendo describit. Idcirco eam Lucas describit ascendendo ut notet baptizatos
de terrestribus[s] ascendere ad celestia, idcirco Mattheus describit descendendo ut ostendat qualiter Dominus ad nos des-
655 cenderit[t]. Post Evangelium Ecclesia exultando dicit *Te Deum
laudamus.*

## 57. QUARE OMNES ANTIPHONE IN MATUTINIS
### UNIUS SINT TONI ET SEPTIMI

Agitur enim de baptismo parum in nocturno officio sed in
octava suppletur, maxime in matutinis Laudibus. Quod[u] notant Antiphone, scilicet *Veterem hominem; Te qui in Spiritu,*
660 etc., que omnes sunt unius toni, unius idcirco ut notetur unitas ecclesie, in qua sola baptismus[v] potest prodesse. Idcirco
sunt omnes septimi toni quia per baptismum venitur ad septimam etatem quiescentium. Si enim aliquis post baptismum
digne acceptum statim moriatur, mox recipit primam stolam,
665 que datur in septima estate.

In secunda vespera Antiphona que cantatur super *Magnificat* est octavi toni quia in vespera mundi secunda dabitur
nobis secunda stola, id est gloria corporis, quam in octava
etate nos recepturos esse speramus. Duplex enim est mundi
670 vespera, prima est .VI[a]. etas, secundum quod dicitur quod
in vespere mundi natus est Dominus; secunda est finis mundi,

648-655  Beleth 74 (PL 202.80D); cf. Dur. 6.16.11-13.
657-674  Dur. 6.16.13-14.
658-659  Cf. Amal. 4.34.8 (II.515); Ant. 1 et 2 octavae Epiphaniae.

[r] legatur K    [s] terrenis A    [t] descendit K    [u] quibus B
[v] *om* BM

in qua vel post quam dabitur nobis gloria carnis, de qua dictum est (Ps. 29.6): *Ad vesperum demorabitur fletus*, nam usque tunc erit fletus nostre miserie, sed tunc erit finis.

### 58. DE MISSA IPSIUS DIEI

675    Sicut autem in matutino officio, ita et in misse officio fit suppletio, nam Introitus misse in Epiphania notat gaudium gentium de adventu Salvatoris exultantium, et in Collecta optant gentes ad contemplandam eius speciem pervenire quem[w] per fidem cognoverunt. Reliquum totum est de miraculo
680  illius diei, scilicet gentibus ductis per stellam.

In octava[x] autem, id est cantus, sed in Lectione Isaie (60.1-6), que legitur pro Epistola, agitur de baptismo; unde ibi dicitur: Exultent solitudines Iordanis, idcirco quia in Iordane vim regenerativam Dominus contulit, instituendo bap-
685  tismum, in quo gentes, que prius erant a Deo deserte, ad Deum redeunt. Similiter in Evangelio (Jn 1.29-34) de baptismo manifeste agitur. Octava igitur Epiphanie suppletionis est.

### 59. DE NOMINE "MAGUS"

Hic notandum quod hoc nomen "magus" equivocum est,
690  quia dicitur magus, id est maleficus, et sic hodie utimur, et dicitur magus in astrorum scientia[y] instructus. Sic in Evangelio accipitur: dicuntur enim illi[z] tres fuisse de doctrina Balaam qui dixerat (Num 24.17): *Orietur stella ex Jacob.* Unde videntes stellam que ordinem aliarum non servabat et que

---

675-683  Dur. 6.15.16 et 6.17.1.
682  Epistola Epiphaniae et octavae.
683  *Exultent* . . . locus non repertus.
686  Evang. Oct. Epiphaniae.
689-699  Hon. 3.19 (PL 172.647D); cf. Dur. 6.19.2.

[w] quod K/ quam A    [x] omnino *mss*    [y] sententia KMS    [z] illo KS/ *om* A

695  a lumine solis in die obscurari non potuit, illum natum intellexerunt quem Balaam predixerat.

### 60. QUARE VOLUIT ADORARI
### TANTUM A TRIBUS

Dominus autem voluit adorari ab eis quia adorandus erat
a mundi sapientibus, et voluit adorari a tribus quia adorandus
erat a tribus partibus mundi: Asia, Africa, Europa.

### 61. DE HISTORIA *DOMINE, NE IN IRA*
### ET QUARE TUNC CANTETUR

700    Pro nativitate Salvatoris variis modis ostensa a die Nativitatis usque ad octavam Epiphanie exultavimus. Verum quia
exultationem que debuit esse spiritualis pene omnes in carna-
lem convertimus, (cf Rom 13.13) *commessationibus et ebrietatibus* et iocis[a] inutilibus *et impudicitiis* vacantes, inde est quod
705  post octavam Epiphanie in nocturno officio historiam (Ps
6.2) *Domine, ne in ira tua* cantamus, in qua misericordiam
Domini imploramus et per misericordie lamentum peccata
deflemus.

### 62. QUARE SPECIALIA[b] RESPONSORIA

Et quia quolibet die peccavimus, idcirco quilibet dies sua
710  habet specialia Responsoria, nam dies dominicus sua habet
novem Responsoria et secunda feria sua habet tria, et sic de
aliis.

### 63. RESPONSORIA SIMILIA DE NOCTURNIS
### IPSARUM FERIARUM

Sicut enim in hebdomada ante Nativitatem ad notandum
desiderium Salvatoris singulis diebus singula Responsoria can-

---

700-708  Cf. Hon. 3.29 (PL 172.650B); Dur. 6.19.2.
706  *Domine, ne in ira tua*: Respons, omnium Dominicarum post Epiphaniam. Cf. infra Liber II, n° 18 et n° 140, Liber IV, n°[s] 118, 120 et 122.
709-728  Dur. 6.19.2.
709-712  Cf. Amal. 4.33.10(II.511).

[a] locis K     [b] feria alia K/ ferialia S

715 tavimus et singulares<sup>c</sup> Antiphonas<sup>d</sup> in Laudibus, ita ad notandum planctum nostrum et penitendi desiderium singulis
diebus propria Responsoria deputamus et tam in nocturnis
psalmis quam in Laudibus matutinis quolibet die speciales
Antiphonas dicimus, que<sup>e</sup> tamen feriales dicuntur idcirco quia
720 per totum annum cantantur in ferialibus noctibus nisi dies
festus impediat, excepto tempore quod est a Pascha usque ad
octavam Pentecostes.

Et nota quod pene omnia ista Responsoria de psalmis sumuntur quia pene omnia Responsoria diei dominice de nocturnis
725 eius et de quinque psalmis qui secuntur sumuntur. Ita Responsoria de secunda feria et de eius nocturna et ita pene de
omnibus aliis factum diligens scrutator inveniet; hoc autem
ideo quod maxime in psalmis misericordiam Dei imploramus.

## 64. QUARE EPISTOLAS PAULI POST
### NATIVITATEM LEGIMUS

Propter hoc et epistolas Pauli legimus quia in eis ad peni-
730 tentiam revocamur. Est tamen et alia causa. Sicut enim
prophete nasciturum Dominum predixerunt, et maxime Isaias,
unde Isaiam ante Nativitatem legimus, ita apostoli eum natum predicaverunt, maxime Paulus, qui plus aliis laboravit,
unde eius epistolas post Nativitatem legimus, Christum natum
735 ostendentes.

In nocturno igitur officio ploramus, sed in diurno exultamus, quoniam<sup>f</sup> bene convenit quia in tenebris peccatorum et
in cecitate mentis plorandum est, sed in luce fidei, per quam
nox peccati fugatur, est exultandum, iuxta illud (Ps 29.6)
740 *Ad vesperum demorabitur fletus, et ad matutinum letitia.* Fletus enim incipiens ad vesperum, quod est cum sole iustitie

730-743  Cf. Hon. 3.28 (PL 172.650).

<sup>c</sup> ad . . . singulares *om* K      <sup>d</sup> antiphone BKMS      <sup>e</sup> quod K/ quan-
tum A      <sup>f</sup> quod A

nobis per peccatum occidente[g], demorari[h] debet fletus quoadusque idem sol nobis illucescat, quod fit cum nox peccati
recedit, unde est nobis letitia.

### 65. QUARE TANTUM TRIA OFFICIA ET .V. EVANGELIA USQUE AD LXX[am]

745 Dictum est quod in nocte tristamur, in die exultamus. Exultationem autem nostram exprimimus per tria officia et per
.V. Evangelia dominicalia cum totidem lectionibus. Tria sunt
officia: *In excelso throno*; (Ps 65.4) *Omnis terra*; (Ps 96.7)
*Adorate Deum, omnes angeli*; quinque Evangelia: primum
750 est (Lc 2.42-45) de puero Iesu sedente in medio doctorum,
secundum (Jn 2.1-11) de mutatione aque in vinum, tertium
(Mt 8.1-17) de curatione leprosi et servi centurionis, quartum
(Mt 8.23-27) de dormitione Domini in navi et excitatione,
quintum (cf. Mt 11.25; Lc 10.21) de gratiarum actione qua
755 Dominus gratias egit Patri, qui divina mysteria revelavit parvulis et a sapientibus huius seculi[i] abscondit ea.

Sunt autem idcirco tria officia et .V. Evangelia quantum
ad litteram, quia ab octava Epiphanie usque ad Septuagesi-
mam quandoque sunt plures hebdomade, quandoque pau-
760 ciores. Cum sunt plures, unum officium in tribus vel in duabus dominicis cantamus, quelibet[j] tamen habet suum Evangelium et suam Epistolam; cum sunt pauciores, in eadem hebdomada duo cantamus officia vel etiam prevenimus ut infra
octavam Epiphanie unum cantemus.

748-749 Cf. Amal. 4.33.9-11 (II.511). *In excelso throno*: Introitus Dom.
infra Octavam Epiphaniae; origo, pace Marbach p. 355, non reperta
*Omnis terra*: Introitus Dom. II post Epiphaniam. *Adorate Deum*: Introitus Dom. III-VI post Epiphaniam (Marbach 355,148,198).
749-754 1) Evang. Dom. oct. Epiphaniae, 2) Evang. Dom. II post
Epiphaniam, 3) Evang. Dom. III post Epiphaniam, 4) Evang. Dom.
IV post Epiphaniam, 5) in evangeliis Dominicarum non recensetur.

[g] occidentem M     [h] occidente demorari] occidit morari A     [i] mundi A     [j] quilibet K

765     Quantum ad mysterium<sup>k</sup> autem utriusque hominis nostra
reformatio insinuatur, scilicet interioris hominis, in quo re-·
lucet imago Trinitatis quam tria mysticant officia, et exte-
rioris, in quo sunt .V. sensus quorum reformationem quinque
significant Evangelia.

### 66. DE THRONO MULTIPLICI

770     Est autem primum officium *In excelso throno.* Ad quod
notandum quod[1] multiplex est thronus, quia est thronus ma-
terialis et thronus spiritualis, et thronus spiritualis adminus
tripartitus est: primus est in fideli animo, secundus in regno,
tertius in iudicio. De primo dictum est: "Anima iusti sedes
775   est sapientie"; de secundo dicit Pater Filio (Ps 109.1): *Sede
a dextris meis,* id est: conregna equalis mihi secundum deitatem, vel: quiesce in potioribus bonis meis secundum humanitatem. De tertio dicit Dominus (Mt 10.28): *Cum sederit Filius hominis in sede maiestatis sue.*

### 67. QUARE CANTEMUS *IN EXCELSO THRONO*

780     De quolibet istorum convenienter intelligitur quod dicitur
*In excelso throno.* De materiali throno in persona matris
que vidit (Lc 2.46) eum sedentem in cathedra seniorum in-

774-775 *Anima iusti sedes est sapientiae*: refertur, aliquando sicut Sa-
crae Scripturae auctoritas, ab Aug. *Enarr. in ps.* 46.10 et *Sermo* 200.1
(PL 36.530A et 38.1029), Greg. M. *Moralia* 29.55 et *Homil. in evang.*
38.2 (PL 76.508B et 1283 cum adnotationibus), S. Bernardo, *In purificatione sanctae Mariae sermo* 1.4 et *In adventu* 3.4 (PL 183.368 et 45C;
J. Leclercq, H. Rochais, *S. Bernardi opera* vol. IV, Romae 1965, pp. 337.
15 et 177.24) atque *Sermones super Cantica canticorum* 25.6 et 27.8
(PL 183.901C et 918 cum adn. 190; J. Leclercq, C. H. Talbot, H. Rochais,
vol. I, Romae 1957, pp. 166.19 et 187.27). Cf. Amalarius, *Canonis missae
interpretatio* 7 (Hanssens I.293.12) et *Glossa ordinaria,* Is. 66.1: Coelum
sedes mea (PL 113.1312).
775-778 P. Lombardus, *Commentarium in Psalmos* 109.1 (PL 191.998; cf.
Aug. *Enarr. in Psalmos* 109.8 (PL 37.1452B) et Cassiodorus, *Expositio
in Psalterium* 109.1 (PL 70.793-794); *Glossa ord.* ad locum (PL 113.1030).

<sup>k</sup> ministerium A     [1] notandum quod *om* BM

terrogantem eos et respondentem cantamus: *In excelso throno
vidi sedere virum.* Sed forte dicas "debuit dixisse: vidi sedere
785 puerum," quia Iesus tunc erat puer duodenus. Quod quidem
dicere potuit sed maluit dicere "virum" propter plenitudinem
scientie et virtutis$^m$ quam iam tunc habuit, immo$^n$ et ab ipsa
conceptione accepit; unde et Ieremias eum existentem in utero
vocat virum, dicens (31.22): *Novum faciet Dominus super ter-*
790 *ram: mulier circumdabit* virum gremio *uteri sui,* ut huic viro
conformemur et eius membra efficiamur. Vel etiam thronus
in quo [Dominus] sedeat.

Tria sunt nobis$^o$ necessaria: munditia carnis, humilitas mentis, exultatio in Domino. Ad munditiam carnis invitamur
795 in Epistola ubi dicitur (Rom 12.1): *Obsecro vos ut exhibeatis
corpora vestra hostiam viventem,* etc.; ad humilitatem mentis
in Evangelio, exemplo Christi, de quo ibi (cf Lc 2.51) legi-
tur$^p$ quod parentibus subditus erat; ad exultationem in Domino in Graduali, in quo benedicimus Domino (Ps 71.18),
800 *qui facit mirabilia solus,* et in Alleluia et in Offertorio, in quo
Domino iubilare monemur.

68. QUARE SEMEL *IUBILITATE* IN ALLELUIA
ET BIS IN OFFERTORIO

In hoc autem est differentia inter Alleluia et Offertorium.
In Alleluia tantum semel dicitur (Ps 99.1-2) *Iubilate Domino, omnis terra,* in Offertorio geminatur sub diversa melodia
805 ad notandum quod in Domini gaudio crescere debemus qui
sumus mysticum corpus, unde in Evangelio dicitur (Lc 2.40):
*Puer autem crescebat,* etc. In Communione notatur Christi
humanitas, secundum quam mater vocat eum filium et quasi
increpat dicens (Lc 2,48): *Fili, quid fecisti nobis sic?,* et
810 deitas, secundum quam ipse dicit (Lc 2.49): *Nesciebatis quia$^q$
in his que Patris mei sunt oportet me esse?*

793-811 Textus Missae dominicae in oct. Epiphaniae; Dur. 6.18.3.

$^m$ veritatis A     $^n$ in initio A     $^o$ *om* BKMS     $^p$ dicitur A

### 69. QUARE QUEDAM ECCLESIE LEGUNT
### EVANGELIUM NUPTIE IN ILLO OFFICIO

Sciendum est autem quod plures ecclesie legunt Evangelium de mutatione aque in vinum cum cantant predictum
Introitum et Graduale. Tunc enim Dominus quasi in excelso
815 throno sedit potentissimus cum (cf Jn 2.9) nuptiis aquam
in vinum mutavit; tunc convivantes et maxime discipuli dicere potuerunt (Ps 71.18): *Benedictus Dominus, qui facit mirabilia*[r] *solus*, quod in Graduali cantatur; tunc (Ps 71.3) *susceperunt montes pacem populo* quia tunc (Jn 2.11) *crediderunt*
820 *in eum discipuli eius*, sicut dicitur in fine Evangelii. *Montes*
sunt ipsi discipuli, qui dicuntur montes propter eminentiam
virtutum, qui *susceperunt pacem*, id est Christum, *populo*,
id est ad utilitatem populi, scilicet ut eum populo predicarent.
Nos quoque eum in excelso throno sedere videmus[s] cum non
825 tantum in anima sancta vel in ecclesia quiescere credimus sed
ad dexteram Patris sublatum eum per fidem conspicimus et
in throno iudicare potestatis[t] non dubitamus. Hydrias ipse
cotidie in nobis implet aqua et eam convertit in vinum. Hy-
drie sunt corda nostra, quas quasi aqua replemus cum dat
830 nobis timore pene peccata lugere. Has aquas in vinum convertit cum facit [ut] quod prius faciebamus timore iam faciamus divini amoris fervore, ut scilicet simus Spiritu amoris[u]
ferventes.

### 70. QUOD ORDINEM SERVARE VIDENTUR
### ECCLESIE QUE SIC AGUNT

Hee ecclesie videntur rectum ordinem servare, nam dictum
835 est quod triplex miraculum factum est in die Epiphanie. De
miraculo stelle specialiter agitur die illo, de miraculo quod in

---

818-822  P. Lombardus, *Commentarium in Psalmos* 71.3 (PL 191.659BC).
828-829  *Glossa ord.* (Lyons 1589) Jn 2.6.

[q] quod A     [r] magna *add* BMS     [s] vidimus KM     [t] ipsum securum A
[u] amoris *om* AB

baptismate in octava, de miraculo mutationis aque in vinum congruum fuit ut proxima ageretur dominica. Ecclesie que ordinem prius dictum servant naturalem ordinem servare vi-
840 dentur: voluerunt enim prius agere de his que acta sunt in Salvatoris infantia, secundo de eo quod in pueritia, tertio de his que in iuventute.

De infantia dictum erat usque ad Epiphaniam, quod supple-tum$^v$ fuit in octava. Addiderunt de eo quod in pueritia, sci-
845 licet quod Iesus, cum esset duodennis, sedit$^w$ in medio docto-rum; ad ultimum ea que in iuventute. Unde in alia dominica posuerunt primum miraculum quod ipse iuvenis fecit, quo viso (Jn 2.11) *crediderunt in eum discipuli eius.* Debebat au-tem Evangelium illud pueri duodennis duodecimo die a nativi-
850 tate legi, ut dies pro anno poneretur, sed non potuit hoc fieri propter Epiphaniam nec etiam in octavam propter baptis-mum, de quo in ea agitur ratione superius dicta; idcirco posi-tum fuit in dominica post octavam.

### 71. DE OFFICIO *OMNIS TERRA*

Secundum autem officium, scilicet (Ps 65.4) *Omnis terra,*
855 cantatur in persona fidelium$^x$ vel potius in persona aposto-lorum, qui viderunt eum sedentem in excelso throno. Quia enim eum per fidem iam in excelso throno videmus sedentem, id est ad dexteram Patris sublimatum, congruum est ut cana-mus$^y$ ei: *Omnis terra adoret te,* et redditur causa in Graduali,
860 ubi dicitur (Ps 106.20): *Misit Dominus Verbum et sanavit eos et eripuit eos de interitu eorum,* sive dicatur: Misit Pater Ver-bum, id est Filium, vel misit Filius verbum evangelice predi-cationis in orbem terre per apostolos; uterque bene congruit. In Alleluia idem ostenditur, ubi dicitur (Ps 96.1): *Dominus*
865 *regnavit, exultet terra.*

854-899   Textus Missae Dom. II post Epiphaniam.

$^v$ impletum A      $^w$ sedebat A      $^x$ filii A      $^y$ cantemus AM

## 72. QUARE TALI DOMINICA CANTATUR
### *OMNIS TERRA*, ETC.

Occasionem autem, ut audivi a magistro meo, sumpsit[z]
beatus Gregorius ex eo quod quondam Romani, orbe sibi subiu-
gato, de qualibet parte orbis terram Rome deferri fecerunt,
et inde quasi quidam monticulus factus est in quo postea
870 quedam ecclesia facta fuit, et cum beatus Gregorius pacem
in civitate fecisset, eo die quo istud cantatur officium[a] statio-
nem in predicta ecclesia facere voluit, et pro facto predicto
Romanorum populo instituit cantari (cf Ps 65.4) *Omnis terra*,
et pro pace quam fecerat posuit in Collecta: "Et pacem tuam
875 nostris concede temporibus".

Hanc autem pacem et Christi veram adorationem operatur
dilectio proximi, ad quam invitamur in Epistola (Rom. 12.6-
16) *Habentur donationes*, etc. exemplo tali[b] ut donationes a
Christo habitas ad edificationem aliorum exerceamus, in qua
880 dicitur (Rom 12.13): *Necessitatibus sanctorum communican-
tes*; ad idem invitamur in Evangelio (Jn 2.1-11) exemplo
Domini, qui mutans aquam in vinum necessitatibus illorum
subvenit quorum intererat convivantibus[c] ministrare. (Ps
65.1-2): In Offertorio quasi coreizamus pre gaudio quod spiri-
885 tualis facit ebrietas, verba geminantes tam in Offertorio quam
in Versibus.

## 73. QUARE GEMINAMUS IDEM
### IN OFFERTORIO

Geminamus enim (Ps 65.1) *Iubilate Deo omnis terra*, similiter (Ps 21.26) *Reddam tibi vota mea* et illud (Ps 65.14)
*Locutum est os meum in tribulatione mea*. Duo enim sunt
890 genera hominum verba geminantium vel multiplicantium, sci-

866-907  Dur. 6.19.4,7,8.
866-886  Beleth 76 (PL 202.81BC).

[z] suscepit B      [a] hodie AB      [b] exemplo tali] in qua monemur A
[c] convivantes K

licet coreizantes et infirmantes sive afflicti, coreizantes ut hic, infirmantes ut in versibus illis Offertorii (Job 1.1): *Vir erat in terra Hus*. Sed in hoc est differentia quia hic, tam in Offertorio quam in Versibus, verba duplicamus; ibi autem tantum
895 in Versibus verba duplicamus et est causa quia ibi institutor officii loquitur tamquam historiographus rem simpliciter narrans. In Versibus loquitur tanquam infirmus pre dolore verba multiplicans, dicens (Job 6.2): *Utinam appenderentur*[d] *peccata mea*, etc.

### 74. DISTINCTIO DE MUTATIONE AQUE IN VINUM

900 In Communione mystice ostendit quod Dominus aquam in vinum mutavit in nobis, scilicet triplicem aquam triplex vinum: aquam timoris in vinum divini amoris, de quo superius diximus; hoc est (Ps 103.15): *vinum* quod in presenti maxime *letificat cor hominis*; aquam littere in vinum spiritualis in-
905 telligentie, de quo specialiter exponit Augustinus *Super Iohannem*. Tandem mutabit Dominus aquam mortalitatis in vinum immortalitatis. Nostra mortalitas vere vocatur aqua, quia ad mortem fluimus more fluentis aque. De vino immortalitatis Dominus dicit per Isaiam (25.6): *Ecce in monte hoc faciam*
910 *convivium pinguium et convivium vindemie defecate*; tunc erit vindemia defecata cum tolletur omnis fex nostre mortalitatis et remanebit gloria immortalitatis.

### 75. DE OFFICIO *ADORATE*

In .III°. officio invitantur[e] angeli ad Domini adorationem pro sua reintegratione, que est in conversione Iudeorum et

892-893 Offertorium Dom. XXI post Pentecosten (Marbach 54).
898-899 Respons. 2 in feria 2 post Dom. I Septembris (Marbach 55).
900-912 Cf. Aug. *Tractatus in Johannis evangelium* 9.3 (PL 35.1459B).
902 Supra n° 69, ll. 831-832.

[d] apprehenderuntur AB     [e] mutantur K

915  gentium, unde in Graduali causa redditur. Ad conversionem
enim gentium pertinet quod dicitur (Ps 101.16): *Timebunt
gentes nomen tuum*, etc., et ad conversionem Iudeorum quod[f]
dicitur (Ps 101.17): *Quia edificavit*[g] *Dominus Sion*. Pro
reintegratione iterum dicit in Alleluia (Ps 96.7): *Adorate*
920  *Deum, omnes angeli eius*. Ad idem pertinet Evangelium
(Mt 8.1-13) in quo agitur de curatione leprosi sub figura Iudaici populi et de curatione servi centurionis sub figura gen-
tilis populi a Domino curati spiritualiter, et quia utriusque
populi curationem operatur dilectio proximi, idcirco in Epis-
925  tola ad eam invitamur, ubi dicitur (Rom 12.17): *Ne malum
pro malo reddentes*[h] *sed bona coram Deo et hominibus exhiben-
tes*[i]. In Offertorio Ecclesia de utroque populo collecta Deum
laudat dicens (Ps 117.16): *Dextera Domini fecit virtutem*.

### 76. QUARE A QUIBUSDAM ECCLESIIS CANTATUR IN HOC OFFICIO: *PUER IESUS* ET QUARE ALII: *MIRABANTUR*

Et quia Christus ad diem iudicii quantum est ad corpus
930  mysticum semper augetur, idcirco cantatur Communio a pluribus ecclesiis (Lc 2.52) *Puer Iesus proficiebat*[j], etc., licet
in quibusdam ecclesiis cantetur (cf Lc 4.22) *Mirabantur
omnes*. Christus enim parvulus fuit cum a paucis Iudeis cogno-
scebatur et crevit cum non tantum a Iudeis sed a gentibus
935  agnitus est; consumabitur autem usque ad diem iudicii. Quod
autem quidam cantant *Mirabantur omnes* satis bene convenit quia Iudei et gentiles, videntes miracula eius et audientes
dicta, admirantes convertebantur.

913-947  Dur. 6.20.2.
913-928  Textus Missae Dom. III post Epiphaniam.

[f] quia BKS    [g] quia edificavit] quoniam edificabit BKMS A    [h] reddamus A    [i] exibeamus A    [j] crescebat A

### 77. QUOD TRIA OFFICIA POSSUNT REFERRI
### AD TRES ANNOS IN QUIBUS
### PREDICAVIT CHRISTUS

Hec tria officia quidam referunt ad tres annos quibus Domi-
940 num post baptismum dicunt predicasse. Dicunt enim eum
tribus annis predicasse et  partem quarti anni quantum est a
Nativitate Domini usque ad Passionem.

### 78. AD QUOD REFERENDA SINT EVANGELIA

Referunt enim primum officium ad hoc quod post[k] baptismum, ieiunium, temptationem diaboli, angeli Domino minis-
945 strasse leguntur, unde in illo officio dicitur: *Quem adorat
multitudo angelorum.* Secundum officium dicunt esse de miraculis, unde de primo miraculo in eius Evangelio dicitur[l]. Tertium est de conversione gentium et Iudeorum, sicut superius
dictum est. Quartum (Mt 8.23-27) Evangelium, in quo agitur
950 de dormitione Domini in navicula et excitatione, ad illam partem anni referunt in qua Dominus obiit et resurrexit: dormitio
namque Domini in navicula est eius dormitio in cruce et eius
excitatio est eius resurrectio, quam citius fieri servorum vota
exegerunt. Quintum Evangelium ad hoc refertur quod post
955 resurrectionem Dominus sensum suis aperuit ut intelligerent
Scripturas, unde in ea grates refert Patri (cf Mt 11.25; Lc
10.21) quod revelavit ea parvulis que abscondit a sapientibus
et prudentibus huius seculi.

### 79. AD QUOD EPISTOLE

Omnes autem Epistole huius temporis, ut breviter dicatur,
960 ad dilectionem proximi pertinent. Dilectio enim proximi facit ut simus invicem membra, quod dicitur in prima, et quod

943  Dom. I in oct. Epiphaniae.
947  Dom. II post Epiphaniam.
947-972  Dur. 6.20.3-5.
947  Dom. III post Epiphaniam. Cf. supra n° 75, l. 914.

[k] *om* ABKS     [l] agitur  A

donationes nobis a Deo datas ad edificationem aliorum exerceamus, quod dicit in secunda, et ne malum pro malo reddamus, quod dicitur in .III$^a$., ut invicem diligamus, quod dicitur
965 in .IIII$^a$., et ut viscera misericordie habeamus, quod dicitur in .V$^a$.

Hec facit ut prelatis humiliter subiciamur exemplo Christi, qui subiectus fuit parentibus, quod dicitur in primo Evangelio. Hic aquam in vinum in nobis convertit, quod dicitur in se-
970 cundo, lepram peccati tollit, quod dicitur in tertio, Dominum dormitantem excitat in nobis, quod dicitur in quarto, eius merito nobis secreta revelantur, quod dicitur in quinto.

### 80. QUALITER ORDINANT ROMANI

Notandum quod Romani predictos Introitus, si bene memini, aliter ordinant, nam prius cantant *Omnis terra*, secundo
975 *In excelso throno*, tertio *Adorate Deum*. Quod bene convenit: primo enim *Omnis terra* que convertanda est convertitur; secundo, scilicet in die iudicii Dominus *in excelso throno* videbitur; tertio, hoc est in gloria a nobis cum$^m$ gloria adorabitur.

### 81. DE YPAPANTI$^n$

Tertius autem Introitus semper habet in se ypapante vel
980 ipsum contingit nisi .LXX$^a$. impediat. Inde est quod verba Introitus cum verbis Invitatorii conveniunt, nam in Introitu dicitur (Ps 96.8): *Audivit et letata est Syon* et in Invitatorio dicitur: *Gaude et letare, Syon, occurens Deo tuo*, quibus etiam

962   Epistola Dom. in octava Epiphaniae.
963   Epistola Dom. II post Epiphaniam.
964   Epistola Dom. III post Epiphaniam.
965   Epistola Dom. IV post Epiphaniam.
966   Epistola Dom. V post Epiphaniam.
979-993   Cf. Dur. 6.20.1 et 7.7.5.
983   Invitatorium Purificationis virginis Mariae.

$^m$ angelis in *add* A     $^n$ de ypapanti] in purificatione beate marie virginis A

conveniunt verba Responsorii, scilicet *Adorna thalamum tuum,*
985 *Syon.*

Hoc festum grece dicitur *ypapanti,* quod interpretatur "ob-
viatio°," ab *ipo,* quod est "contra,"—unde *ypallage* eo quod
dictio contra dictionem, et *palos,* quod est "via,"—unde etiam
dicitur in propatulo fieri quod fit in aperto, quasi in via. Ex
990 his igitur *ypapanti* dicitur; vel° quia (Lc 2.25-38) Simeon
et Anna Christo puero in templo presentato obviaverunt.
Hoc celebratur .XL°. die a Nativitate et fit in eo processio
cum luminaribus.

### 82. QUARE .XL°. DIE CELEBRETUR

Idcirco celebratur .XL°. die^p quia eo die Dominus fuit in
995 templo representatus, et nos si nostram Quadragesimam bene
servaverimus, id est si .X. mandata legis cum mandatis .IIII.
evangeliorum impleverimus, in templo celesti Deo Patri representabimur. Christi enim in templo representatio signi-
ficat^q representationem qua in patria Patri representabimur
1000 et Filio. Processio quam facimus significat processionem quam
Beata Virgo et Ioseph cum puero ad templum fecerunt.

### 83. QUARE PROCESSIO CUM LUMINARIBUS

Fit autem cum luminaribus triplici de causa, scilicet ut ritum
gentilium in melius commutet christiana religio: lustrabant
enim gentiles civitatem cum luminaribus in mense Februario^r
5 ad honorem Februi, id est Plutonis. Sed quia non poterant
ab hoc ritu leviter vocari, Sergius papa, in melius commutare
volens, in hoc festo processionem cum luminaribus instituit,

984  Respons. Lectionis 1 Purificationis.
994-1  Cf. Dur. 7.7.8.
2-9  Cf. Dur. 7.7.14,15.
6  Amal. 3.43.1-2 (II.380); L. Duchesne, *Liber pontificalis* I,376; Beda
*De temporum ratione* xii (ed. Jones), p. 207.

° obviatio . . . vel *om* ABK      ᵖ idcirco . . . XL° *om* K      �q figurat A
ʳ februo BKMS

quia (Lc 2.32) *lumen* quod est *ad revelationem gentium*, sicut
dicit Simeon, ea die pro nobis in templo est presentatum.

### 84. QUOD IN OMNIBUS FESTIS BEATE VIRGINIS FIT PROCESSIO CUM LUMINARIBUS

10    Quod cum luminibus[s] bonorum operum in futuro cum .V.
prudentibus virginibus ad nuptias introibunt. Obtinuit autem
consuetudo Rome ut in omnibus festivitatibus Beate Virginis
cum luminaribus fiat processio, sed in aliis ecclesiis fit tantum
in hoc festo propter predictas tres causas.

### DE HIEME

15    Dictum est de vere, nunc dicendum est de hieme. Si tamen
diligenter attendimus, post ver, quod fuit in Adventu, aliquid estatis habuimus, scilicet a nativitate usque ad octavam Epiphanie, quia tunc omnia que in Adventu habuimus[t]
cantavimus, et nihil significans tristitiam interposuimus. Ha-
20  buimus etiam aliquid autumni ab octava[u] usque ad .LXX[am].,
unde cantica letitie cantavimus[v].

### 85. DE LXX[a]

Sed in signum dilectionis quam facit negligentia, ea que
sunt tristitie in nocturno cantamus officio, unde bene sequitur
hiems quia hiems incipit a .LXX[a]. De .LXX[a]. primum di-
25  cendum est.

### 86. QUOD .V. SUNT .LXX[e].

Iuxta traditionem magistrorum nostrorum .V. sunt LXX[e],
scilicet .LXX[a]. annorum, .LXX[a]. dierum, .LXX[a] nostre peregrinationis, .LXX[a]. hebdomadarum, .LXX[a]. etatum. LXX[a]
annorum fuit iudaice captivitatis in qua fuerunt Iudei captivi

10-14  Cf. Hon. 3.24 (PL 172.649C); Beleth 81 (PL 202.86D).
26-93  Dur. 6.24.4-7.

[s] luminaribus A      [t] que . . . habuimus] cantici letitie cum iubilis A
[u] epiphanie *add* A      [v] et nihil . . . cantavimus *om* K

30 in Babylone LXX<sup>a</sup> annis, de qua Ieremias dicit (cf 25.11):
*Trademini in manu hostili et servieris Nabuchodonosor LXX<sup>a</sup>*
*annis*, et est sic construendum: *Trademini in manu hostili,*
scilicet *Nabuchodonosor, et servietis LXX<sup>a</sup> annis*: non enim
Nabuchodonosor vixit tot annis.    LXX<sup>a</sup> dierum incipit a
35 (Ps 17.5-7) *Circumdederunt*, et secundum plures terminatur in
Sabbato in Albis, secundum alios in Pascha, quod maxime
placuit Karolo regi.    LXX<sup>a</sup> nostre peregrinationis est toto
tempore huius vite, quod. VII. dierum repetitione agitur.    LXX<sup>a</sup>
hebdomadarum incipit a *Circumdederunt* et terminatur in
40 Sabbato quo cantatur (cf Is 55.1) *Sitientes veniunt*.    LXX<sup>a</sup>
etatum est .VII. etates, quorum .VI. sunt morientium et
septima quiescentium.    Harum due sunt figurate, scilicet
.LXX<sup>a</sup>. nostre peregrinationis et LXX<sup>a</sup> etatum; tres sunt
figurate, scilicet LXX<sup>a</sup> annorum, dierum, hebdomadarum.
45    De ultimis primo dicendum est, nam LXX<sup>a</sup> hebdomadarum
figurat LXX<sup>a</sup> etatum, ut hebdomada pro etate ponatur.    Inde
est quod in .VII<sup>a</sup>. etate anime fidelium requiescunt, licet quedam sint in purgatoriis.    Idcirco in principio .VII<sup>e</sup>. hebdomade
cantatur (cf Is 66.10-11) *Letare, Ierusalem*, ubi ponuntur
50 tria verba letitie, scilicet *letare, gaudete, exultetis*, quia sancti
in .VII<sup>a</sup>. etate gaudent in visione Trinitatis.    Iuxta LXX<sup>am</sup>
hebdomadarum, secundum quod visum est doctoribus nostris,
facte sunt ille denominationes .LXX<sup>a</sup>., LX<sup>a</sup>., L<sup>a</sup>, XL<sup>a</sup>. LXX<sup>a</sup>
dicta est quia .VII<sup>a</sup>. ab illa in qua cantatur: *Letare, Ierusalem*,
55 LX<sup>a</sup> quia .VI<sup>a</sup>. ab ea, L<sup>a</sup> quia .V<sup>a</sup>., .XL<sup>a</sup>. quia IIII<sup>a</sup>.

### 87. QUOD DIVERSI DIVERSOS HABENT
### TERMINOS IEIUNANDI

Sed forte dices: quare non dicitur .XXX<sup>a</sup>. que est ab illa
tertia?  Ad hoc respondeo quod secundum varios vario mo-

---

35  Introitus Dom. Septuagesimae (Marbach 78).
40  Introitus Sabb. post Dom. IV Quadragesimae (Marbach 324).
49  Introitus Dom. IV Quadragesimae (Marbach 331).

do inchoatur abstinentia, nam regulares incipiunt ieiunare a
.LXX<sup>a</sup>., Greci a .LX<sup>a</sup>., clerici auctoritate Telesphori a .L<sup>a</sup>.,
60   tota militia christiana a .XL<sup>a</sup>.

Item, obicies: potius deberet dici Septena quam Septuagesima, quia non sunt nisi .VII. ebdomade, sicut dictum est, a
*Circumdederunt* usque ad *Sitientes*. Sed ad hoc respondent
quod hoc idcirco factum est ut aliquomodo respondeat LXX<sup>e</sup>
65   iudaice captivitatis. Multi auctoritate Cyri (cf. I Esr 1.3), qui
cognominatus est Christus, in patriam redierunt et in fine
omnes. Ita ante finem .LXX<sup>e</sup>. etatum, que per .LXX<sup>am</sup>.
hebdomadarum figuratur, multi ad patriam per Christum redeunt et tandem omnes redibunt.

88. NON DICITUR .LXX<sup>a</sup>.
PROPTER .LXX<sup>a</sup>. DIES<sup>w</sup>

70    Nunc dicendum est de .LXX<sup>a</sup>. dierum que representat
.LXX<sup>a</sup>. annorum, et figurat .LXX<sup>am</sup>. nostre peregrinationis.
.LXX<sup>a</sup>. dierum secundum quosdam<sup>x</sup> terminatur in Pascha,
secundum alios in Sabbato in Albis. Visum est enim Karolo
magno imperatori quia .LXX<sup>a</sup>., LX<sup>a</sup>., L<sup>a</sup>., XL<sup>a</sup>. eundem fi-
75   nem habebant etsi diversa principia, et dicitur .LXX<sup>a</sup>., LX<sup>a</sup>.,
etc. non propter numerum sed propter consequentiam nume-
randi. Non enim a .LXX<sup>a</sup> usque ad Pascha sunt septuaginta
dies sed tantum sexaginta quatuor, nec a .LX<sup>a</sup>. usque ad
Pascha sunt .LX<sup>a</sup>. dies sed tantum .LVI., sed, sicut dictum
80   est, dicta sunt hec propter consequentiam numerandi.

Audi quomodo quia in lege preceptum erat ut (cf Ex 22.29)
primitie et decime rerum darentur, placuit sanctis patribus,
sicut dicit Augustinus in libro *De doctrina christiana*, solvere

---

59   Gratianus, *Decretum* I, Dist. IV, c.4 (Friedberg I. 6).
65   Cf. Amal. 1.1.12 (II.30).
73-79   Carolus Magnus-Alcuinus *Epist.* 81 (PL 100.265C).
83   Locus non repertus.

<sup>w</sup> non . . . dies] de septuagesima dierum A     <sup>x</sup> quedam KMS

primitias et decimas dierum, et ita quodammodo pro corpo-
85 ris primitiis instituerunt .IIII. tempora, pro singulis mensibus singulos dies ponentes. Decimas instituerunt in XLᵃ.,
nam ab (cf Ps 90.15, 16) *Invocavit* usque ad Pascha, exceptis diebus dominicis, sunt .XXXVIᵃ. dies que sunt decima
.CCCLX. dierum ex quibus diebus constat annus. .V. vero
90 dies non potuerunt decimari, vel si decimati sunt, de hoc dicemus cum agemus de Sabbato paschəli. Vocatum est autem tempus illud quod est ab *Invocavit* usque ad Pascha
.XLᵃ. quia .XLᵃ. et duo dies sunt usque ad Pascha et de duobus extraʸ non curavit, quas minutias non attendit sed sum-
95 mam numeri ponit, etsi sit parum plus vel minus. Etiam propter hoc dicta est .XLᵃ. licet sint .XL. duo dies quod filii Israel,
laborantes in deserto .XL.ᵃ annis, per .XLᵃ. duas mansiones
venerunt in terram promissionis.

### 89. QUARE .L.

Huic tempori Telesphorus papa, septimus a beato Petro, vo-
100 lens quod clerici aliquid adicerent ad pensum sancte religionis,
adiecit septimanam septimam, et vocatum est illud tempus
.Lᵃ. propter duas causas, scilicet quod .L. dies sunt ab (cf Ps
30.3-4) *Esto mihi* usque ad sanctum diem Pasche et etiam
propter consequentiam numerandi, nam post .XLᵃ. sequitur
105 .Lᵃ.

### 90. QUOD IN .Vᵃ. FERIA NEMO IEIUNABAT

Postea vero Melchiades papa instituit quod nemo ieiunaret
.Vᵃ. feria sicut nec prima, nam sicut prima feria sollemnis

86 Introitus Dom. I Quadragesimae (Marbach 189).
86-92 Gratianus, *Decretum* III, *De consecr.*, Dist. V, c.16 (Friedberg
I. 1416).
99-105 *Liber pontificalis* (ed. L. Duchesne I, p. 129); Ps-Alcuinus, *De
div. off.* (PL 101.1183A); Gratianus, *Decretum* I, Dist. IV. c. 5 (Friedberg I. 6); Dur. 6.24.7.
103 Introitus Dom. Quinquagesimae (Marbach 102).

erat, ita .V<sup>a</sup>. feria propter eius Cenam et Ascensionem. Unde
in .V<sup>a</sup>. feria fiebant processiones que hodie fiunt in die domi-
110 nico.

### 91. QUARE .LX<sup>a</sup>.

Idcirco placuit sanctis patribus addere[z] octavam hebdomadam et vocatum est illud tempus .LX<sup>a</sup>. [zbis] propter consequentiam numerandi, nam sicut quinquagesimus quadragesimum,
ita sexagesimus[z] [ter] quinquagesimum comitatur. Si enim om-
115 nes primas ferias et quintas et ipsum dominicum diem, scilicet Pasche[a], subtraxeris ab hoc tempore, tantum .XL. dies
ieiunabiles restant in quibus non tantum decimas solvis sed
ieiunii dominici numerum imples.

### 92. QUARE NON IEIUNABANT IN SABBATO

Fuit etiam quidam papa [Innocentius I] qui instituit ut[b]
120 in Sabbato ieiunaretur, quia Dominus in Sabbato in sepulcro
quievit in signum[c] nostre future quietis in qua omnis afflictio a nobis excludetur.

### 93. QUARE .LXX<sup>a</sup>.

Idcirco addita est nona hebdomada et vocatum est tempus
illud .LXX<sup>a</sup>. similiter[d] propter consequentiam numerandi, nam
125 si omnes primas ferias et .V<sup>as</sup>. et .VII<sup>as</sup>. et diem Pasche subtraxeris ab hoc tempore, non restant ibi nisi .XXXVI. dies
qui, sicut dictum est, sunt decima dierum.

106-110 Ps-Alcuinus, *De div. off.* (*loc. cit.*); Gratianus, *Decretum* III,
*De consecr.* Dist. III, c. 14 (Friedberg I. 1356); Dur. 6.24.7.
111-122 Ps-Alcuinus, *De div. off.* (PL 101.1183B); Dur. 6.24.8.
119-122 Gratianus *Decretum* III, *De consecr.*, Dist. III, c. 13 (Friedberg I. 1355-1356).
123-181 Ps-Alcuinus, *De div. off.* (PL 101.1183B-1184); Hon. 3.28 (PL
652B-653B); Dur. 6.24.8-11.

[y] econtra *mss*    [z] adesse *mss* z[bis]) XL<sup>a</sup> *mss* z[ter]) quadragesimus *mss*
[a] scilicet pasche *om* AKM    [b] nec BS/ ne AM    [c] figura A    [d] simpliciter K

Secundum nos .LXX<sup>e</sup>. terminatur in Sabbato in albis, .LX<sup>a</sup>.
in .IIII<sup>a</sup>. feria in Albis, quinquagesima in die Pasche, .XL<sup>a</sup>.
130 in Cena Domini, nam duo dies qui sequuntur et quatuor
qui sunt de Quinquagesima sumpti supplent locum .VI. dominicarum dierum, ut sic respondeamus pro modulo nostro
ieiunio Domini, qui ieiunavit .XL. diebus. A Septuagesima
quippe usque ad Sabbatum in Albis sunt .LXX<sup>a</sup>. dies et a
135 .LX<sup>a</sup>. usque ad .IIII<sup>am</sup>. feriam in Albis .LX<sup>a</sup>., et sic de aliis.
Sunt autem .VI. dies inter principium .LXX<sup>e</sup>. et .LX<sup>e</sup>., .VI.
inter principium .LX<sup>e</sup>. et .L<sup>e</sup>. et .VI. inter principium .L<sup>e</sup>.
et XL<sup>e</sup>. Inter finem vero .LXX<sup>e</sup>. et .LX<sup>e</sup>. duo et inter finem
.LX<sup>e</sup>. et .L<sup>e</sup>. duo et inter finem .L<sup>e</sup>. et .XL<sup>e</sup>. similiter duo.
140 Ita habemus in principio unum senarium et duos et a fine
unum binarium et duos.

Quid hoc significet Alcuinus ostendit. Dicit enim quod una
fuit mors Christi, scilicet corporis, quam per unum senarium
significamus, et duplex mors nostra, scilicet mors anime et
145 mors corporis, quam significamus per duos senarios, et Christus sua simplici morte nostram duplam destruxit. Ita etiam
unica fuit resurrectio Christi, scilicet resurrectio corporis, quam
significat unus binarius, et dupla nostra resurrectio significat
resurrectionem<sup>f</sup> anime a peccato et corporis a corruptione,
150 quam significat duplex binarius, et Christus sua simpla resurrectione nobis duplicia meruit.

LXX<sup>a</sup> igitur durat<sup>g</sup> a *Circumdederunt me* usque ad Sabbatum in Albis et continet<sup>h</sup> .LXX<sup>a</sup>. dies et representat .LXX<sup>a</sup>.
annorum iudaici captivitatis, per quam significatur totum
155 tempus nostre peregrinationis, quod .VII. dierum revolutione
agitur, nam Nabuchodonosor, ut dictum est, populum iudaicum a Ierusalem duxit in Babylonem, ubi in organis et citharis

152 Introitus Dom. Septuagesimae.

<sup>e</sup> LX KMS     <sup>f</sup> *om* KMS/ resurrectio B     <sup>g</sup> *om* KMS     <sup>h</sup> contra et
KMS

et aliis instrumentis sicut consueverat in Ierusalem populus
ille non cecinit[1], iuxta illud (Ps 136.4): *Quomodo cantabimus*
160 *canticum Domini in terra aliena?* Fuit etiam usus vestibus
miserie. Finitis vero .LX[a]. annis, data licentia a Cyro redierunt
quidam sub sacerdote Iesu magno et alii expectaverunt usque
ad finem captivitatis, quorum quidam redierunt sub Esdra,
quidam sub Nehemia, et tunc multiplicatum est eorum gau-
165 dium.

Nabuchodonosor est diabolus, Babylonia mundus vel infer-
nus, Ierusalem paradisus, populus genus humanum. Nabuchodonosor a Ierusalem captivavit populum in Babyloniam
et diabolus genus humanum a paradiso in hunc mundum vel
170 in infernum deiecit. Populus cantica letitie suspendit et genus
humanum a canticis exultationis in Deum siluit; populus vestibus miserie usus fuit, et genus humanum vestimento maledic-
tionis opertum fuit, iuxta illud (Ps 108.14): *Fiat illi sicut
vestimentum[1] quo operitur.* Populus post .LX[a]. annos sub Iesu
175 rediit et genus humanum in .V[a]. etate per Iesum sacerdotem
verum remeavit. Quidam sub Esdra, quidam sub Nehemia
redierunt. Esdra interpretatur adiutor, Nehemia consolator,
quia omnes vere fideles, finita huius temporis captivitate,
per Christum adiutorem et Spiritum sanctum consolatorem
180 ad patriam sunt redituri, et tunc duplicatum gaudium habe-
bunt[j], scilicet in glorificatione corporis et anime.

### 94. QUARE CANTICA LETITIE RETICEANTUR

Hec omnia representat Ecclesia a .LXX[a]. usque ad Sabbatum in Albis. Quia enim genus humanum deiectum fuit in
miseria, idcirco incipit: *Circumdederunt me gentes*, et quia
185 siluit a canticis letitie, idcirco *Alleluia* et *Gloria in excelsis*
tacemus.

182-188  Ps-Alcuinus, *ibid.* (PL 101.1186A); Dur. 6.24.12.
184  Introitus Dom. Septuagesimae (cf. Ps 17,5,6).

[1] concinit A       [j] habent KMS

### 95. QUARE ORNAMENTIS NON UTIMUR

Et quia perdidit vestes[k] virtutum, idcirco vestibus cultiori-
bus, id est dalmaticis et vestibus subdiaconalibus, non utimur.

### 96. QUARE IN VIGILIA PASCHALI
#### *ALLELUIA* ET POST TRACTUM

Et quia per Iesum reditum accepimus, idcirco in Sabbato
190 paschali *Alleluia* cantamus.  Verum quia graves sunt labores
vie, idcirco statim post *Alleluia* Tractum cantamus, scilicet
(Ps 116.1-2) *Laudate Dominum, omnes.*

### 97. QUARE IN HEBDOMADA PASCHALI SIMPLEX
#### *ALLELUIA* ET POST DUPLEX

Et quia sancte anime ante generalem resurrectionem tantum simplam stolam recipiunt, idcirco per totam septimanam
195 paschalem simplex *Alleluia* cantamus.  Sed in ipso Sabbato
*Alleluia* geminamus quia in requie que erit in resurrectione
erimus utroque homine gloriosi, id est in anima et corpore.

### 98. QUARE GENESIS LEGITUR IN .LXX[a].

In .LXX[a]. igitur, sicut dictum est, nostram recolimus miseriam quam per peccatum primorum[l] parentum incurrimus.
200 Inde est quod librum Geneseos legimus, in quo agitur de expulsione primorum[m] parentum de paradiso, de quo etiam cantamus (cf Gen 3.19): *In sudore vultus tui* et illud (cf *ibid* 22): *Ecce
Adam.* Sed ad maiorem miseriam designandam de dignitate
ipsius hominis prius legimus et cantavimus quod, factus ad
205 imaginem et similitudinem Dei, in paradiso etiam est collo-
catus, quod pulcherrima socia ei facta est, que nec mori nec

189-197  Cf. Dur. 6.24.14-15.
198-209  Hon. 3.28 (PL 172.653C); Dur. 6.25.3.
198  Supra ll. 183-184.
202  *In sudore vultus*: Respons. 2 fer. 2 post Dom. Septuagesimae;
*Ecce Adam*: Respons. 8 Dom. Septuagesimae (Marbach 3).

[k] vestem A     [l] priorum *mss*     [m] priorum BKMS

aliquam penam sustinere posset nisi sua culpa propria perveniret, sed hec omnia[n] ei et toti posteritati in contrarium propter peccata versa sunt.

### 99. QUANDO .LX$^a$. TERMINETUR

210    Sexagesima terminatur in feria .IIII$^a$. in Albis et significat tempus viduitatis Ecclesie, quo a sponso Christo corporaliter separatur. Consistit autem .LX$^a$ ex .LX$^a$. diebus. Hic mensis consistit ex senario et denario in se multiplicatis; senarius refertur ad .VI. opera misericordie que Dominus in Evangelio
215    commemorat ubi dicit (Mt 25.42): *Esurivi et non dedistis mihi manducare*, etc., denarius ad decem mandata legis implende. Qui sex opera misericordie implendo fecerit merebitur audire quod in eodem Evangelio dicitur, scilicet (Mt 25.34) *Venite, benedicti Patris mei*, etc.

### 100. QUANDO TERMINETUR .L$^a$.

220    Quinquagesima terminatur in die Pasche et significat tempus penitentie nostre, unde et psalmus penitentialis, scilicet (Ps 50) *Miserere mei Deus*, est .L$^{us}$., et .L$^{us}$. annus erat iubileus, in quo debita dimittebantur[o]; ita per penitentiam nobis debita peccatorum dimittuntur et possessiones virtutum re-
225    stituuntur. Quinquagenarius autem consistit ex quinario et denario in se multiplicatis, nam qui opera .V. sensuum corporis per .X. legis mandata moderatus fuerit secure dicere poterit quod in ultima die Quinquagesime cantatur, scilicet (Ps 138.18, 5-6) *Resurrexi et adhuc tecum sum*. Quinquagenarius
230    ergo tempus nostre penitentie significat. Unde est quod in quinquagesima fit diluvium, nam sicut per diluvium purgatus

210-219   Hon. 3.39 (PL 172.654A); cf. Dur. 6.26.1-2.
210-213   Amal. 1.2.6,8 (II.38,13-14,39.30).
220-233   Amal. 1.3.1-3 (II.40-41); Hon. 3.40 (PL 172.654B); Dur. 6.27.4-5.
229 *Resurrexi*: Introitus Dom. Resurrectionis (Marbach p. 245).

[n] causa AM     [o] et possessiones ad dominum revertebantur *add* A

est mundus a malis hominibis, ita per penitentiam purgatur microcosmus, id est minor mundus, a vitiis et criminibus.

### 101. QUARE QUEDAM RESPONSORIA IN EADEM DOMINICA DE DILUVIO ET QUEDAM DE ABRAHAM

Nota autem quod quedam Responsoria primo cantantur
235 de diluvio, secundo quedam de obedientia Abrahe, postremo unum de ceco illuminato, quia qui per penitentiam sua peccata dilu[er]it et mandatis dominicis, ut Abraham, obedierit a Domino plene illuminari merebitur.

### 102. DE EPISTOLA IN .LXXᵃ.

Item nota quod in .LXXᵃ. per Epistolam ad diluvium invi-
240 tamur, et per Evangelium in vineam Domini ducimur, immo tanquam otiosi redarguimur.

### 103. DE EPISTOLA IN .LXᵃ.

In .LXᵃ. per Epistolam terra nostra moveturᵖ in hoc quod redarguit Apostolus nos quod perversos libenter sufferimus, eis consentiendo. Similiter per Tractum terra nostra scinditur,
245 scilicet (Ps 59.4): *Commovisti terram*, et in Evangelio semina- tur. In Quinquagesima fructum lucis suscipimus, quod in Evangelio notatur, et quia hoc non potest fieri nisi per fidem, spem et caritatem, precedit Epistola in qua dicitur (1 Cor 13. 1-13): *Manent autem fides, spes et caritas, tria hec*, etc.

### DE CAPITE IEIUNII

250 Dicendum est de capite ieiunii, videlicet quare ieiunium incipiat in quarta feria, quare cinerem capiti nostro imponamus, quare usque post Nonam ea die et sequentibus, nisi sit dies dominicus, officium Misse differius�q, et quedam alia inquisitione digna.

234-238  Hon. 3.40 (PL 172.654B); Dur. 6.27.9.
239-241  Hon. 3.40 *ibid.*

ᵖ in lxᵃ ... movetur *om* A      q quare eo die processionem facimus *add* A

### 104. QUARE IN QUARTA FERIA
### INCIPIAT IEIUNIUM

255   Idcirco quarta feria ieiunium inchoamus quia quarta etate
Salomon templum edificavit, et nos quasi fundamentum iaci-
mus ieiunando illius templi quod ex nobis construitur; de quo
dicit Apostolus (1 Cor 3.17): *Templum Domini sanctum est,*
*quod estis vos.* Quarta etiam feria, ut dicitur in libro qui est
260  *Gemma anime,* Dominus suum ieiunium inchoavit, nam tertia
feria, sicut ibi dicitur, baptizatus fuit et sequenti die ieiunare
cepit.

### 105. QUARE CINEREM CAPITI

Quod autem cinerem capiti nostro imponimus significat de-
pulsionem Ade de paradiso, cui dictum est (Gen 3.19): *Pulvis*
265  *es et in pulverem reverteris.* Propterea¹ ea die penitentes eiici-
mus de ecclesia. Nobis etiam idem dicitur. Significamus
quoque nostram humilitatem.

### 106. QUARE OFFICIUM POST NONAM DIFFERATUR

Officium vero usque post Nonam differimus non tantum
quia Dominus nona hora expiravit sed potius propter castri-
270  margiam nostram; adeo namque ventri dediti sumus quod
audita Missa statim ad cibum curreremus, et de horis parum
vel nihil curaremus. Unde prius omnes horas cantamus, et
post Missam subiungimus, et statim post Missam Vesperas,
et deinde ad cibum transimus omnibus rite perfectis.

### 107. QUARE PROCESSIONEM EA DIE FACIMUS

275  Processionem idcirco ea die facimus quia tunc ad bellum
contra hostes incedimus, qui quasi in expeditione a .LXXᵃ.
usque tunc fuimus. Procedentes igitur ad bellum contra hos-

255-262   Hon. 3.41 (PL 172.654CD); Dur. 6.28.13.
263-267   Hon. 3.43 (PL 655C);  Dur. 6.28.16.
268-274   Dur. 6.28.11.
275-286   Hon. 3.43 (PL 172.655C); Dur. 6.28.16.

tes<sup>r</sup>, armis nostris armamur, que sunt humiliatio, oratio, afflictio, et eleemosynarum largitio. Humiliatio, sicut dictum est,
280 in cinere quia dicimus tunc (Joel 2.17): *Parce, Domine*, etc;
afflictio, de qua in Evangelio (Mt 6.16): *Cum ieiunatis*, etc.;
eleemosynarum largitio, que tunc maxime frequentanda est
(cf Eccli 29.15): Abscondite eleemosynam in sinu pauperis,
etc. His armis muniti ad bella procedimus. Unde Collecta
285 illius diei est: *Concede nobis*[s], *quesumus, omnipotens Deus, pre-
sidia militie christiane sacris inchoare ieiuniis.*

### 108. QUARE .IIII. DIEBUS IEIUNAMUS

Sicut dictum est, hoc tempore procedimus ad bellum. Idcirco .IIII. diebus ieiunamus ut .IIII. armati virtutibus, scilicet iustitia, prudentia, fortitudine, temperantia, .IIII<sup>or</sup>. mala
290 que per primum parentem incurrimus deploremus, scilicet
quod de paradiso eiecti sumus, quod in hac valle miserie cibis
ad modum iumentorum indigemus, quod in infernum descen-
dere timemus<sup>s bis</sup>, quod in patria cum Domino non gaudemus,
et ut defleamus .IIII<sup>or</sup>. mala que fecimus, scilicet peccatum
295 cogitationis, locutionis, operis, consuetudinis, et vitemus quatuor ieiunia que non curat Dominus, scilicet ieiunium avari,
ieunium parietis dealbati, ieiunium infirmi, ieiunium fastiditi.

### 109. DE .IIII. IEIUNIIS MALIS

Ieiunat avarus ut burse parcat, ieiunat paries dealbatus ut
appareat, ieiunat infirmus ut convaleat, ieiunat fastiditus ut
300 appetat. Non tamen dico quin ultima duo ieiunia possint

280  Respons. 3 Dom. I Quadrag. (Marbach 360).
283  *Abscondite*: Respons. 3 fer. 4 post Dom. I Quadrag. (Marbach 294).
285-286  *Lib. sacram.* p. xxxii,127.
287-297  Hon. 3.42 (PL 172.655C); Dur. 6.28.16 et 15.
298-302  Cf. Dur. 6.7.7.

<sup>r</sup> incedimus . . . hostes *om* S/ *in margine add* M     <sup>s</sup> *om* AKMS  s<sup>bis</sup>)
tenemur BKMS

licite fieri, sed si fiant tantum pro corpore, nullo intuitu ad
Deum habito, ea non curat Deus.

### 110. QUARE IEIUNIUM DURET QUADRAGINTA ET .VI. DIEBUS

Non vacat a mysterio quod quadraginta et .VI. diebus[t]
in abstinentia sumus, nam post Babylonicam captivitatem
305 .XL[a]. et .VI. annis edificatum fuit templum Domini et nos
post captivitatem Babylonicam, id est confusionis vitiorum,
.XL[a]. et .VI. diebus per abstinentiam et bona opera nos ipsos
templum Domino edificamus, et .XL[a]. et .VI. diebus formatur
puer in utero.

### 111. QUOMODO INTELLIGENDUM SIT QUOD BEATA VIRGO CONCEPIT DEUM ET HOMINEM

310    Nam super locum illum (Jn. 2.20): *.XL[a]. et .VI. annis edificatum est templum Domini,* hoc dicit Augustinus: "Hoc convenit perfectioni dominici corporis," quod non est ita intelli-
gendum quasi tot diebus formatum fuerit dominicum corpus. Statim enim cum consensit Beata Virgo dicens (Lc
315 1.38): *Ecce ancilla Domini, fiat mihi,* etc., habuit in se Deum
hominem, ex carne de ea assumpta et anima rationali subsis-
tentem, et adeo breve erat corpus quod nulla in eo posset notari distinctio, sed .XL[a]. et .VI. diebus ita crevit quod linia-
menta membrorum possunt distingui si ab aliquo viderentur.
320 Facta igitur est .XL[a]. et .VI. diebus distinctionis[u] liniamen-
torum patefactio, et nos .XL[a]. et .VI. diebus abstinemus ut
ei coaptemur. Hec etiam dicit Augustinus: "Hoc in nomine

303-309  Hon. 3.41 (PL 172.654D); Dur. 6.28.2.
310-333  Hon. 3.42 (PL 172.654D-655A).
311-312  Locus non repertus in Aug. *Tractatus in Johannis Evang.*
10.10-13 (PL 35.1472-1473).
322-333  Aug. *Tractatus in Johannis Evang.* 10.10 (PL 35.1473CD);
Hon. 3.42 (PL 172.654-655); Amal. 1.7.7-8(II.50).

[t] a capite ieiunii usque ad pasca *add* A    [u] membrorum *add* KMS

Adam intelligitur quod ex .IIII⁰ʳ. constat litteris, que apud
Greces sunt principia nominum .IIII⁰ʳ. partium orbis, que
325 sunt Anathole, id est Oriens, Dysis, id est Occidens, Arch-
thous, id est pars Aquilonaris, Mesembrion, id est Meridies.
Ex primis litteris horum nominum constat hoc nomen Adam,
que apud Grecos faciunt .XLVI., nam alpha significat unum,
delta .IIII⁰ʳ, alpha iterum unum; M XL, et ita habes .XLVI.
330 Primus igitur Adam, per quatuor partes orbis in membris
suis dispersus, per secundum Adam colligitur in unitate fidei
per abstinentiam .XLVI. dierum, quod notant .IIII. littere
huius nominis Adam."

### 112. QUARE .XLª. USQUE IN CENAM

Quadragesima durat ab *Invocavit* usque ad Cenam Domini,
335 quam Dominus consecravit suo ieiunio in Novo Testamento,
et Moyses et Elias in Veteri, que et significat hanc presentem
vitam laboriosamᵛ.

### 113. QUARE TUNC IEIUNEMUS

Quare autem hoc tempore sit triplex est ratio. Prima quia
per eam representatur populus Israeliticus, qui quadraginta
340 annis fuit in deserto et post Pascha celebravit; sic et nos post
.XLª. dies Pascha celebramus. Secunda ratio quia tempore
verno quodam naturali motu ad libidinem movemur, ad quam
restringendam institutum est ut hoc tempore fiat ieiunium.
Tertia ratio: rationabile fuit ut nostra afflictio esset conter-
345 mina passioni Salvatoris ut ei compatiamur et ita tandem con-
regnaremus, unde Apostolus: (Rom 8.17) *Si compatimur, con-
regnabimus.*

334-337  Dur. 6.32.3.
338-347  Hon. 3.44 (PL 172.656D); Dur. 6.28.5.

ᵛ de qua statim oriuntur due questiones prima questio est quare hoc
tempore celebretur cum dominus suam statim post epiphaniam celebra-
verit secunda questio est quare iste numerus significat hanc laboriosam
vitam *add* A

### 114. QUARE DICITUR .XLª.

Quare autem hic numerus significat hanc temporalem vitam iam ex parte tetigimus, nam populus Israel egressus de Egyp-
350 to, transito Mari rubro, .XL. annis transivit per desertum, in quo fuit pastus celesti pane et potatus aqua profluente de petra; transiens autem Iordanem sicco vestigio intravit in terram promissam; ita et nos egressi de Egypto vitiorum, transeuntes per Baptismum, ambulamus tota vita nostra laboriosa
355 in qua pascimur pane celesti, id est corpore Christi, et aqua profluente de petra, id est sanguine eius. Tandem quasi sicco vestigio transimus fluxum temptationum et intramus terram fluentem lacte et melle, scilicet lacte humanitatis et melle deitatis. Lac ex carne et eo nihil candidius, et caro Salvatoris ex
360 nostra carne sumpta est, et ipsa ab omni corruptione immunis, quod notat candor. Mel est ex rore et eo nihil dulcius, et deitas Salvatoris est nobis de supernis et ea nil suavius, unde (Ps 33.9): *Gustate, et videte quoniam suavis est Dominus.* Alias causas assignat Augustinus. Dicit enim quod non sine causa
365 Mattheus (1.17), ostendens Christum descendisse per regiam tribum, .XL. generationes eius a primo patriarcha usque ad Christum posuit ut "usque" accipiatur exclusive. Ad hoc enim Dominus suo quadragenario ad nos descendit.

### 115. QUARE .XL. DIES ANTE PASCHA IN TRISTITIA ET .L. POST IN LETITIA

Item Augustinus, ostendensʷ quare Quadragesimam in tri-
370 stitia celebramus ante Pascha et post Pascha quinquagesimam in letitia, laboramus in presenti, (Tit 2.13) expectantes bea-

---

348-368  Hon. 3.44 (PL 172.655D-656A); cf. Dur. 6.32.1-2.
364-367  Aug. *De consensu evangelistarum* 1.2.4 (PL 34.1044); cf. *ibid.*, 2.1.2 (PL 34.1071); Amal. 1.4.2(II.44).
369-379  Cf. Aug. *Epist.* 55.15 (PL 33.218AB) et *Tractatus in Johannis Evang.* 17.4 (PL 35.1529C-D).

ʷ *om* KMS

tam spem et gloriam magni Dei, mercedem recepturi sumus, id
est denarium, quia Christus dicitur denarius. Ad hoc enim
ut habeamus quinquagenarium quadragenario adiciendus est
375  denarius, quia ad hoc ut veniamus ad beatam requiem oportet
nos toto presentis vite tempore laborare.

Hoc etiam Dominus ostendit, qui quadraginta diebus post
resurrectionem fuit cum discipulis suis, intrans et exiens quasi
de illis sollicitus. Quadragesima die in celum ascendit, et de-
380  cimo die post Spiritum sanctum misit consolatorem et confir-
matorem suorum.

Huc accedit quod quadragenarii partes multiplicate, si omnes simul iungatur, faciunt quadragenarium, videlicet vice-
narius, qui est pars media, decenarius, qui est quarta, octo-
385  narius, qui quinta, quintenarius, qui octava, quaternarius,
qui est decima, binarius, qui vigesima, unitas, que quadragesima. Hec omnia simul iuncta .Lª. faciunt[x].

Quadragenarius igitur notat laborem presentis vite et quinquagenarius requiem future, nam quinquagenarius annus iubi-
390  leus erat, qui et significat tempus gratie et tempus penitentie,
ut predictum est, quia in eo debita peccatorum remittuntur
et virtutum dona restituuntur. Non minus tamen convenienter eterna beatitudo Dei annus iubileus et annus benignitatis,
quia in eo omnis tolletur corruptio et omnia nobis restituentur
395  que in primis parentibus perdidimus.

Huc accedit quod mundus in .IIII. partes dividitur et annus
.IIIIor. temporibus volvitur et homo ex .IIIIor. elementis con-
stituitur, ex .IIII. complexionibus, et quod nos transgressi
sumus Novam Legem, que intelligitur per .IIIIor. propter
400  .IIIIor. Evangelia, et Veterem Legem, que intelligitur per
.X. mandata. Oportet igitur ut denarium per quarternarium

396-397  Cf. Aug. *Epist.* 55.15.28 (PL 33.217D).

[x] de quadragenario *rubr add* A

multiplicemus ut sic .XL. faciamus si mandata Veteris et
Novi Testamenti toto corpore huius vite impleamus.

### 116. QUOD .IIII. ELEMENTA .IIII. SEDES IN NOBIS HABENT

Consistit siquidem corpus nostrum, sicut diximus, ex .IIII$^{or}$.
405 elementis, que et quasi .IIII$^{or}$. sedes in nobis habent, nam
ignis in oculis, aer in lingua et auribus, aqua in genitalibus,
terra in manibus et aliis membris dominatur. In oculis igitur
est curiositas, in lingua et in auribus scurrilitas—adeo enim
scurra potest dici qui libenter audit scurrilia sicut qui libenter
410 dicit—, in genitalibus est voluptas, in manibus et aliis membris crudelitas.

Hec .IIII. confitetur publicanus, qui a longe stans non audet oculos ad celum levare sed percutiens pectus suum dicebat: (Lc 18.13) *Deus, propitius esto mihi peccatori.* Quod a
415 longe stat$^y$ confitetur luxuriam seu voluptatem, que fetida
est, quasi dicat "non audeo appropinquare, Domine, ne in
naribus tuis feteam;" quod autem non audet oculos ad celum
levare confitetur curiositatem; quod manu percutit pectus confitetur crudelitatem; quod dicit: *Propitius esto mihi peccatori*
420 confitetur scurrilitatem, nam scurre consueverunt vocari peccatores vel potius lecatores.

Sunt autem .XL$^a$. et duo dies ab *Invocavit* usque ad Pascha
quia populus Israel, qui .XL. annis transiit per desertum,
per .XL$^a$. et duas mansiones venit ad terram promissionis,
425 et Dominus noster secundum Hieronymum ab Abraham venit ad nos per .XL$^a$. et duas generationes, connumeratis
Iechonia patre et Iechonia filio et ipso Domino. Significat
igitur quadragenarius tempus nostre$^z$ miserie.

422 Introitus Dom. V Quadragasimae.
429-446 Dur. 6.32.10-11.

$^y$ stabat KMS     $^z$ presentis AB

### 117. DE OFFICIO *INVOCAVIT*

Notandum igitur quod cum ad principium Quadragesime
430 venimus, iam aliqua pars nostre militie peracta est, unde
notandus est progressus, quia .LXXᵃ. est usque nunc. Nam
in principio .LXXᵉ. homo clamat desperans (Ps 17.5): *Cir-*
*cumdederunt me gemitus mortis*, quasi a nulla parte evadere
possit. In principio .LXᵉ., quasi positus inter desperationem
435 et spem, clamat (Ps 43.23): *Exsurge; quare obdormis, Domine?*
In principio .Lᵉ. iam sperans dicit (Ps 30.3): *Esto mihi in*
*Deum protectorem*, etc.; immo deprecativam mutat in affir-
mativam dicens (Ps 30.4): *Dux mihi eris et enutries me*. In
principio Quadragesime ille qui invocatus est respondet (Ps
440 90.15): *Invocavit me et ego exaudiam*, et Epistola dicit (Is
49.8): *"Tempore placito exaudivi te*, et in Graduali datur nobis
angelorum custodia et in Tractu protectio divina et in Evangelio ad exemplum Salvatoris ab hoste triumphus, [in Offer-
torio] divina quoque protectio ita notatur dum dicitur: (Ps
445 90.4): *Scapulis suis*, etc. et demonum subiectio in Communione, ubi dicitur (Ps 90.13): *Super aspidem*ᵃ.

Notandum vero quod hoc tempore hoc specialiter agimus,
scilicet quod diaconus casulam super humerum portat, quod
in fine Misse dicitur *Benedicamus Domino*, quod oratio dicitur
450 super populum, et velum suspenditur.

### 118. QUOD DIACONUS HABET OFFICIUM PREDICANDI, QUOD PER CASULAM SUPER HUMEROS SIGNIFICATUR

Ad primum nota quod diaconus habet duplex officium: predicandi populo, unde legens Evangelium dicit populo: *Domi-*

---

433-434 *Circumdederunt*: Introitus Dom. Septuagesimae.
435 *Exsurge*: Introitus Dom. Sexagesimae.
436-437 *Esto*: Introitus Dom. Quinquagesimae.
440 *Invocavit*: Introitus Dom. I Quadragesimae.
451-457 Hon. 3.45 (PL 172.666D); Dur. 2.9.6.

ᵃ et basiliscum etc *add* A

*nus vobiscum*, et officium ministrandi sacerdoti. Ad officium
habet predicandi populo quod portat casulam super humerum
455 quia predicator debet portare in presenti vita opera populi.
Quod ministrat sacerdoti notat in hoc quod dexteram habet
expeditam.

### 119. QUARE IN FINE MISSE DICITUR *BENEDICAMUS DOMINO* ET COLLECTA SUPER POPULUM

Quod in fine Misse dicitur *Benedicamus Domino* hoc notamus quod si semper Domino benedicendum sit, hoc tempore
460 tamen magis debemus esse occupati. Quod dicitur Collecta
super populum hoc significat quod toto tempore presentis
vite pro nobis est orandum ut in futuro audire possimus a
Domino (Mt 25.34): *Venite, benedicti Patris mei*, etc.

### 120. DE TRIPLICI VELO

Notandum quod triplex genus veli suspenditur, videlicet
465 quod sacra operit, velum quod sanctuarium a clero dividit,
velum quod clerum a populo distinguit. Primum est nota
littera legis, secundum nota nostri indignationis[b] qua indigni
sumus, immo impotentes[c], celestia videre; in tertio notatur
cohibitio carnalis voluptatis.

470 Primum significatum[d] est in hoc quod (Ex 34.33) Moyses
velamen posuit super faciem suam, quia filii Israel claritatem
vultus eius sustinere non poterant, et hoc velamen, ut dicit
Apostolus (cf 2 Cor 3.15), adhuc hodie est super corda Iudeorum. Secundum significatum est in hoc quod velum in
475 tabernaculo Domini erat suspensum, quod dividebat sancta
sanctorum a sanctis.

458-463  Hon. 3.45 (PL 172.656D); Dur. 4.57.7.
464-476  Hon. 3.46 (PL 172.657A); Dur. 1.3.35.

[b] indignitatis A     [c] inponentes K     [d] figuratum B

### 121. QUID SIT PERYBOLUS

Tertium tamen habuit initium quod in primitiva Ecclesia peribolus, id est paries qui circuit chorum, non elevabatur usque ad appodiationem, quod usque hodie in quibusdam
480 servatur ecclesiis, quod propter hoc fiebat ut populus videns clerum psallentem bonum inde sumeret exemplum. Verumtamen hoc tempore suspendebantur vela inter clerum et populum, quasi hoc facto diceretur (Ps 118.37): *Averte oculos tuos ne videant vanitatem.* Pro hac etiam recondenda hodie
485 in pluribus ecclesiis ipsi parietes in tantum elevantur quod clerus a populo conspici non potest vel econverso.

### 122. QUARE IN PASSIONE VELUM TOLLATUR

In passione vero Domini omne tollitur velum quia per passionem Domini revelata^e est nobis legis spiritualis intelligentia et aperta est nobis^f celestis ianua et data est nobis for-
490 titudo ut vinci non possimus, nisi velimus, a carnali concupiscentia.

### 123. QUANDO VELUM DOMINICIS TOLLATUR

Velum tamen quod dividit sanctuarium a clero in vespera Sabbati, quando officium diei dominice inchoatur, retrahitur vel elevatur ut clerus possit in sanctuarium intueri. Idcirco
495 fit diebus dominicis .VI. quia nulla fuit etas in qua non fuerit gaudium, eternum gaudium figurans quod modo^g celo velatur, quod per medium^h velum figuratur.

### 124. QUARE DOMINICIS NON IEIUNAMUS

Inde est quod diebus dominicis non ieiunamus, non tantum propter gloriam dominice resurrectionis: nam prima dominica

477-497  Dur. 1.3.35-36.
498-509  Dur. 1.3.37.

^e revelatio B     ^f legis ... nobis *om* KMS     ^g in K     ^h illum A
^i pueri K

500 significat gaudium quod habuerunt primi parentes ante peccatum in paradiso; secunda dominica significat gaudium quod
habuerunt pauci[1] in arca Noe, aliis omnibus in diluvio submèr-
sis; tertia significat illud quod habuerunt filii Israel sub Ioseph, aliis fame afflictis; quarta significat illud quod habue-
505 runt sub Salomone, in pace viventes; quinta significat illud
quod habuerunt, redeuntes de captivitate Babylonis; sexta
significat illud quod habuerunt discipuli a resurrectione usque ad ascensionem, quando cum eis presentialiter fuit sponsus.

### 125. DE SUBLATIONE VELI IN ALIIS FESTIS

510    Quod autem in quibusdam festivitatibus velum[j] illud
elevatur vel retrahitur non habet hoc primitiva institutio,
quia nullum in .XL[a]. celebrabatur tunc festum sollemniter,
sed si aliquod festum occurrebat, quocumque die occurreret,
in Sabbato de eo commemoratio fiebat, et hoc totum propter
515 illius temporis tristitiam. Postea usus in contrarium obtinuit,
videlicet quod festum in suo die sollemniter celebratur et nihilominus ieiunetur et de ieiunio cantetur.

### 126. DE ORDINIBUS ET .IIII. TEMPORIBUS[k]

In prima hebdomada occurrunt .IIII. tempora, in quorum
fine celebrantur ordines.

### 127. QUOD ORDINES IN SABBATO INCHOABANT
### ET DOMINICA TERMINABANTUR

520    Habebat autem institutio ut post finem diei Sabbati inciperet officium[l] ordinum et in die dominico terminaretur.
Rationabile enim erat ut consecraturi dominicum corpus in
die dominico consecrarent[m] et officium quod in die[n] Sabbati
inchoabatur usque in diem dominicum protendebatur[o].

510-517 Dur. 1.3.38.

[j] om KMS     [k] om M/ quare dominica intitulatur dominica vacat B/
de prima ebdomeda xl[e] A     [l] officia A     [m] consecrarant K/ cele-
brarent et consecrarant A     [n] fine B     [o] nihil comedere A

### 128. QUARE *DOMINICA VACAT*

525    Verum quia difficile erat a .VIᵃ. feria usque in dominicum nihil comedereᵖ, factum est ut in Sabbato ordines cele-
brentur et in die dominico, qui vacat ab officio, officium
quarte ferie repetatur, et propterea intitulatur dies ille *Dominica vacat.*

### 129. QUOTIENS POSSINT FIERI
### GENERALES ORDINES

530    Quia igitur celebrantur ordines in Sabbato, inde est quod
.IIIIᵃ. feria due lectiones leguntur�q. Quotiens enim in .IIIIᵃ.
feria leguntur due lectiones, totiens inʳ proximo Sabbato possunt fieri generales ordines, et hoc contingit sexies, scilicet
ter in Quadragesima, ter extra Quadragesimam: ter in Qua-
535  dragesimaˢ, videlicet in prima hebdomada, in qua sunt .IIII.
tempora, et in media, in cuius Sabbato cantatur (Is 55.1)
*Sitientes*, et in ultima; et ter extra Quadragesimam, scilicet
in tribus Sabbatis .IIII. temporum.

### 130. QUARE DUE SINT LECTIONES
### IN .IIII. FERIA

Dicuntur autem due lectiones in .IIIIᵃ. feria quia in Sab-
540  bato ordinandi tribus diebus examinari debent, videlicet
.IIIIᵃ., .Vᵃ. feria, et .VIᵃ., utrum in utroque Testamento in-
structi sint ita quod adminus utriusque Testamenti litteram
legere et intelligere ex magna parte sciant, sicut in Nanne-
tensiˢᵇⁱˢ concilio legitur. Est autem alia causa quare in quarta
545  feria mediane et ultime due legantur lectiones ad Missam,
sicut inferius annuente Deo, dicemus. In Sabbato prime heb-

525-529 Dur. 6.39.1.
530-531 Amal. 2.3.1 (II.204).
537 *Sitientes*: Introitus Sabb. post Dom. IV Quadragesimae.
543-544 Gratianus, *Decretum* I, Dist. xxiv, c. 5 (Friedberg, I. 88).
546 Cf. infra, n° 150.l.438.

ᵖ nihil comedere *om* A    q totiens anno *add* A    ʳ quotiens . . . in
*om* A    ˢ ter extra . . . quadragesima *om* A    ˢ sᵇⁱˢ) lateranensi *mss*

domade, ut dictum est, fiunt ordines, et quia .VII. sunt ordines, .VII. leguntur lectiones, evangelio connumerato. Quia
ergo pro ordinandis orat, Ecclesia cantat Introitum (cf Ps
550 87.3): *Intret oratio mea in conspectu.* Oratio et Gradualia
(cf Ps 78.9): *Propitius esto, Deus, protector noster,* dirigatur
ad Dominum, et ad .V. lectiones flectimus genua ut quinque
sensus ordinandorum dirigantur a Domino.

### 131. DE OFFICIO IN SABBATO, QUARE AD .VI. LECTIONEM NON DICITUR *FLECTAMUS GENUA*

Quia vero diaconi et sacerdotes tanquam perfectiores eter-
555 nis intendere tenentur, inde est quod ante .VI$^{am}$. lectionem
non dicitur *Flectamus genua* sicut nec ante Evangelium.

### 132. QUARE LECTIO TRIUM PUERORUM ET BENEDICTUS

Et quia multum deprecatio valet Ecclesie assidua et vix
est quin exaudiatur in tribulationibus, idcirco .V°. loco legitur
lectio (Dan 3.47-51) de tribus pueris in camino liberatis et
560 sequitur gratiarum actio in cantu (Dan 3.52-56): *Benedictus
es, Domine, Deus,* etc.

### 133. QUOD DIACONI OFFICIUM EST PREDICARE

Quia vero officium predicationis ad diaconum pertinet,
idcirco sequitur de Epistola Pauli, in qua dicitur (1 Thes. 5.14):
*Corripite inquietos, consolamini pusillanimes,* etc.: officium
565 enim predicationis est alios corripere et reliqua facere que in
ipsa docentur Epistola. Deinde sequitur Tractus (Ps. 116.1-2):
*Laudate Dominum, omnes gentes,* in quo omnes invitantur ad
Dei laudem, qui ministros suos sua misericordia confirmat.

547  Supra nº 128, l. 526.
554-561  Dur. 6.38.3.
562-576  Dur. 6.38.3-5.

### 134. QUARE LEGITUR EVANGELIUM
### DE TRANSFIGURATIONE

Quia vero sacerdotes$^t$ in virum perfectum commutari$^t$ $^{bis}$
570 debent, qui et ipsi panem et vinum transformant in corpus
et sanguinem Domini, inde est quod legitur Evangelium
(Mt 17.1-9) de transfiguratione: Sed quia in presenti sine tribulatione aut vix aut numquam esse possumus et propterea
semper ad Dominum clamandum est, inde est quod sequitur
575 Offertorium (Ps 87.2-3): *Domine, Deus salutis mee*, etc. et
Communio (Ps 7.2): *Domine, Deus meus, in te.* Hec sufficiant
dixisse de officio diurno$^u$ prime Dominice vel$^v$ hebdomade.

### 135. DE NOCTURNO OFFICIO PRIME HEBDOMADE

In nocturno vero officio, quia tempus est penitentie, per
totam illam hebdomadam manifeste de penitentia cantatur,
580 et quia auxilio Domini vincuntur temptationes, idcirco cantatur illud Responsorium (Mt 4.1): *Ductus est Iesus in desertum.*

### 136. QUARE IN SABBATO LEGITUR
### EVANGELIUM DE PRODIGO FILIO

In quibusdam ecclesiis cantatur illud Responsorium (Lc
15.18) *Pater, peccavi*—non minus convenienter in pluribus
585 ecclesiis aliud Responsorium cantatur—et in Sabbato eiusdem
hebdomade legitur Evangelium (Lc 15.11-32) de prodigo filio
redeunte ad patrem, de quo scriptum est illud Responsorium,
quod non vacat a mysterio$^w$. Illa namque hebdomada .V$^a$. est
a .LXX$^a$. et significat .V$^{am}$. etatem, in qua populus Dei de
590 captivitate Babylonica remeavit, sicut ille ad Patrem. Est
quoque secunda hebdomada .XL$^e$. quia populus christianus,

581-582 Ant. ad *Benedictus* Dom. I Quadragesimae.
584 Respons. 1 Sabb. ante Dom. III Quadragesimae.
586 Evang. eiusdem Sabbati.

$^t$ quasi *add* AB/ quia *add* KMS      $^{t\ bis}$) connumerari *mss*      $^u$ divino A
$^v$ dominice vel *om* A      $^w$ ministerio A

bene utens .V. sensibus corporis per quos prius excesserat,
per duo precepta caritatis ad patriam celestem redire conatur.

### 137. QUOD QUELIBET .Vᵃ. FERIA
### VACABAT AB OFFICIO

    Sicut autem dies dominicus secunde hebdomade vacat ab
595 officio, ut dictum est, ita omnis quinta feria in .XLᵃ. vaca-
bat quondam ab officio, excepta forte .Vᵃ. feria Cene Domini.
Illa tamen mutuat Introitum a feria tertia, nam sicut quelibet
.Vᵃ. feria auctoritate Melchiadis pape erat soluta a ieiunio,
ita et ab officio.

### 138. QUARE ANTIPHONE NON CONCORDENT
### CUM EVANGELIO .Vᵉ. FERIE

600     Unde papa Gregorius nullum in .Vᵃ. feria instituit offiicum.
Nihilominus tamen hore cantabantur et matutinale officium
et vespertinum. Unde necessarium erat ut super *Benedictus*
et *Magnificat* Antiphone de Evangeliis aliorum dierum sumpte
dicerentur. Sed Gregorius secundus instituit ieiunium et offi-
605 cium .Vᵃ. feria. Ea tamen que prius erant instituta de matutinis et vespertinis officiis non mutavit; inde est quod Antiphone que cantantur non mutavit; inde est quod Antiphone
que cantantur non consonant Evangelio illius diei.

### DE SECUNDA HEBDOMADA

    Nunc ad officium nocturnum secunde hebdomade redea-
610 mus. In priori hebdomada in officio nocturno specialiter actum est de penitentia.

### 139. QUARE CANTETUR *TOLLE ARMA TUA*

    Sed quia necessarius est predicator qui invitet homines ad
penitentiam, idcirco in hac hebdomada figuraliter Deus allo-

594-599  Dur. 6.43.4.
595  Cf. supra nº 128, ll. 525-529.
598  Gratianus, *Decretum* III, *De consecr.* Dist. III, c. 14  (Friedberg
I.1356); L. Duchesne, *Liber pontificalis* I, p. 168, n.2.
600-608  Dur. 6.43.4-5.
604  L. Duchesne, *Liber pontificalis* I, pp. 402 et 412, n.19.

quitur predicatorem, dicens (cf Gen 27.3-5): *Tolle arma tua,*
615  *pharetram et arcum,* etc. Predicator debet tollere arma virtutum, pharetram discretionis, arcum Sacre Scripture et afferre
cibum conversionis aliorum, quo vetus Isaac libenter utitur
vel vescitur, quia in malorum conversione Deus gaudet et
delectatur.

### 140. MORALE DE HISTORIA IACOB

620    Sed nota (Gen 27-35) quid de Esau dicitur: et a Iacob pre-
venitur consilio Rebecce, qui, sumpto habitu Esau, attulit
duos hedos optimos patri. Esau est predicator Iudeus, Iacob
predicator christianus, qui consilio sancti Spiritus, quem Rebecca figurat—Rebecca enim interpretatur patientia et [figu-
625  rat] Spiritum sanctum, qui nos patientes facit—, duos hedos,
id est penitentes de utroque  populo, ducit ad Dominum,
sumpto habitu Esau, id est Sacra Scriptura, qua Iudeus protegi debuit. Hic Iacob exiens de Bersabee vadit ducere duas
uxores et earum ancillas, sed primo in via apparet ei Dominus,
630  ubi lapidem erigit in titulum vel in signum. Bersabee interpretatur "puteus septimus" et significat septiformen huius
seculi vanitatem, .VII. principalia vitia, que sunt superbia,
invidia, ira, accidia, avaritia, gula, luxuria.

### 141. DESCRIPTIO .VII. VITIORUM

Superbia est amor proprie excellentie, invidia dolor felicita-
635  tis aliene, ira perturbatio proprii animi, accidia fastidium
eterni[x] boni. Alia tria patent. Qui vult sumere predicationis
officium oportet quod exeat de Bersabee, id est septiformem
vanitatem relinquat. Tali apparet Dominus quia ad servan-
tem mandata divina Dominus libenter venit, et iste erigit
640  lapidem in signum. Lapis Christus est, ad quem predicator

614-615  Respons. 1 Dom. II Quadragesimae.
620-652  De "historia" Iacobi agitur in Responsoriis infra hebdomadam
Quadragesimae. Cf. infra, Liber II, n° 122, Liber IV, n[os] 118-122.

[x] interni AB

respicere debet tanquam ad signum proprium. Iste ducit
duas uxores, videlicet Liam, que lippa est sed fecunda, et Rachel, que decora est facie sed sterilis. Lia est vita activa, que
aliquatenus fluxu istorum temporalium obfuscatur, sed fe-
645 cunda est quia non tantum sibi sed aliis prodest. Rachel est
vita contemplativa, que est decora facie quia tantum Domino
istis temporalibus postpositis inheret, sed quasi sterilis quia
sibi maxime prodest et non aliis. Unde quia utrique vite aliqui tantum propter temporalia lucra sunt quasi adherentes,
650 inde est quod Iacob dicitur ducere duas uxores ancillas, nam
predicatores tam boni quam mali utriusque vite in Ecclesia
congregantur.

In secunda igitur hebdomada, ut dictum est, de predicatore
agitur in officio nocturno. Sed quia nullus est verus predica-
655 tor nisi eum miserit Salvator, idcirco in tertia hebdomada
sub figura Ioseph cantatur de Salvatore, nam Ioseph in multis
Salvatorem figurat.

### 142. QUOD IOSEPH SIGNIFICAT CHRISTUM

Figurat enim eum in nomine, in paterna dilectione, in veste,
in pulchritudine, in fraterno odio, in prudenti consilio, in im-
660 perio, in miserandi studio, forte et in aliis pluribus. In nomine,
quia dicitur Ioseph, quod interpretatur "augmentum", et hoc
nostro convenit Salvatori, cui datus est (Jn 3.34) *spiritus non
ad mensuram* et (Jn 1.16) *de plenitudine eius omnes accepimus*. In paterna dilectione, quia ille pre ceteris a patre diligi-
665 tur, et Iesus pre ceteris a patre diligitur, unde Pater (Mt 3.17):
*Hic est Filius dilectus in quo mihi bene complacui*. In veste:
illi Ioseph pater vestem fecit polymitam et talarem, hec est
humanitas Salvatoris, que est polymita, id est variis virtutum
coloribus ornata, et est talaris, quasi totum cooperiens, quia
670 in ea deitas plena latuit. In pulchritudine, quia Ioseph adeo
pulcher fuit quod eum mulieres Egyptie affectabant videre
pre sui pulchritudine, et Iesus (Ps 44.3) *speciosus forma pre*

*filiis hominum,* in quem mulieres Egyptie, id est gentilium
anime, affectabant intendere.   In fraterno odio: illum fratres
675 odio habuerunt et Iesum ex odio Iudei persecuti sunt, quorum
ipse fuit frater secundum carnem, iuxta illud (Ps 34.14): *quasi
proximum et quasi fratrem nostrum sic complacebam.*  In prudenti consilio, quia Ioseph Egyptum a fame, et Dominus liberavit mundum a fame damnationis perpetue quia est *magni*
680 *concilii angelus.*  In imperio: (cf Gen 41.41-45) Ioseph impe-
ravit in tota terra Egypti et, indutus stola byssina et habens
anulum in digito, per Egyptum transivit et a precone acclama-
tum est ei: *Fanec, Fanec,* id est salvator mundi—quid stola
byssina nisi humanitas salvatoris ad gloriam immortalitatis
685 producta?  Quid anulus nisi fides quo suos insignivit?  Quid
preco nisi Iohannes Baptista, qui eum Salvatorem mundi ostendit?   In miserandi studio, quia Ioseph misertus fuit per-
secutoribus et Dominus misertus est nostri, qui[y] eramus eius
inimici.  Dictus est igitur Ioseph *Fanec, Fanec,* quia in lingua
690 egyptia secretorum repertor et in hebrea salvator est mundi,
quia convenit ei qui et secreta reseravit et mundum salvavit
de liberatione populi Israel de Egypto.

### DE QUARTA HEBDOMADA
#### 143. QUOD IN HAC HEBDOMADA CANITUR
#### DE LIBERATIONE POPULI

In quarta dominica agitur in nocturno officio et in diurno
de liberatione a captivitate Babylonica et, quantum ad myste-
695 rium, de liberatione nostra, que in utraque figuratur, et hoc
bene convenit, quia hec hebdomada .VII[a]. est a .LXX[a]. et
figurat consolationem que facta fuit per Cyrum Iudeis, qui
fuerunt in captivitate .LXX[a]. annis.  Unde cantatur (Is 66.
10-11) *Letare, Ierusalem,* etc. in quo nihilominus figuratur con-

693-702  Cf. Hon. 3.52 (PL 172.659AB).
699  *Letare*: Introitus Dom. IV Quadragesimae.

[y] quia KM

700 solatio quietis que nobis reddetur in .VII<sup>a</sup>. etate per Christum.
Sex quidem sunt etates morientium et .VII<sup>a</sup>. quiescentium,
ut supra dictum est.

### 144. DE SCRUTINIO

Et nota quod in quarta feria quarte<sup>z</sup> hebdomade incipit
fieri scrutinium, et in .IIII<sup>a</sup>. quarte fit solemne in quibusdam
705 ecclesiis et in quibusdam nullum. In omnibus tamen ordinem
romanum imitantibus specialiter Missa scrutinii canitur in
.IIII<sup>a</sup>. feria quarte hebdomade, videlicet (Ez 36.23-26) *Dum
sanctificatus fuero*, in qua Missa leguntur due lectiones.

Fiebant autem in primitiva ecclesia .VII. scrutinia, duo in
710 .IIII<sup>a</sup>. feria, et Sabbato tertie hebdomade, et duo in .IIII<sup>a</sup>.
feria et Sabbato quarte hebdomade, duo in quarta feria .V<sup>te</sup>.
hebdomade, et unum in .IIII<sup>a</sup>. feria ultime hebdomade, in
quibus adulti qui venturi erant ad baptismum docebantur
Orationem dominicam et Symbolum ut in Sabbato in quo bap-
715 tizandi erant utrumque ante baptismum sciant. Et adhuc
hodie in pluribus ecclesiis .VII. fiunt scrutinia, sed tertium
est solemnissimum.

Unde tamen videndum est in hoc loco quid sit scrutinium
et unde dicatur scrutinium, et quare in .VII<sup>a</sup>. hebdomada a
720 .LXX<sup>a</sup>. solemniter fiat, et .IIII<sup>a</sup>. feria eiusdem hebdomade,
et quid in eo fiat a principio usque ad exorcismum, quid ab
exorcismo usque ad ingressum ecclesie, quid ab ingressu usque ad finem et quare hec omnia fiant.

### 145. QUID SIT SCRUTINIUM

Scrutinium nihil aliud est quam fidei et religionis christiane
725 inquisitio, et est quasi quoddam iter ad baptismum. Dicitur

---

701-702  Cf. supra, n° 86, ll. 41-42.
703-747  Cf. Amal. 1.8.2-4 (II.52); Dur. 6.56.1-2.
724-734  Dur. 6.56.2,4.

<sup>z</sup> tertie *mss*

autem scrutinium a scrutando, id est inquirendo, eo quod de
fide et religione fit inquisitio. Quare autem in .VIIᵃ. hebdomada a .LXXᵃ. fit hec est causa: cum Iudei fuerunt in captivitate Babylonica constituti, miscuerunt se gentibusᵃ, unde
730  in reditu de populis ignorabatur utrum essent Iudei an non.
Aliqui etiam dicebant se esse de tribu levitica qui non erant.
Facta igitur inquisitione, separati sunt Iudei a gentibus et
levite a non levitis. Ita et nos nostros fideles per inquisitio-
nem fidei ab infidelibus separamus.

### 146. QUARE FIAT IN QUARTA FERIA

735   Quod vero hoc .IIIIᵃ. feria facimus quadruplex est causa.
Una est quod .IIIIᵃ. feria celum stellis, soli et lune adiunctis,
ornatum fuit, ita nos quasi stellas soli Christo et lune Ecclesie
adiungimus; qui in celo, id est in patris regno, iam splendea-
musᵃ ᵇⁱˢ in spe, in futuro splendebimusᵃᵗᵉʳ in re. Secunda causa
740  est quod quarta etate edificatum est templum Salomonis et
.IIIIᵃ. feria hos preparamus ut sint templumᵇ Dominiᶜ. Tertia causa est quod .IIIIᵃ. feria incepta est nostra redemptio,
nam .IIII. feria proditus est Dominus a Iuda et .IIIIᵃ. feria
isti preparantur ut effectum redemptionis percipiant. Quarta
745  causa quod .IIIIᵃ. etas hominum est iuventus, que est apta
prelio, et .IIIIᵃ. feria preparantur catechumeni ad prelium
contra diabolum.

A principio usque ad exorcismum hec fiunt, scilicet mascu-
lorum a dextris, feminarum a sinistris ad ianuam ecclesie de-
750  ductio, nominum ipsorum per acolythum descriptio, per exor-
cistam gemina interrogatio, una de abrenuntiatione diaboli,
alia de fide Christi demonis exsufflatio, crucis in fronte im-
pressio, oratio et salis in ore impositio.

735-778  Hon. 3.54 (PL 172.659C-D); Dur. 56.5-7.

ᵃ quidam de gentibus inter eos A  ᵃ ᵇⁱˢ) splendeant BMS/ splendeat K/
splendent A ᵃᵗᵉʳ) splendebunt *mss*     ᵇ templo BKS     ᶜ domino ABM

Ianua Christus est. Ducuntur igitur credituri ad ianuam,
755 id est ad Christum, qui de se ipso ait: (Jn 10.9) *Ego sum os-*
*tium. Per me si quis introierit salvabitur.* Quod masculi ponuntur a dextris et femine a sinistris significat quod viriliter
agentes a dextris, effeminate agentes a sinistris in iudicio sta-
tuentur. Quod nomina describuntur per acolythum signifi-
760 cat quod fidelium nomina scripta sunt in libro vite. Quod
abrenuntiat diabolo se a iugo eius subtrahit. Quod fidem
Christi confitetur iugo Christi se subicit. Demonis exsufflatio est potestatis eius debilitatio. Crux que inprimitur fronti
est vexillum nostrum quo diabolum vincimus. Non fit aliud
765 signum nisi crux, ut in hoc solo signo diabolus, sciens se esse
victum, contremiscat et fugiat. Fit autem in sede pudoris,
id est in fronte, ne erubescat fidelis confiteri dominum suum
crucifixum. Oratio est contra diabolum munitio, salis in ore
positio sapientiae condimenta.
770 　　Nunc dicenda sunt ea que ab exorcismo usque ad ingressum
ecclesie fiunt. Primum diabolus[d] exorcizatur, masculis seorsum et feminis seorsum positis, et ter repentuntur illa verba:
*Audi, maledicte diabole,* etc.; secundo ad admonitionem diaconi capita inclinant catechumeni, et super eos Oratio domi-
775 nica et Symbolum  dicitur; tertio a sacerdote aures et nares
illorum saliva tanguntur; quarto ab acolytho illuminantur;
quinto a diacono Evangelium super eos dicitur; sexto per ostiarium in ecclesiam introducuntur.

### 147. DE EXORCISMO

Exorcizatur diabolus, id est adiuratur ut a fidelibus re-
780 cedat. Ter verba repetuntur: *Audi, maledicte diabole,* etc.
quia in confessione Trinitatis diabolo resistitur. Seorsum masculis, seorsum[e] feminis fit exorcismus quia maioribus maiora
minoribus minora proponenda[f] sunt.

779-788  Hon. 3.61,62 (PL 172.660C); Dur. 6.56.8.

[d] dicanus B　　[e] deorsum KMS　　[f] proponanda KMS

## 148. QUARE DIACONUS CLAMAT:
### *INCLINATE CAPITA VESTRA*

Quod ad admonitionem diaconi capita inclinant significat
785 quod quondam communicaturi acclamante diacono capita
inclinabant, et hec oratio pro communione habetur. Quod
Symbolum et Orationem dominicam super capita eorum dicit notat quod templum Domini contra diabolum munit.

## 149. QUARE AURES ET NARES SALIVA TANGANTUR

Aures et nares saliva tangit ut doctrinam de ore predica-
790 toris procedentem fideles libenter audiant, et ipsa eis bene re-
doleat quoadusque (cf Is 2.22) *spiritum habent in naribus*,
id est quamdiu vivunt. Ipsorum illuminatio est tenebrarum
ignorantie et peccati per lumen intelligentie effugatio. Evangelium quod super eos dicitur est doctrina Salvatoris qua in-
795 struuntur. Inde per ostiarium introducuntur quia post impletionem evangelii per ostiarium, scilicet sanctum Spiritum,
in celestem patriam introducuntur.

## 150. QUARE MASCULI AD AUSTRUM ET FEMINE
### AD AQUILONEM

Nunc dicenda sunt ea que ab ingressu usque ad Missam
fiunt. Primo masculi ad austrum statuuntur, femine ab aqui-
800 lone, inde .IIII. lectiones super eos leguntur et .IIII. initia evangeliorum. Inde duo, unus masculus et una femina,
in sacrarium ab acolythis portantur. Post Symbolum grece
super masculos, latine super feminas dicitur. His peractis,
ecclesiam ingrediuntur et sic Missa cantatur.

805 Quod masculi ad austrum et femine ad aquilonem statuuntur significat quod fortiores hostibus temptationum sunt obi-
ciendi et debiles humiliter erudiendi. Quod .IIII^or. lectiones
leguntur super eos significat doctrinam .IIII. evangeliorum

789-797  Hon. 3.63,64 (PL 172.660CD); Dur. 6.56.8.
798-825  Hon. 3.66 (PL 172.661); Dur. 6.56.9.

qua instruuntur. Unde statim .IIII<sup>or</sup>. initia evangeliorum
810 leguntur super eos quasi congregatos a .IIII. partibus orbis.
Quod unus masculus et una femina portantur in sacrarium
significat quod de utroque sexu fideles ascendunt in celum sed
non ascendet nisi unus, id est in unitate Ecclesie constitutus,
sicut (Jn 5.5) in probatica piscina post motionem aque non
815 sanabatur nisi unus.

### 151. QUARE SYMBOLUM GRECE ET LATINE

Quod Symbolum legitur super masculos grece et super feminas latine per duas linguas quibus Symbolum legitur omnem
linguam intelligimus, nam in Grecis viguit sapientia, in Romanis potentia; quia Romani fuerant tamquam excellentiores
820 fuerunt principes totius orbis et ita per has duas tamquam
excellentiores omnem linguam intelligimus quasi dicamus cum
Apostolo (Phil 2.11): *Omnis lingua confiteatur quia Dominus noster Iesus Christus in gloria Dei sedet.* Tandem exeunt
ecclesiam, quia catechumeni non sunt digni interesse sacris
825 mysteriis.

### DE MISSA

### 152. QUARE LEGUNTUR DUE LECTIONES

Nunc dicendum de Missa que sequitur scrutinium. In illa
missa leguntur due lectiones quia baptizandus est in duobus
instruendus, scilicet in fide et moribus. Legitur enim de Phi-
lippo, qui (Acts 8.27-40) eunucho evangelizavit Iesum. Evan-
830 gelizare autem Iesum est non tantum, ut dicit Augustinus,
docere credenda sed que post baptismum sunt servanda.

In prima lectione de fide agitur, ubi dicitur (Ez 36.24-25):
*Tollam vos de gentibus et congregabo de universis terris et ad-*

---

826-862   Amal. 1.8.4-8 (II.52-54); Dur. 6.56.11.
828-829   Haec epistola nunc legitur feria 5 post Pascham.
830-837   Aug. *De fide et operibus* 1.9 (PL 40.206B).

*ducam vos in terram vestram, et effundam super vos aquam*
835 *mundam, et mundabimini ab omnibus inquinamentis vestris,*
*et ab universis idolis vestris mundabo vos, et dabo vobis cor*
*novum.* Fideles enim de variis terris congregati sunt in Ecclesiam et aqua salutaris<sup>g</sup> baptismi super eos effusa est, qua
ab universis peccatis et erroribus sunt mundati, et datum est
840 eis cor novum ut credant in Christum.

De hac lectione sumptus est Introitus (Ez 36.23-26): *Dum*
*sanctificatus fuero.* Verum quia ad hoc ut quis vere credat
in Christum necesse est ut timeat Dominum, idcirco sequitur
Graduale (Ps 33.12): *Venite, filii, audite me,* etc.; (Ps 110.10)
845 *Initium enim sapientie timor Domini* et qui radicem ponit cre-
dulitatis, eum a timore inchoare oportet, iuxta illud: *A timore*
*tuo, Domine, concepimus et peperimus Spiritum salutis.*

In secunda lectione agitur abundanter de moribus, ubi dicitur (Is 1.16-17): *Quiescite agere perverse, discite bene fa-*
850 *cere, querite iudicium, subvenite oppresso,* et postea concluditur (1.18): *et venite et arguite me, dicit Dominus,* quasi dicat:
si hoc feceritis et vos non remuneravero, iure me tanquam
iniustum arguere potestis. Verum quia illi qui veram fidem
et bonos mores servant ad hereditatem Domini pertinere pro-
855 bantur, idcirco sequitur Graduale, scilicet (Ps 32.12): *Beata*
*gens cuius est Dominus Deus eius; populus quem elegit in here-*
*ditatem sibi.* Hi efficiuntur celi qui verbo, id est Dei Filio,
firmantur, unde sequitur (Ps 32.6): *Verbo Domini celi firmati*
*sunt et spiritu oris eius omnis virtus eorum.* Ab his quoque
860 non discrepat Evangelium in quo agitur de ceco, cui Dominus

---

837-840  Hier. *Commentarii in Ezechielem* 11.36 (PL 25.342D).
841-842  *Dum sanctificatus*: Introitus feriae 4 post Dom. Quadragesimae.
846-847  Locus non repertus.

<sup>g</sup> salvatoris AB

(cf Jn 9.6-7) *oculos luto linivit et ad natatoria Siloe, quod interpretatur missus, lavare precepit.*

### 153. QUARE ILLA DIE LEGATUR EVANGELIUM DE CECO

Oculorum enim linitio, dicit Augustinus, fuit quasi catechizatio et in Siloe, hoc est missio ablutio, fuit in Christo baptiza-
865　tio, de quo dictum est (Gen 49.10): *Non auferetur sceptrum de Iuda, nec dux de femore eius, donec veniat qui mittendus est.* Hebreus habet *donec veniat Silo,* id est missus.

### 154. TERTIUM SCRUTINIUM MAGIS SOLLEMNE

Quare tertium fit sollemne. Non enim primum scrutinium nec secundum sollemne sed tertium, quia non prima etas,
870　hec est infantia, non secunda, hec est pueritia, multum est apta sed tertia, que est adolescentia, apta est servitio Domini tanquam illa in qua maxime discretio boni et mali haberi incipitur et in qua contra carnem pugnandum. Inde est quod non prima tribus, id est tribus Ruben, nec secunda, id est tri-
875　bus Simeon, sed tertia, id est levitica, sacrificiis Domini est deputata. Unde nec in primo libro nec in secundo sed in tertio [Lev] agitur de sacrificiis. In Sabbato quoque proximo fit scrutinium quia catechumeni ad requiem eternam, que per Sabbatum intelligitur, veniunt post baptismum. Unde in
880　quibusdam ecclesiis due leguntur lectiones in Missa ex eadam causa qua in .IIIIª. feria, et cantatur (Is 55.1) *Sitientes, venite,* etc., ubi ad aquam baptismi et ad aquam doctrine et gratie fideles invitantur. Sunt autem .VII. scrutinia, ut supra dictum est, propter septiformen gratiam Spiritus sancti.

863-867　Cf. Amal. 1.8.9 (II.54); Aug. *Tractatus in Johannis evang.* 44.2 (PL 35.1714A).
868-884　Dur. 6.56.3.
883-884　Cf. supra nº 144, l. 709.

## DE PASSIONE DOMINI

### 155. QUARE PASSIO DUABUS HEBDOMADIS CELEBRETUR

885 Sciendum quare passio Domini duabus hebdomadibus celebretur, quare *Gloria Patri* in Responsoriis et officiis taceatur,
quare liber Ieremie legatur. Ideo passio Domini duabus hebdomadibus celebratur quia Dominus a duobus et pro duobus
populis passus est. Duo etiam Testamenta per duas hebdo-
890 madas exprimimus, Vetus, quod predixit Dominum passurum,
et Novum, quod ostendit passum. Duobus quoque temporibus, id est tempore ante legem patriarche factis, et tempore
legis prophete scriptis passionem Domini prenuntiaverunt.

### 156. QUARE *GLORIA* SUBTICETUR

Ideo *Gloria patri* tacetur quia Christus qui est persona ter-
895 tia in Trinitate, in passione fuit dehonestatus. Unde *Gloria
Patri* in resurrectione resumitur quia per resurrectionem gloria
immortalitatis fuit glorificatus.

### 157. QUARE IEREMIAS LEGATUR

Liber Ieremie ideo legitur quia Ieremias plenius quam alii
prophete de passione tractavit et in propria persona passionem
900 Domini significavit.

### 158. QUARE SABBATUM IN PALMIS VACAT

Sabbatum ante[h] Ramos Palmarum intitulatur "Sabbatum
vacat" quia dominus papa eleemosinam dat. Revera nullum
est ei deputatum officium, sed officium .VI[e]. ferie totum repetitur.

885-893  Hon. 3.70 (PL 172.661D); Dur. 6.60.3.
894-897  Hon. 3.70 (PL 172.661CD); Dur. 6.60.4.
898-900  Hon. 3.70 (PL 172.661D); Dur. 6.67.1.
901-904  Amal. 1.9.1 (II.56); *Sacram. gregor.* n⁰ 72, p. 42; cf. Dur. 6.66.1.

[h] autem *mss*

94 TRACTATUS DE OFFICIIS

## 159. QUARE PAPA ELEEMOSINAM DET
## IN SABBATO PALMORUM

905 Et quid est hoc quod dicitur: idcirco Sabbatum vacat quia
dominus papa eleemosinam dat? Nonne omni tempore elee-
mosina ab eo danda est? Utique. Sed verum est quod alii pre-
lati in Cena Domini faciunt Mandatum, sed dominus papa pro
magnitudine officii illius diei preveniendo sabbato Mandatum
910 celebrat, non tamen sine causa. Ea enim die, sicut dicit Iohannes evangelista, Dominus in Bethania receptus est hospitio.
Ait enim (Jn 12.1-2): *Ante .VI. dies pasche venit Iesus in Be-
thaniam . . . et paraverunt ei convivium*, et infra (12.3): *Maria
accepit libram nardi pistici preciosi et unxit pedes Iesu et ca-*
915 *pillis tersit, et domus impleta est ex odere unguenti.* Ad[1] imitationem ergo Marie, papa ea die pedes Domini lavat et ungit,
id est pauperes Christi reficit, quasi dicat papa factis et verbis (cf 1 Cor 4.16 et 11.1): *Imitatores mei estote sicut et ego
Christi.*

920 Hoc quoque moraliter exponit Augustinus, dicens: "Quecumque anima fidelis vis esse Maria unge pedes Domini et
capillis terge; unge pedes, id est bene vivendo illius imitare
vestigia. Capilli quedam superflua corporis sunt. Habes tu
quedam superflua sed pedibus Christi necessaria, illis scilicet
925 quibus dicit Dominus (Mt 25.40): *In futuro quamdiu ex mini-
mis meis uni fecistis mihi fecistis.* Terge igitur pedes Domini,
capillis superfluis pauperibus Christi subveniendo, et utinam
domus impleatur unguento, id est Ecclesia fama tue bone
operationis ad laudem Domini repleatur".

905-915 Amal. 1.9.2-4 (II.56-58); Hon. 3.71 (PL 172.662A); cf. Dur.
6.66.1.
920-929 Amal. 1.9.4-5 (II.57-58); Aug. *Tractatus in Johannis evang.*
50.6-7 (PL 35.1760).

[1] *om K usque ad cap. 169, 1. 629* (carnes)

## DE PALMIS

### 160. QUARE HAC DIE PORTAMUS RAMOS PALMARUM

930    Sequenti die (cf Jn 12.12-14) venit Dominus Ierosolimam insidens asello et turba venit ei obviam cum ramis palmarum. Ait enim Iohannes (12.12-13): *In crastinum multa turba que venerat ad diem festum cum audisset quia Iesus venit Ierosolimam, acceperunt ramos palmarum et processerunt ei obviam, et*
935 *clamabant: Hosanna, benedictus qui venit in nomine Domini.* In huius rei memoria, singulis annis, hac die in ecclesiis portamus ramos palmarum vel aliarum arborum; significamus quod devictis vitiis cum triumpho obviam Domino procedimus. Processio igitur quam eo die facimus reducit ad memoriam
940 processionem quam pueri Hebreorum tunc fecerunt.

### 161. QUARE PASSIO EA DIE LEGATUR

Et cum omnia sollemniter eo die facimus, legitur tamen passio idcirco quia ea die agnus assumebatur (cf Ex 12.1-5) qui erat immolandus .IIII. .X$^a$. luna ad vesperam. In huius rei significatione, Dominus hac die venit Ierosolimam ad immo-
945 lationem paratus, et .IIII. .X$^{ma}$. luna ad vesperam a Iudeis fuit captus, et eius immolatio ita incepit.

### 162. QUARE QUARTA FERIA DUE LECTIONES

De secunda et .IIII$^a$. feria nihil aliud dicimus nisi quod in quibusdam ecclesiis due leguntur lectiones in Missa, quia passio Christi a lege et prophetis est prenuntiata.

### 163. QUARE DIVERSI MODO LEGUNTUR PASSIONES

950    In quibusdam etiam ecclesiis in secunda feria legitur Passio secundum Marcum, scilicet (14.1) *Erat pascha et azima post*

---

930-940   Amal. 1.10.1 (II.58).
941-949   Hon. 3.72 (PL 172.662BC); cf. Dur. 6.67.12.
950-967   Dur. 6.68.3-4.

*biduum*, et in tertia feria Evangelium secundum Iohannem, scilicet (12.1) *Ante .VI. dies Pasche*; in quibusdam ecclesiis econverso. Sed quia in tertia feria [Passio] secundum Marcum
955 magis videtur sequi historiam; quia post biduum, id est post tertiam et .IIII<sup>am</sup>. feriam, id est quinta feria, pascha, id est agnus paschalis, immolatus fuit. Sed non est multum attendendum utrum<sup>j</sup> in secunda feria vel .III<sup>a</sup>. feria legatur Passio.

### 164. QUOD PASSIONES LEGUNTUR SECUNDUM ORDINEM QUO SCRIPSERUNT

Quia enim .IIII<sup>or</sup>. Evangeliste passionem Christi descrip-
960 serunt, idcirco secundum eorum quemlibet Passio legitur eo modo quo scripserunt; nam die dominico legitur passio secundum Mattheum, qui primum scripsit; secunda vel .III<sup>a</sup>. feria legitur Passio secundum Marcum, qui secundo scripsit; quarta feria secundum Lucam, qui tertio scripsit; sexta feria
965 secundum Iohannem, qui ultimo. Mediolanenses non legunt in Missa nisi Passionem secundum Iohannem et illam in .VI<sup>a</sup>. feria.

### 165. DE INTROITU *IN NOMINE DOMINI*

In .IIII<sup>a</sup>. feria cantatur Introitus (Phil 2.10) *In nomine Domini omne genu flectatur*, etc. Leguntur etiam due lectiones,
970 cantatur Tractus habens .V. versus, legitur et Passio. De his omnibus quare fiant? Duo sunt nobis necessaria in tribulatione, scilicet oratio et patientia, secundum quod Dominus dicit (Mt. 5.44): *Orate pro persequentibus et calumniantibus vos.* Ad hec duo invitamur in Introitu: ad orationem cum
975 dicitur (Phil 2.10): *In nomine Iesu omne genu flectatur celestium, terrestrium et infernorum*; ad patientiam exemplo Salvatoris, de quo subiungitur (Phil 2.8): *Quia Dominus factus est obediens usque ad mortem.* Non enim obediens in tribulatione dicitur nisi qui eam patienter tolerat.

968-979 Cf. Amal. 1.11.4-6 (II.61); cf. Dur. 6.88.8.

### 166. DE SUBIECTIONE DUPLICI

980    Genuflexio ut subiectio potest large intelligi ut comprehen-
dat tam voluntarium quam invitam subiectionem, et secundum
hoc inferni, id est demones et damnati, Christo genuflectunt.
Vel potest stricte accipi de voluntaria tantum, quia celestes,
id est angeli et spirituales homines, et terrestres, id est infirmi
985  et firmi, id est qui ad inferos descenderunt Christo voluntarie
subiciuntur. Sed convenientius de laxa subiectione intelligitur.

### 167. QUOD OMNES ORATIONES QUE FIUNT
### IN DIE PARASCEVE HAC DIE
### RECITANDE SUNT

Et quia omnes ad genuflectionem invitamur, idcirco ille
orationes que in .VIª. feria fiunt pro omnibus, scilicet paganis,
990  hereticis, Iudeis, et ceteris, iuxta ordinem Romanum in hac die
ante sollemne officum recitande sunt, licet hoc fere nusquam
servetur.

### 168. QUARE DUE LECTIONES IN .IIIIª. FERIA

Secuntur due lectiones que idcirco leguntur quia Dominus
traditus est ea die duobus populis et pro duobus populis, et
995  alia causa quam dicemus. Ea enim die, sicut dicit Augustinus,
(Mt 26.4) "consilium inierunt Iudei quomodo Iesum dolo
tenerent et occiderent"; et Iudas venit ad eos et pacti sunt
pecuniam se ei daturos. Sicut ergo in .VIª. feria representat
ecclesia actus Iudeorum, ita in .IIIIª. consiliumᵏ eorum.
1000   De duabus autem lectionibus varietas est in ecclesia. Quedam autem ecclesie primo legunt illam (Is 63.1-7): *Dicite,*

988-992  Cf. Amal. 1.13.17 (II.98).
993-36  Cf. Amal. 1.11.2,8-11  (II.60,62-64);  Hon.  3.74  (PL 172.662D);
Dur. 6.70.8-10.
995-997  Aug. *Epist.* 36.13.30 (PL 33.150).

ʲ inter B/ *om* MS       ᵏ concilium B

*filie Sion.* Hoc solum attendunt quod prediximus et quod
venditio Iude passionem Domini precessit, de qua videtur
fieri sermo in illa lectione (Is. 62.11): *Dicite, filie Sion,* illo
5 scilicet verbo: *Merces eius cum eo.*

Qui primo legunt illam: (Is. 53.1-7) *Domine, quis credidit
auditui nostro* hoc attendunt quod unus homo duas mortes
incurrit, scilicet mortem anime et mortem carnis, et ab utraque
nos Christus liberavit. Et quia mors anime mortem carnis
10 precessit, idcirco legunt prius illam lectionem in qua agitur de
morte anime et de liberatione ab ipsa. De morte autem anime
in illa lectione agitur: *Domine, quis credidit auditui nostro,*
ubi dicitur (Is 53.6): *Omnes quasi oves erravimus et unusquisque in viam suam declinavit.* De liberatione statim sub-
15 iungitur (*ibid* 53.6): *Dominus posuit in eo iniquitates omnium
nostrorum,* et item (*ibid* 53.10): *Si posuerit pro peccato animam
suam, videbit semen longevum.* Ad animam etiam pertinet
Graduale, quod unicum habet versum, hoc est (Ps 68.18)
*Ne avertas faciem tuam a puero tuo,* id est ab eo qui parvus et
20 humilis apparet experientia tribulationis. Sequitur versus
(Ps 68.2-3): *Salvum me fac, Deus, quoniam intraverunt aque
ad animam meam. Infixus sum in limo profundi et non est
substantia.* Aque enim seditionis Iudeorum usque ad animam
meam, Salvatoris, tollendam pervenerunt, et illi qui erant
25 profundus limus infirmitati eius prevaluerunt.

Sicut autem Salvator animam posuit pro animarum nostrarum redemptione, ita et corpus subiecit pro redemptione
corporum morti, unde in secunda lectione manifeste de corpore ipsius agitur, sanguine proprio rubricato, ubi dicitur
30 (Is 63.1): *Quis est iste qui venit de Edom tinctis vestibus?*
et ibi (Is 63.2): *Quare rubrum est vestimentum tuum?* et ipse
respondet (Is 63.3): *Torcular calcavi solus.*

Et quia de sola miseratione passus est pro nobis Dominus,
idcirco propheta in persona Ecclesie lectionem illam concludit,

35 dicens (Is. 63.7): *Miserationum Domini recordabor, laudem
Domini super omnibus, que reddidit nobis Dominus Deus noster.*

### 169. QUARE TRACTUS HABEAT .V. VERSUS

Et quia .V. sensibus corporis peccamus, idcirco sequitur
Tractus habens .V. versus, scilicet (Ps 101.2) *Domine, exaudi
orationem meam*, in quo genus humanum a Domino petit auxi-
40 lium, confitetur defectum quem ex peccato primi parentis incurrit cum dicit (Ps 101.4): *Quia defecerunt sicut fumus dies
mei.* Dies est hominis vita cuius nox est mors, sed hec vita
est abbreviata et deficit propter superbiam primi parentis, que
per fumum intelligitur. Et sequitur (cf Ps 101.4): *Ossa mea
45 sicut in frixorio confrixa sunt.* Ossa sunt vires interiores vel
fortes qui sunt in Ecclesia, qui carnes, id est carnales, susten-
tant. Frixorium est triplex: peccatorum recordatio, proximo-
rum compassio, futuri iudicii meditatio. In his frigitur homo
bonus.

50   Clauditur autem Tractus sicut et Lectio in misericordia
Domini, unde ultimus est versus (Ps 101.14): *Tu exsurgens
misereberis Sion.*

Sunt tamen qui dicant quod Tractus habet .V. versus pro
.V. vulneribus Christi.

55   Passio que sequitur convenit cum precedentibus, in qua
exprimitur consilium Iudeorum, Iude proditio, et Domini
passio.

### 170. DE CENA DOMINI

Quinta feria, que Cena Domini dicitur, variis insignitur sacramentis, tum ab Ecclesia, tum a Domino institutis. Ea enim
60 die penitentes in ecclesiam inducuuntur, tripartitum oleum
consecratur, et Dominus lavando pedes discipulorum mandatum fecit et corpus suum consecratum discipulis dedit; altaria

37-42  Amal. 1.11.12-13 (II.64-65).
37-57  Cf. Aug. *Enarr. in Ps* 101.4 (PL 37.1296D-1297A); Dur. 7.70.10-12.
58-70  Cf. Amal. 1.12.1 (II.66); Hon. 3.76 (PL 172.662D); cf. Dur. 6.73.1,5.

etiam discooperiuntur et omne officium preter Missam sine solito principio dicitur et fine et *Gloria Patri* tacetur.

65    De his omnibus dicendum est quare fiant et primo de penitentibus, quare ea die in ecclesiam introducantur. Primo tamen dicamus quid significet quod de ecclesia eiciuntur, quod de loco ad locum vadunt, quod induuntur cilicio vel laneis, quod crines et barbam nutriunt, quod in terra prostrati iacent
70    vel etiam sedent, quod baculis utuntur.

### 171. QUARE PENITENTES DE ECCLESIA EIICIUNTUR

Quod de ecclesia eiciuntur representat (cf Gen 3.24) eiectionem Adam de paradiso.

### 172. QUARE DE LOCO AD LOCUM VADANT

Quod de loco ad locum vadunt significat (cf Gen 4.12) quod Cain post mortem fratris profugus fuit super terram.

### 173. QUARE LANEIS UTANTUR

75    Quod cilicio et laneis utuntur tractum est de Iob (30.19; 16.16), qui penitentiam in favilla et cinere agens sacco se cooperuit, et de Ninivitis, (Jon 3.5-6) qui similiter fecerunt.

### 174. QUARE COMAM ET BARBAM NUTRIANT

Quod comam et barbam nutriunt sumptum est de Ioseph, (cf Gen 9.20) cui in carcere posito ista excreverunt.

### 175. QUARE IACENT AUT SEDERENT IN TERRA

80    Quod iacent aut sedent in terra sumptum est de Iob (2.8), qui in sterquilinio sedit.

### 176. QUARE BACULO UTUNTUR

Quod baculo utuntur tractum est de Iacob, qui (Gen 32.10) peregrinus in baculo Iordanem transiit. In omnibus quoque his invitantur ad humilitatem et purgatoriam confessionem

71-86  Hon. 3.76 (PL 172.663AB); cf. Dur. 6.73.3.

85 et tam peccatorum quam eterne pene meditationem et quod
sint memores peregrinationis.

### 177. QUARE SUPER EOS CANITUR: *IN SUDORE*

Quod enim eiciuntur de ecclesia et post eos cantatur (Gen.
3.19) *In sudore vultus tui vesceris pane tuo,* hoc idcirco fit ut
videntes ecclesiam pro eis esse confusam, magis et magis con-
90 fundantur.  In vestibus sordidis et excremento crinium et
barbe multiplicatio miserie ac peccatorum insinuatur, quasi
dicant ipso facto (Ps 39.13): *Iniquitates mee multiplicate sunt
super capillos capitis mei.*

Quod in terra iacent eternam damnationem ad memoriam
95 reducit, quasi dicant (Ps 113.17): *Domine, perdes omnes qui
descendunt in terram,* id est qui dediti sunt terrenis, nisi resi-
piscant.

Quod de loco ad locum vadant cum baculo eis peregrinationem suam ad memoriam reducit, qua per peccatum a Domino
100 recesserunt.  In baculo etiam intelligitur correctio et consola-
tionis sustentatio, quasi dicant (Ps 22.4): *Virga tua et ba-
culus tuus ipsa me consolata sunt.*

### 178. QUARE CULTIORIBUS INDUUNTUR
### PERACTA PENITENTIA

In fine penitentie induunt vestes cultiores, depositis viliori-
bus et crinibus et barba, in quibus designatur depositio vi-
105 tiorum et indumentum virtutum.  Hoc etiam tractum est de
Ioseph, (Gen 41.14) cui de carcere educto similia facta sunt.

In quinta feria de aquis creavit pisces et volucres.  Pisces
in aquis reliquit, volucres[1] in aera levavit.  Pisces sunt cupidi,
avari, luxuriosi, qui in fluxu cupiditatum huius mundi delec-

87-102  Dur. 6.73.3.
88  *In sudore*: Respons. 2 feriae 2 post Dom. Septuagesimae.
107-119  Hon. 3.76-79 (PL 172.663B-D); Dur. 6.73.4.

[1] aves KMS

110 tantur. Volucres sunt spirituales, qui in spiritualem conver-
sationem elevantur. Penitentes igitur in .Vᵃ. feria in ecclesiam
introducuntur ut quasi segregati[1bis] ab huius mundi dilectis
in celis animo conversantur. In fine quoque .V. etatis Iohannes Baptista penitentiam predicavit dicens (Mt 3.2): *Agite*
115 *penitentiam*, etc. Ideo quoque in hac .Vᵃ. feria reconciliantur
peccatores vel penitentes Ecclesie quia ea die sacramenta misericordie consecuntur, quibus Dominus de sola misericordia
crimina tollit et penitentes de sola misericordia a Domino susci-
piuntur.

### 179. QUARE MISSA SOLLEMNITER CELEBRETUR

120    Hac enim die institutum est sacramentum corporis et sanguinis Domini, cum Dominus (cf 1 Cor 11.23-27) panem et
vinum in corpus et sanguinem suum transubstantiavit. Inde
est quod Missa hac die sollemniter cantatur in vestibus sacris
tamquam in suo natali et *Gloria in excelsis Deo* a pontifice dici-
125 tur, cum alia omnia officia sub brevitate et truncatim dicantur.

### 180. QUARE NON CELEBRATUR MISSA
### A CENA USQUE IN SABBATUM

Hac etiam die consecratur oleum chrismale et oleum sanctum, que in baptismo et baptizatis necessaria sunt. Idcirco
enim ante baptismum nulla Missa dicitur nisi hic.

### 181. QUARE PRIUS OLEUM INFIRMORUM
### CONSECRETUR QUAM CHRISMA

Consecratur tamen in hac eadem Missa oleum infirmorum
130 et priusquam oleum chrismale vel sanctum, quia illius sacramentum est prius tempore quam chrismalis vel sancti, nam
Dominus discipulos suos infirmos ungere docuit, sicut in Evangelio dicitur (Mc 6.13): *Oleo ungebant infirmos et curabantur,*

120-125  Hon. 3.84 (PL 172.665B); Dur. 6.73.5.
129-136  Hon. 3.82 (PL 172.664B); Dur. 6.74.4.

1 bis) congregati *mss*

et Iacobus Apostolus ait (5.14): *Infirmatur quis*^m *in vobis*?
135 *Inducat presbyteros ecclesie, qui orent super infirmum, inun-*
*gentes eum oleo in nomine Domini*, etc.

### 182. QUARE OLEUM INFIRMORUM NON CONSECRATUR EO TEMPORE QUO CHRISMALE ET OLEUM SANCTUM

Oleum vero chrismale vel sanctum ab Ecclesia est institutum,licet in Veteri Testamento aliqua de utroque habeatur similitudo. Ibi namque duplex oleum invenitur: unum excellen-
140 tius, quo ungebatur tabernaculum cum utensilibus suis, aliud
minus excellens, quo ungebantur reges. Consecratio igitur
olei infirmorum prius est tempore. Est alia causa non preter-
mittenda, nam huiusmodi oleum non habet speciale officium,
non tale principium quale alia, quia non dicitur *Dominus*
145 *vobiscum* nec dicitur *Oremus* nec *Sursum corda* nec aliquid
huiusmodi; nec etiam talem habet finem qualem in aliis; [non]
dicimus scilicet *Per Dominum nostrum*, etc. vel *Per eum qui*
*venturus est iudicare vivos et mortuos*, etc., sed sic clauditur:
*In nomine Domini nostri Iesu Christi* et ponitur in eo loco in
150 quo consuevimus benedicere uvas, scilicet ante illud verbum:
*Per quem, Domine, omnia hec bona creas.* Unde intelligitur consecratio huius olei esse embolismus canonis, id est adiectio.

### 183. DE DUPLICI EMBOLISMO

Est enim embolismus cotidianus et embolismus annuus.
Embolismus cotidianus est oratio que ponitur post *Pater*
155 *noster . . . sed libera nos a malo.* Cum enim *Amen* sit finis
Orationis dominice, sacerdoti reservatur hoc a clero dicente:
*Libera nos a malo.* Unde oratio que sequitur, scilicet *libera nos*
*a malo*, intelligitur embolismus, non tantum canonis immo

142-180 Amal. 1.12.7-9 (II.68-69); Dur. 6.74.5-7.

^m aliquia A

dominice Orationis. Embolismus annuus est consecratio huius
160 olei que quare canoni adiciatur videndum est.

Duo sunt de quibus specialiter agitur in supradicto officio;
scilicet immolatio Christi et immolatio Ecclesie. Immolatio
Christi fuit in cruce, immolatio Ecclesie fuit cum peccato moritur. De immolatione Christi fit mentio in Introitu (Gal 6.14):
165 *Nos*[n] *autem gloriari oportet*, etc., et specialiter in Canone. De
immolatione Ecclesie fit mentio in Epistola, ubi dicitur (1
Cor 11.31): *Si nosmetipsos iudicaremus, non utique iudicare-
mur.*

Item duo sunt infirmitas et medicina: infirmitas ex peccatis
170 sepe provenit, medicina de gratia Dei. De infirmitatibus ait
Paulus in Epistola (1 Cor 11.29-30) dicens: *Qui manducat
et bibit corpus et sanguinem Christi indigne iudicium sibi manducat et bibit, non diiudicans corpus Domini. Idcirco multi
infirmi*[o] *et imbecilles et dormiunt multi.* De medicina dicit
175 coapostolus eius Iacobus (5.14-15): *Infirmatur quis*[p] *in vobis?
Inducat presbyteros et orent super eum, unguentes eum oleo in
nomine Domini; et oratio fidei salvabit infirmum et alleviabit
eum Dominus, et si in peccatis est dimittentur ei.* Si propterea infirmantur quia manducant corpus Domini indigne, et
180 gratia Spiritus sancti, quam hec significat unctio, eos salvat.

### 184. QUARE OLEUM INFIRMORUM POST CORPUS DOMINI CONSECRETUR

Consecrationi corporis dominici iure adicitur consecratio olei.
Per passionem enim Domini, cuius commemoratio fit in consecratione corporis, prostratus est diabolus et gratia[q] sancti
Spiritus, cuius signum est hec unctio, diaboli arma, id est coti-
185 diana peccata, tolluntur. Iure igitur in tali loco consecratio
huius olei ponitur.

181-194 Amal. 1.12.9-10 (II.69-70); Dur. 6.74.7-8.

[n] non AB    [o] *om* BKS    [p] aliquis AB    [q] gratiam AKMS

Nunc attendamus aliqua verba consecrationis. Hec sunt verba: *Emitte Spiritum tuum Paraclitum in hanc pinguedinem olei de celis, quod de viridi ligno producere dignatus es ad refec-* 190 *tionem corporis.* Non sine causa ponitur hoc nomen "Paraclitum," quod patebit si triplicis olei efficientiam[r] attendimus. In exorcismo namque olei sancti precipitur diabolo ut recedat a catechumino, qui mortuus reputatur quousque non est baptizatus.

### 185. QUARE TANTUM INFIRMI UNGENDI SINT HOC OLEO

195    Oleum chrismale iam viventes sanctificat, oleum infirmorum sauciatis medelam prestat, unde in eadem consecratione dicitur: *Ad evacuandos omnes dolores, omnemque infirmitatem, omnem egritudinem corporis.* In mortuo non habet locum consolatio quia dolorem non sentit, sed nec in sano et forti habet 200 locum, quia in eo non est infirmitas ex qua dolor, sed in sauciato qui dolorem sentit locum habet. Idcirco ponitur hoc nomen "Paraclitus," quod interpretatur consolator. Hoc oleum habet proprium officium, nam post eius exorcismum, quem episcopus lenta voce dicit et terminat: *per omnia secula seculo-* 205 *rum*, quasi prefationem inchoat dicens: *Dominus vobiscum, Sursum corda*, et terminat: *Per Dominum nostrum Iesum Christum, qui tecum vivit*, etc., et in eo loco consecratur ubi pacem dare consuevimus. Hoc est enim gratie Dei opus, ut pacem et corcordiam inter nos habeamus. "Olea," ut dicit 210 Isidorus, "est arbor pacis insignis", quod in arca Noe prefiguratum est, sicut verba huius consecrationis habent que sunt:

188-190  Ex Consecratione olei infirmorum in Coena Domini: *Sacram. gregor.* 77.5.
195-214  Amal. 1.12.11-12 (II.70-71); Dur. 6.74.8 et 22.
197-198  Continuatio eiusdem Consecrationis; *Sacram. gregor.* n° 77.5.
209-210  Isid. *Etym.* 17.7.62.

[r] efficatiam  A

"et cum mundi crimina diluvio expiarentur effuso, similitudinem futuri muneris columba demonstrans, per olive ramum
pacem terris redditam nuntiavit."

### 186. QUARE ADDATUR BALSAMUM

215    Huic oleo additur balsamum. Balsamus est arbor aromati-
ca. Odor igitur balsami in oleo, bonam opinionem longe
lateque diffusam, gratia sancti Spiritus operante, demon-
strat: oleum enim lucet, balsamum redolet, quia fide operante
per dilectionem lucere et bona fama redolere ad honorem Dei
220    et utilitatem proximi debemus.

### 187. QUARE APOSTOLI STATIM
### SECUTI SUNT DOMINUM

Additur quoque balsamum oleo quia in vultu Christi re-
splenduit celestis nitor. Nam, ut ait Hieronimus: "Virgo de
virgine natus, qui (Jn. 1.13) *non ex voluntate carnis neque
ex voluntate viri sed ex voluntate Dei natus est.* Nisi in vultu
225    habuisset oculisque quiddam sidereum, numquam eum statim
secuti fuissent apostoli nec qui venerant ad comprehendendum
eum corruissent." Iste nitor, operante Dei gratia, vultus electorum exhilarat ut Dominum cum magna delectatione[s] imi-
tentur. Et inde in eadem oratione dicitur: "David prophetico
230    spiritu gratie tue sacramenta prenoscens, vultus nostros in
oleo exhilarandos esse cantavit," et paulo post: "Hec olei unctio vultus nostros iucundos efficit ac serenos." Vultus nostri
sunt operum nostrorum manifestatio. Manifestationem sequitur bona opinio, que per balsamum; ex qua surgit ani-

---

212-214  Ex Benedictione chrismatis in Coena Domini: *Sacram. gregor.*
n⁰ 77.7, pp. 45-46.
215-220  Amal. 1.12.13 (II.71); Dur. 6.74.11.
221-233  Amal. 1.12.13 (II.71); Dur. 6.74.11-12.
222-227  Hier. *Epist.* 65.8 (PL 22.627D).
229-231  Ex eadem Benedictione: *Sacram. gregor.* n⁰ 77.7,8. pp. 45,46.

[s] dilectione AM

235 morum ad sanctum amorem conciliatio, que per oleum. De
hac dicit Augustinus: "Gratia quedam que est hominum ad
homines, perspicua ad conciliandum amorem sanctum[t], oleum
dicitur in nitore divino, et gratia in Christo excellentius quam
in aliis claruit." Idcirco eum homines cum magno desiderio
240 sunt secuti.

### DE EXORCISMO OLEI

Sequitur de exorcismo olei, qui terminatur: *Per eundem*
*Dominum nostrum Iesum Christum, qui venturus est iudicare*
*vivos et mortuos et seculum per ignem.* Exorcismus, ut dicit
Isidorus, adiuratio vel sermo imprecationis interpretatur.

### 188. AD QUOD POSSIT INIUNCTIO

245 In eo enim adiuratur diabolus et ut recedat. Valet autem
huius olei unctio ad duo, scilicet ad purgationem et tutelam.
Ad purgationem ut si que catechumeno, postquam venit ad
scrutinium, adhesere macule, recedant; ad tutelam ut diabolus
expulsus redire non audeat. Verba orationis hec demonstrant
250 dicendo: 'Si que illis adversantium spirituum adhesere macule,
recedant ad tactum huius sanctificati olei'. Hec de purgatione.
De tutela sequitur: "Nullus spiritualibus nequitiis locus, nulla
refugis virtutibus facultus, nulla insidiantibus malis latendi
licentia relinquatur": Quia vero diabolus se damnandum
255 maxime in futuro iudicio novit et inde tremit, idcirco exorcismus terminatur: *Per eundem Dominum nostrum,* etc., sed

---

236-239  Amal. 1.12,15 (II.72); Aug. *Enarr. in Ps* 103, *Sermo* 13 (PL 37.
1369D-1370A).
241-244  Amal. 1.12.16 (II.72);  Conclusio Exorcismi olei: *Sacram. gre-*
*gor.* n° 78.2, p. 47; Dur. 6.74.24.
243-244  Isid. *Etym.* 7.19.55.
245-284  Cf. Amal. 1.12.12 (II.70-71); *Sacram. gregor.* n° 87.2, pp. 46-47.
245-258  Dur. 6.74.23-24.

[t] conciliatio . . . sanctum *om* A

quia hoc oleo perfusi et baptizati spem regni eterni habent,
idcirco oratio terminatur: *Per eundem Dominum nostrum*, etc.

Diximus de triplici oleo. Nunc notandum quod hoc triplex
260 sacramentum ex eadem substantia fit, scilicet olei, quia cum
unus sit Spiritus sanctus, multiformis est tamen secundum
dona sua, unde Apostolus (1 Cor 12.8-9): *Alii per Spiritum
datur sermo sapientie, alii sermo scientie, alii fides, alii gratia
sanitatum*, etc. Hoc triplici oleo cooptantur; quod inde appare-
265 bit si olei triplicem attendamus[u] proprietatem. "Olea enim,"
ut dicit Isidorus, "arbor pacis insignis, cuius pinguedo valet
ad reficiendos artus lassos et infirmos et est pabulum luminis".
Quod est arbor pacis refertur ad oleum chrismale, quod pabulum est luminis ad oleum catechumenorum, quod artus lassos
270 et infirmos reficit ad oleum infirmorum. Hec tria precedentibus verbis Apostoli coaptantur. [Siquidem][u bis] in multitudine pacis esse videtur[u ter] qui dulcedinem interne suavita-
tis gustavit, sicut dicit psalmista (33.9): *Gustate et videte quoniam*, etc. Saporem huius dulcedinis senserat ille qui dicebat
275 (Col 3.1-2): *Si consurrexistis cum Christo, que sursum sunt
sapite*; hunc saporem habuit qui dixit (1 Cor 15.10): *Gratia
Dei sum id quod sum*. Hec gratia est donum sapientie, que
intelligitur per pacis oleum. Verum quia hunc saporem libenter in alios derivat vir fidelis, idcirco datur alii sermo scientie.
280 Scientia est doctrina qua fidelis aliorum verbo vel exemplo
instruitur adminus; que intelligitur per balsamum. Et quia
Apostolus in hoc laboravit, idcirco cum dixisset (I Cor 15.10):
*Gratia Dei sum id quod sum*, statim subiunxit: *Et gratia Dei
in me vacua non fuit.*

259-284  Dur. 6.74.3.
265-266  Isid. *Etym.* 17.7.62.

[u] attendimus B/ *om* A     [u bis]) siquidem *add Durandus*     [u ter]) esse
videtur] videri *mss*

### 189. QUARE CONIUNGANTUR OLEUM ET BALSAMUM

285    Hec duo simul coniuncta, scilicet oleum et balsamum, id est dulcor sapientie et odor doctrine, perfectum faciunt servientem. Ad oleum catechumenorum pertinet fides, que mentem illuminat sicut oleum lumen prestat: hec scilicet fides valet ad duo, scilicet ad purgamen et tutamen. Purgat enim preterita
290 vitia et tutelam prestat contra futura, sicut verba consecrationis huius olei manifeste ostendunt que superius posuimus. Ad oleum infirmorum pertinet gratia sanitatum, id est sanitas corporis et mentis: valet enim contra utriusque egritudinem, sicut ex verbis benedictionis liquet.

### 190. QUOD OLEUM INFIRMORUM OFFERTUR
### A POPULO PONTIFICI

295    Diximus de triplici oleo et locis officii in quibus consecratur. Nunc dicendum est de oblatoribus. De oleo infirmorum ita scribitur in Missali: "Offeratur pontifici oleum quod offerunt populi antequam dicatur: 'per quem hec omnia, Domine, semper bona creas'". Hoc in Exodo (ct 27.20) prefiguratum
300 est, ubi dicitur Moysi quod accipiat a populo oleum olivarum purissimum. Oleum cum offertur a populo tantum liquor est, sed per benedictionem sacerdotis fit sacramentum. Hec administratio hoc significat quod populus debet clero ministrare temporalia, ministranti ei spiritualia, unde Apostolus (1 Cor
305 9.11): *Si seminavimus vobis spiritualia, magnum est si carnalia vestra metamus.*

### 191. QUOD SACERDOTES ASTANTES SUMMO
### PONTIFICI QUOTIENS CELEBRAT VERBIS
### ET MANIBUS CONSECRANT

Consecrat autem oleum episcopus cum omnibus sacerdotibus ei astantibus. Nam summus pontifex, quotiens divina

285-294 Amal. 1.12.18-20 (II.73); Dur. 6.74.3.
291 Cf. supra, nᵒ 188. ll. 250-254.
295-306 Amal. 1.12.25-26 (II.75); *Sacram. gregor.* 77.4, *rubrica*; Dur. 6.74.9.
307-315 Dur. 6.74.9.

celebrat, [XII] sacerdotes ei astantes verbis et manibus cum
310 eo consecrant, et quia, sicut supra dictum est, huius olei consecratio est embolismus canonis, idcirco eam sicut et canonem
totum cum eo sacerdotes dicunt. Inde perficit episcopus officium usque ad illud: *Pax Domini sit semper vobiscum*, et
clerus respondet: *Et cum Spiritu tuo*, et tunc tacet. Pontifex
315 solus communicat et vadit sedere in sedem suam.

### 192. AD CONDUCENDUM OLEUM CHRISMALE ET OLEUM SANCTUM

Tunc descendunt .XII. presbyteri[v] preparati et alii clerici
in sacrarium[w] ad deducendum tam oleum chrismale quam
oleum sanctum. Sollemniter duo acolythi portant ampullas
hoc ordine: precedunt duo luminaria, secuntur due cruces,
320 et in medio oleum chrismale; inde duo thuribula, et in medio
oleum sanctum post Evangelium a diacono[x] defertur. Inde
predicti presbyteri et alii clerici bini secuntur quousque venitur ad gradus ante altare.

### 193. QUOD SIGNIFICENT LUMINARIA DUO

Duo luminaria sunt lex et propheta que nobis Salvatorem
325 prenuntiaverunt.

### 194. QUOD DUE CRUCES

Due cruces sunt duo martyria sine sanguine, scilicet mortificatio corporis proprii, que est crux a sinistris, et compassio[y]
proximi, que est crux a dextris. Inter has fertur oleum chrismale quo inunguntur pugnatores, qui debent esse parati ad
330 martyrium et semper duplici martyrio debent se affligere.
Crucem a sinistris habebat ille qui dicebat (1 Cor 9.27): *Cas-
tigo corpus meum et in servitutem redigo, ne forte, cum aliis*

---

310 Supra, n° 183, ll. 159-160.
316-358 Dur. 6.74.16-18.

[v] sacerdotes M   [w] sanctuarium S   [x] a diacono] domini *add* KMS
[y] passio AK

*predicaverim, ipse reprobus efficiar.*   Crucem a dextris habebat idem, qui dicebat (2 Cor 11-29): *Quis infirmatur, et ego*
335 *non infirmor? Quis scandalizatur et ego non uror?*

### 195. QUOD DUO THURIBULA

Duo thuribula sunt duplex genus orationis, scilicet oratio
pro removendis malis et oratio pro adipiscendis bonis.  Hec
duo notat Psalmista cum dicit (Ps 54.2): *Exaudi, Deus, orationem meam, que est pro adipscendis bonis,* et *ne despexeris*
340 *deprecationem meam,* que est pro removendis malis.

### 196. QUARE OLEUM CATECHUMENORUM
### FERTUR INTER THURIBULA

Inter duo thuribula fertur oleum catechumenorum, quia pro
catechumenis est orandum, et eos orare oportet ut ad robur
quod oleo chrismali signatur valeant pervenire.

### 197. QUARE EVANGELIUM LEGATUR

Inde Evangelium sequitur quia in eo totius boni nostri con-
345 summatio.  Presbyteri et alii bini[z] secuntur, quasi dicant spon-
se (Cant 1.3): *Trahe me; post te curremus in odore unguentorum
tuorum.*

Diximus de ductione olei chrismalis vel sancti de sacrario
usque ad sacrarium.  Nunc dicamus de eadem usque ad
350 episcopum.  Postquam predicta processio venit usque ad sanctuarium, tunc ante altare ad orientem ordinate se disponunt
ostiarii, lectores, exorciste, acolythi.  Itaque sextum locum obtinet subdiaconus qui illa die legit Epistolam, et post omnes
hos est acolythus cum ampulla, itaque quod omnes sunt sub
355 umbraculo sub quo ampulla dilata est a sacrario, que defertur
de uno ad alium per quandam connexionem sindonis qua
ex parte velata est ampulla quoadusque perveniat usque ad
episcopum[a].

[z] boni AKS/ bonis M      [a] usque ad episcopum *om* B

### 198. QUARE[b] CHRISMA CONSECRETUR IN EA PARTE UBI PAX SOLET DARI

Consecratur autem in eo loco ubi pax datur ideo ut pax et
360 concordia per unctionem chrismatis regnet in nobis. Chrismate enim ungimur ut donis Spiritus sancti repleti Deo et
hominibus repacificemur. "Oleum vero est [arbor] pacis in-
signe:" nisi enim pacifici Deo et hominibus fuerimus, nullo
modo donis Spiritus sancti replebimur.

### 199. QUARE EPISCOPUS HALAT TER IN AMPULLA CHRISMATIS

365    Episcopus ter in ampulla chrismatis halat ideo quia sicut
halitus ab interioribus et secretis procedit ad publicum et vocatur spiritus, ita pontifex per spiritum suum monstrat Spiritum sanctum a Patre et Filio procedentem in corpore habi-
tare, per cuius adventum remota sunt omnia vitia. Ampulla
370 cum chrismate corpus Domini assumptum ex virgine cum
deitate unum Christum esse significat. Ter halat quia tres persone sunt et numquam esse potest Spiritus sanctus sine Patre
et Filio.

### 200. QUARE AMPULLA CUM AD ALTARE DEFERTUR INVOLVITUR SINDONE ALBA ITA UT A MEDIO SURSUM VIDERI POSSET

Ideo sic involvitur quia corpus Christi, antequam transiret
375 ad aram crucis, coopertum fuit et nudum. Primo quando
fugit in Egyptum coopertum fuit et quando portabatur in
templum et quando relinquebatur inter cognatos et notos et
quando subditus erat parentibus; operimentum eius fuit sin-
don alba, per quam mundissima eius conversatio intelligitur.

359-364  Amal. 1.12.12.(II.70-71); cf. Dur. 6.74.22.
362-363  Isid., *Etym.* 17.7.62.
365-373  Amal. 1.12.28-29 (II.76); Dur. 6.74.21.
374-382  Amal. 1.12.29-30 (II.76-77); cf. Dur. 6.74.19.

b *usque ad cap 217 om* AB

380 Nudus fuit quando cepit miracula facere que ultra hominem
fuerunt et se Deum esse demonstrare cepit, ut ibi (cf Jn 17.22):
*Ego et Pater unum sumus.*

### 201. QUARE IN SINISTRO BRACHIO TENEATUR

Ideo in brachio sinistro ampulla ipsa tenetur quia hec omnia que in hac vita fiunt per sinistram significantur.

### 202. QUARE AMPULLA POSTQUAM FUERIT BENEDICTA NUDA SALUTATUR

385   Ideo ampulla ita nuda, ut allata est postquam fuerit bene-
dicta, salutatur ab episcopo et presbyteris et diaconibus quia
corpus Domini, postquam transivit ad aram crucis, hoc est
ad immolationem, et se ipsum obtulit Deo Patri et sicut
ampulla ad consecrationem episcopi, aliqua parte [temporis]
390 corpus suum nudum demonstravit, ut Thome et aliis cum
quibus comedit.

### 203. QUARE POST SALUTATIONEM MINISTRORUM COOPERITUR UT A NEMINE VIDEATUR

Ideo cooperitur postquam est salutata a ministris altaris ut
a nemine videatur nuda, et tamen sic cooperta salutatur quia
postquam manifestavit se discipulis suis quos voluit esse testes
395 sue resurrectionis, ascendit in celum et invisibilis factus est
hominibus, sed quamvis presentiam eius corporalem non
videamus, tamen venerando eam cotidie salutamus.

### 204. QUIS CONSTITUIT UT NEOPHYTI UNGANTUR CHRISMATE A PRESBYTERIS

In primitiva Ecclesia ungebantur neophyti a solis episcopis
in frontibus per manus impositionem,—primitivo enim tem-
400 pore non omnes baptizabantur generaliter ut modo, precipue
cum imperatores et eorum ministri pagani essent, et ideo pro

383-384  Dur. 6.74.19.
385-397  Amal. 1.12.30-31 (II.77); Dur. 6.74.20.
398-410  Cf. Amal. 1.27.1,15 (II.138,144); L. Duchesne, *Liber pontifi-*
*calis* I.34, p. 171; cf. Dur. 1.8.10.

illa paucitate episcopi [non] de facili poterant neophytis oc-
curere, vel ipsi ad episcopos venire, ut per manus ipsorum
omnis unctio chrismatis ageretur[c]. Postquam vero licentia
405 christianitatis omnibus est concessa, ne pre nimia pluralitate
sine chrismate perirent, Silvester [I] in quantum oportuit eis
subvenit, et propter absentiam episcoporum constituit ut levati de aqua baptismi super cerebrum in vertice, ubi[d] sedes
est sapientie, inungantur nec in frontibus, quod solis epis-
410 copis debetur cum tradunt Spiritum sanctum baptizatis.

### 205. AN NEOPHYTUS SINE MANUS IMPOSITIONE POSSIT REGNUM DEI POSSIDERE

Non est negandum sine manus impositione [hominem] posse
accipere Spiritum sanctum. Et verba sancti Silvestri, qui ob
remedium difficultatis episcopum consequendi ante exitum
anime iussit ut liniretur neophytus a presbytero, sic sonant
415 quasi possit recipere sine manus impositione et antequam bap-
tizarentur, ut in Actibus Apostolorum (10.44-48) legitur, sed
"non continue legem Ecclesie dedit: si semel aut raro aliquid
tale factum est". Quod miraculi causa factum est sive neces-
sitatis non est trahendum in consuetudinem. Non[e] enim in-
420 certa pro certis tenenda sunt; quod omnibus Spiritus sanctus
per manuum impositione datur certum est, sed utrum omnibus
detur qui non accipiunt impositionem manus incertum est,
maxime cum Mattheus dicat (3.11): *Ipse vos baptizabit Spiritu sancto et igne.* Baptizamur Spiritu sancto quando ablui-
425 mur a peccato. Baptizamur igne quando Spiritum sanctum
accipimus per impositionem manus episcoporum. Quod previ-

411-429  Amal. 1.27.15,8,12,14 (II.141-143); Dur. 1.8.10-11.
412-416  L. Duchesne, *Liber pontificalis* I,34, p. 171 et 189 n.19; Rabanus
Maurus, *De clericorum institutione* 1 (PL 107.313B).
417-418  *Non . . . factum est*: Amal. 1.27.14 (II.143); Greg .Nazianzenus,
*Oratio 39, In sancta lumina* 14 (PG 36.352B);

[c] augeretur KS    [d] ut BMS    [e] hec BS

dens, Paulus cum venisset Ephesum, exemplum sanctis Ecclesiis dando, imposuit manus quibusdam discipulis, ut acciperent Spiritum sanctum.

### 206. SI EANDEM GLORIAM ACCIPIANT ILLI QUI SINE MANUS IMPOSITIONE MORIUNTUR ET ILLI QUI ACCIPIANT

430   Illi qui per negligentiam amittunt manuum impositiones
apostolica constringuntur exsecratione vel observatione et in
presenti cura ecclesiastica, de quibus plorandum est ne forte
carentes regalibus vestibus, que septiformen Spiritum figurant
ab aula celesti eiciantur.   Sed si aliquis prius surripitur de se-
435   culo quam possit tanto occurrere mysterio, Deus novit cur eum
cogat prius exire, quia novit Dominus qui sunt eius; sed timendum est ne illa differentia sit inter illos que inter stellarum
claritatem, hoc est quamvis non excludantur a regno Dei propter cetera opera, tamen non habent illum locum quem habe-
440   rent si illam accepissent, unde (Jn 14.2): *In domo Patris mei
mansiones multe sunt.*

### 207. SI SPIRITUS SANCTUS DETUR AB ILLIS QUI MANUS IMPONUNT

Non ab illis datur Spiritus sanctus qui manus imponunt,
sed tantummodo deprecantur ut veniat. "Nullus," inquit,
"discipulorum dedit Spiritum sanctum, sed orabant ut hii
445   acciperent Spiritum sanctum quibus manus imponebant."
Non ipsi dabant sed orabant, quem morem adhuc servat
Ecclesia.

### 208. QUARE IN FRONTIBUS INUNGATUR CHRISMATE

In frontibus inungimur chrismate ideo ut quando exterminator illud signum videret, pertranseat domos nostras et

430-441   Amal. 1.27.9,32,15 (II.141,150,144).
442-447   Amal. 1.27.26 (II.148); Dur. 6.84.1.
443-445   Aug. *De trinitate* 15.46 (PL 42.1093).
448-454   Amal. 1.27.29-30 (II.149-150); cf. Dur. 6.84.5.

450 recognoscat quia non sui sumus sed illius cuius signum geri-
mus—quod enim in fronte est citius et manifestius videtur
quam in alio loco—vel aliter: ipsa crux in nullo loco compe-
tentius figitur[f] quam in eo loco ubi summus pontifex laminam
auream gerebat in qua scriptum erat nomen Dei ineffabile.

### 209. QUARE IPSA UNCTIO FIAT IN MODUM CRUCIS

455     In modum crucis facimus unctionem ut ostendamus cuius
simus et quia cruce redempti sumus et ut ostendamus illud in
die obitus nostri et ut connumerari valeamus cum hiis qui redempti sunt, quia sine isto signaculo non oportet nos repre-
sentari ante Deum.[g]

### 210. QUARE EPISCOPUS DICAT *PAX TIBI*
### AD CHRISMATUM

460     Episcopus dicit: *Pax tibi* postquam chrismatus est ille ideo
quia hec sunt verba salutationis[h] ad hominem novum qui secundum Deum creatus est in sinceritate et veritate.

### 211. QUARE PRIUS CONSECRANTUR OLEUM
### INFIRMORUM ET CHRISMA QUAM OLEUM
### CATECHUMENORUM

Oleum infirmorum et chrisma prius consecrantur quam
oleum catechumenorum, cum in actu tamen ita non sit, ideo
465 quia maior et antiquior est doctrina apostolorum quam aposto-
licorum.

### 212. QUARE OLEUM CATECHUMENORUM SOLUM
### EXORCIZATUR

Oleum catechumenorum tantum exorcizatur ideo quia exorcismus coniuratio est adversus diabolum, ut recedat, et illo

455-459   Amal. 1.27.28 (II.149); cf. Dur. 6.84.5.
460-462   Amal. 1.27.33 (II.151); Dur. 6.84.5.
463-466   Cf. Dur. 6.74.5.
467-479   Amal. 1.12.16-18 (II.72-73); Dur. 6.74.3.
467-468   Isid. *Etym.* 7.19.55.

[f] signatur M     [g] in modum . . . deum *om* M     [h] salomonis KMS

oleo inungitur catechumenus, ut si que malitie adheserunt cor-
470  pori vel menti postquam ad scrutinium accesserint recedant
et custodiam deinceps habeant ne possit diabolus repe-
dare.

### 213. QUARE EXORCISMUS SIC CONCLUDITUR.

Exorcismus sic concluditur[i]: *Qui venturus est*, etc. ideo quia
coniuratio[j] ad diabolum digna est, scilicet habere novissimum
475  iudicium in quo iudicandi sunt vivi et mortui. Ibi scit se diabolus puniri, unde illius timore concutitur.

### 214. QUARE TRES CONSECRATIONES FIANT EX OLEO

Tres iste consecrationes fiunt ex uno liquore ideo ut ostendatur Spiritum sanctum unum esse licet multiformiter divida-
tur per gratiam suorum donorum.

### 215. QUARE .V$^s$. FERIA OLEUM CONSECRATUR

480  Ideo .V$^a$. feria oleum consecratur quia Dominus in .V. etate
factus est homo, unctus oleo invisibili, scilicet oleo gratie Dei,
quod significatur invisibili unguento quo baptizatos ungit Ecclesia, ad que ideo unctio conficitur in .V. feria quia Dominus
venit ad nos .V. etate, qui unctus est invisibili unctione.

### 216. QUARE OLEUM CONSECRATUR QUINTA FERIA ET UNCTIO DIFFERTUR USQUE IN SABBATO

485  In .V. feria oleum consecratur sed unctio differtur usque ad
baptismum ideo quia quamvis credamus unctionem spiritualem in Iesu manere ex quo cepit homo fieri, tamen quidam
modus secundum Evangelium unctionis dilatus est usque ad
baptismum, quando in specie columbe Spiritus sanctus de-

480-484  Amal. 1.12.46,49 (II.86,88); Dur. 6.74.2.
481-482  Beda, *Super Acta apostolorum Expositio* 10 (PL 92.969D).
485-491  Amal. 1.12.46 (II.86); Dur. 6.72.2.
487-490  Hier. *Commentarii in Isaiam* 17.61 (PL 24.599AB).

[i] dividitur K      [j] unctio K

490 scendit super illum, prefigurans quod baptizandi accipiunt
Spiritum sanctum.

### 217. DICAMUS ETIAM QUARE .XXIIII.ᵒʳ LUMINARIA PEDETENTIM TUNC EXTINGUUNTUR HIS TRIBUS DIEBUS

Triduanam Domini sepulturam significamus iuxta illud
(Mt 12.40): *Sicut fuit Ionas in ventre ceti tribus diebus et tri-*
*bus noctibus, ita fuit filius hominis in corde terre tribus diebus*
495 *et tribus noctibus.*

### 218. DE TRIBUS DIEBUS ET NOCTIBUS QUIBUS DOMINUS FUIT IN SEPULCRO

Quod per synedochen esse dictum dicit Augustinus: "Nam
illa pars .VIᵉ. ferie qua fuit in sepulchro accipitur pro nocte
et die .VIᵉ. ferie, et nox diei dominice similiter pro nocte et
die illius diei." Dies Sabbati integer est, scilicet nox cum die
500 suo, spatium videlicet viginti .IIIIᵒʳ. horarum.

### 219. QUARE .VI. FERIA SEPULTURAM DOMINI IN OFFICIO ANTICIPAMUS

Sed forte dices: ergo triduana sepultura debuit celebrari
.VIᵃ. feria, Sabbato, et die dominico. Ad hoc respondetur:
quia Dominus in nocte diei dominice resurrexit, idcirco illam
noctem sollemniter ad gloriam resurrectionis dominice cele-
505 bramus. Unde necesse fuit ad hoc ut triduanum sepulturam
celebramus, ut .Vᵃ. feria preveniremus ut ita triduo, id est .Vᵃ.
feria, VIᵃ., et Sabbato, humiliationem Domini celebraremus.

### 220. QUARE TACEAMUS PRINCIPIUM ET FINEM IN HORIS

Tacemus igitur solitum principium et finem quia ille subla-
tus est nobis qui est Alpha et Omega, id est principium et finis.

492-500   Amal. 1.12.32-33 (II.78); Dur. 6.72.1.
496-499   Aug. *Quaestiones evangeliorum* 1.7 (PL 35.1325).
501-507   Amal. 1.12.33 (II.78); Dur. 6.72.1.
502-505   Cf. Aug. *Sermo* 221: *in vigiliis paschae* 3 (PL 38.1090).
508-512   Amal. 1.12.33 (II.79); Dur. 6.72.6.

510   Inde est quod *Gloria Patri* non dicimus, scilicet hymnum Trinitatis, quia tertia persona in Trinitate ad contemptum totius
Trinitatis ignominiose tractata est.

### 221. QUARE IN LECTIONIBUS [NON] DICATUR
### *IUBE* ET *TU AUTEM*

Idcirco autem in principio lectionis *Iube, Domine,* in fine
*Tu autem* non dicimus quia cum illi qui legunt lectiones obti-
515   neant vicem apostolorum, ad predicationem missorum a Domino et redeuntium a predicatione ad ipsum, Domino sublato
de medio, non erant qui ab eo tunc ad predicationem mitteren-
tur vel a predicatione ad eum redirent. Immo ad *Iube, Domine*
consuevit dari benedictio, sed subtractus erat ille qui benedic-
520   tionem debat—quomodo enim peterent benedictionem qui de
eo omnino desperaverant qui dat benedictionem. Preterea
in predicatione quia pulvis venialium peccatorum sepe contra-
hitur, idcirco in fine lectionis sepius dicitur *Tu autem,* sed tunc
amiserant illum[k] desperantes cuius est misereri.

### 222. QUARE INVITATORIUM NON DICATUR

525   Invitatorium in Matutinis non dicimus ut fugiamus conven-
tum malignantium, quia tunc venerunt malignantes in unum
adversus Dominum. Tunc etiam, sicut dictum est, dispersi
sunt apostoli qui alios ad Dominum invitare et vocare[l] sole-
bant.

### 223. QUARE LUMINARIA PEDETENTIM
### EXTINGUAMUS

530   Luminaria quoque pedetentim extinguimus quia abscondi-
mus quod post revelamus. Per hoc significamus quod (cf

513-524   Hon. 3.88 (PL 172.666B); Dur. 6.72.10.
525-527   Hon. 3.88 (PL 172.666A).
527   Supra n⁰ 221.
530-534   Dur. 6.72.26.

[k] *om* KMS    [l] convocare AM

Mt 21.33-39) perversi vinee cultores nuntios patris familias
per varia tempora occiderunt et tandem ipsum heredem, quem
quasi$^m$ in sepulchro positum lumine occultato figuramus.

### 224. QUARE LUMEN ABSCONDAMUS ET POST REVELAMUS

535    Huius luminis reseratio est dominice resurrectionis commemoratio. Vel etiam aliter potest dici: XXIIII hore sunt diei
et noctis; dies, cuius maius est lumen, Christus est, nox, cuius
minus est lumen, Ecclesia est. Luminaria sunt apostoli et alii
viri apostolici, qui sunt quasi .XXIIII. hore quia diei Christo
540 et nocti Ecclesie famulantur. Unde est quod quasi ad singula
cantica singula extinguuntur$^n$ luminaria, et in his omnibus
gaudium nostrum in luctum conversum esse figuramus, iuxta
illud (Thren 5.15-16): *Quia cecidit corona capitis nostri, conversus est in luctum chorus noster.*

### 225. QUARE .XXIIII.$^{or}$ VICIBUS DICIMUS *GLORIA PATRI* IN MATUTINIS VEL EQUIPOLLENS *GLORIA PATRI*

545    Inde est quod si quis attendat diligenter, .XXIIII$^{or}$ vicibus
dicimus *Gloria Patri* in Matutinis vel quod obtinet locum eius:
semel post *Deus, in adiutorium* et secundo post (Ps. 94)
*Venite,* tertio post hymnum, nonies in psalmis, ter in responsoriis. *Te Deum laudamus,* quasi *Gloria Patri,* est post *Deus*
550 *in adiutorium* semel, quinquies in psalmis, semel in hymno, et
semel post *Benedictus.* Sed hec omnia in his Matutinis subtra-
himus propter predictam causam. Hec autem fecimus triduo
propter triduanam sepulturam Domini, sicut dictum est supra.

535-544 Hon. 3.87 (PL 172.665D); Dur. 6.72.26,17,23.
545-553 Hon. 3.87 (PL 172.665D-666A); Dur. 6.72.17,23.
553 Cf. supra, n$^{os}$ 155,156.

$^m$ *om* AB     $^n$ extingantur M

### 226. QUARE MONACHI .LX. LECTIONES LEGANT

Inde est quod monachi tantum novem lectiones dicant
555 quasi in exsequiis Domini. Nunquam enim dicunt .IX. lectiones nisi tantum in exsequiis mortuorum, et modo exsequias
Domini representant.

### 227. QUARE CIRCA FINEM MATUTINARUM *KYRIE* *ELEISON* CANTATUR ET QUARE QUEDAM SUB SILENTIO DICUNTUR ET QUARE QUIDAM SONITUS DATUR

Circa finem Matutinarum cantatur *Kyrie, eleison* quia significat clamorem comprehendentium Dominum. Post *Kyrie,*
560 *eleison* quedam dicuntur sub silentio, in quo notatur timor
apostolorum. Datur quidam sonitus quod est incussio terroris
eorum.

### 228. QUARE *GLORIA IN EXCELSIS* CANTETUR

Eadem die ad Missam *Gloria in excelsis* cantatur quia gaudent angeli Dei de conversione penitentium et de unctione
565 credentium°.

### 229. QUARE ALTARIA NUDANTUR ET POST COOPERIANTUR

Nudatur quoque altare, quod tertio die cooperitur. Altare
est Christus, vestimenta sunt eius discipuli, quibus Dominus
nudatus fuit cum eo relicto ipsi fugerunt. Sed tertia die
cooperitur altare quia post resurrectionem discipuli ad Domi-
570 num redierunt.

554-557   Dur. 5.3.33.
558-562   Hon. 3.88 (PL 172.666C); cf. Dur. 6.72.27-28.
563-565   Hon. 3.85 (PL 172.665B); Dur. 6.75.2
566-570   Amal. 1.12.53 (II.89); Hon. 3.86 (PL 172.665BC); cf. Dur. 6.72.2.

° et de . . . credentium *om* M

### 230. QUARE PAVIMENTUM LAVATUR

Eodem die Dominus lavit pedes discipulorum, in quo etiam pavimentum ecclesie lavatur. Utraque lotio significat ablutionem penitentium, qui sunt quasi inferiora membra Ecclesie.

### 231. QUARE ALTARE AQUA ET VINO LAVETUR

575    Quod vero altare aqua et vino lavatur notat quod de Christo aqua et sanguis ad ablutionem membrorum profluxerunt. Eo die celebravit Dominus cenam, in qua vetus pascha terminavit, agnum paschalem tunc cum discipulis comedendo, et novum inchoavit, sacramentum corporis et sanguinis instituendo.
580    Eodem quoque die reservatur corpus Domini usque in sequentem diem, de quo inferius dicemus.

### PARASCHEVE
### 232. QUARE DICATUR PARASCHEVE

Parascheve grece, preparatio dicitur latine. Iudei enim per varias captivitates inter Grecos dispersi quedam vocabula a Grecis sumpserunt, ut Parascheve, synagoga. Vocaverunt au-
585    tem .VI^am. feriam Parascheven eo quod in ea prepararent^p ad sabbatum necessaria. Contigit autem quod eo die fuit dies sollempnis pasche ipsorum, et inde vespera precedente ipsum immolaverunt agnum paschalem. Eodem die agnum qui tollit peccata mundi occiderunt, quem precedenti die comprehen-
590    dentes quasi eius immolationem inchoaverunt.

571-574  Amal. 1.12.36,39,40-41 (II.80,82,84); Hon. 3.84 (PL 172.665B); Dur. 6.75.4-5.
575-581  Hon. 3.84 (PL 172.665A); cf. Dur. 6.76.5.
581  Cf. infra, n° 249, l. 709.
582-590  Amal. 1.13.1 (II.91); Hon. 3.89 (PL 172.666CD).

ᴾ preparent ABM

### 233. QUARE CAMPANE NON PULSANTUR
### SED QUEDAM ALIA SIGNA

In huius diei nocturno officio et precedentis non est differentia nisi quia campane non pulsantur sicut in precedenti sed quedam alia signa, quia tunc temporis nostra maiora signa, id est apostoli, a laude Domini siluerunt, sed minora signaq,
595 ut mulieres que secute sunt eum usque ad crucem, perstiterunt, et forte aliqui discipuli minus noti.

### 234. QUARE .IX. LECTIONES ET .IX. RESPONSORIA

Tunc cantantur .IX. Psalmi, .IX. Lectiones, novem Responsoria, quia Dominus passus est pro tribus generibus hominum, scilicet virginibus, coniugatis, continentibus, que fuerunt tri-
600 bus temporibus, videlicet tempore ante legem, sub lege, et sub gratia, et novem ordinibus angelorum coniuncta sunt in tribus, scilicet actionibus, cognitionibusr, gaudiis. Hec enim tria sunt vel habent angeli. Ad actiones referuntur psalmi, ad cognitionesr bis lectiones, ad gaudia responsoria.

### 235. QUARE LECTIONES LAMENTABILITER
### CANTANTUR

605     Cantantur vero lectiones lamentabiliter quia, sicut Ieremias et populus Iudeorum Iosiam regem occisum deploraverunt, ita suum regem occisum deplorat Ecclesia, unde hoc die durius solito se affligit. Hec dies non habet officium Misse sed quoddam speciale officium quod incipit a duabus Lectionibus,
610 quarum una sumpta est de lege, scilicet de Exodo (12.1-11), alia de prophetia Osee (6.1-6). Post primam sequitur Tractus (Habacuc 3.1-4 secundum LXX) .IIII. versibus insignitus, post secundam sequitur ille Tractus (Ps 139.2-10, 14) *Eripe me, Domine*; etiam utraque sine titulo legitur. Inde sequitur

591-596   Hon. 3.88 (PL 172.666C); cf. Dur. 6.72.5.
597-604   Hon. 3.89 (PL 172.668D); Dur. 6.72.11.
608-619   Hon. 3.89 (PL 172.666D-667A); Dur. 6.77.3,7.

q id . . . signa *om* M     r cogitationibus K     r bis) cogitationes BKS

615 Passio (Jn 18-19) et non dicitur *Dominus vobiscum*, post passionem orationes pro omni genere hominum, post orationes salutatio crucis. Ad ultimum calix ponitur in altari cum vino et aqua, et corpus Domini a priori die observatum[s]. De his omnibus dicendum.

### 236. QUARE OFFICIUM DIEI A LECTIONE INCHOATUR

620     Idcirco a lectione officium inchoatur quia Missa olim a lectione inchoabatur, quod specialiter ideo fit quia passio Domini hodie celebrata est, in cuius memoriam omnis Missa celebratur.

### 237. QUARE DUE LECTIONES, UNA DE LEGE, ALTERA DE PROPHETIS

Leguntur autem duo lectiones una de lege, alia de prophetis. 625 Prenuntiata est enim passio Domini a lege et prophetis. De his vero lectionibus varietas est in ecclesiis, nam quedam ecclesie primo legunt lectionem Exodi et secundo lectionem Osee, et quedam e converso. Qui primo lectionem Exodi ordinem naturalem servant, quia passio Domini primo prenun-630 tiata est a lege, secundo a prophetis.

### 238. QUARE PASSIO CONTINUETUR LECTIONI

Que vero econverso[t] faciunt hanc causam habere videntur quod Passionem lectioni ex lege quasi continuare voluerunt, quia in Passione quedam verba ponuntur que ex illa lectione (cf Ex 12.46) sumpta sunt, videlicet (Jn 19.36): *Os non* 635 *comminuetis ex eo*. Continuatur ergo passio Lectioni quasi eius expositio.

620-623  Hon. 3.89 (PL 172.666D); Dur. 6.77.2.
624-630  Hon. 3.89 (PL 172.666D-667A); cf. Dur. 6.77.2.
631-636  Dur. 6.77.3.

[s] reservatum A     [t] ecclesiis M/ ecclesia BS/ ecclesie K

239. DE DUPLICI PASSIONE CHRISTI ET ECCLESIE

Sunt autem duo de quibus specialiter[u] agitur hodie, scilicet passio Christi et passio Ecclesie, que est illius imitatio, sicut dicit Petrus (1 Petr 2.21): *Christus passus est[v] pro nobis,*
640 *nobis relinquens exemplum ut sequamini vestigia eius.* Hec duo in Lectione Exodi commemorantur, ubi dicitur (12.5): *Erit autem agnus absque macula, masculus, anniculus; iuxta hunc ritum tolletis et haedum.* Agnus est corpus Christi immaculatum, hedus est Ecclesia, que nos sumus, qui peccatores sumus.
645 Passio Christi celebrata est in eius immolatione, nostra celebratur in vitiorum mortificatione. In lectione Osee manifeste agitur de passione Christi et eius effectu, ubi dicitur (6.1-3): *Venite, revertamur ad Dominum, quia ipse cepit et sanabit nos; percutiet, et curabit nos. Vivificabis nos post duos dies, et in*
650 *die tertia suscitabit nos et vivemus in conspectu eius.*[w] Quod Hieronymus in eodem Osee sic exponit: "Percutit Dominus et curat nos, quia quem diligit corripit et castigat . . . Vivificabit nos post duos dies et die tertia suscitabit nos, quia tertia die surgens a mortuis omne genus humanum suscitavit et
655 cum curaverit nos, Dominus vivificaverit, [vivificatos] suscitaverit; in conspectu eius vivemus." Post lectiones sequitur Passio, que plene seriem passionis dominice describit.

240. QUARE TITULUS NON PREMITTITUR LECTIONI

Lectioni non preponitur Titulus quia caput nostrum nobis sublatum est.

637-657 Amal. 1.13.6-8 (II.93-94); Dur. 6.77.4.
651-656 Hier. *Commentarii in Osee prophetam* 2.6 (PL 25.867AB).
658-659 Hon. 3.89 (PL 172.666D); Dur. 6.77.2.
660 Hon. 3.95 (PL 172.667C); Dur. 6.77.11.

[u] spiritualiter KMS    [v] *usque ad librum II cap. 6 om* A    [w] sciemus sequemur ut cognoscamus dominum *add in marg.* M

### 241. QUARE EA DIE NON DICATUR
### *DOMINUS VOBISCUM*

660     Propter quod ea die non dicitur *Dominus vobiscum.*

### 242. QUARE TRACTUS .IIII. VERSUS HABEAT

Post primam lectionem cantatur Tractus, .IIII. versibus insignitus quia Dominus passione sua .IIII. mundi elementa curavit et genus humanum ex .IIII. elementis constitutum. Suspensus autem fuit inter celum et terram quia terrena celesti-
665 bus reconciliavit. In Tractu ponitur ille versiculus[x]: *In medio duum animalium innotesceris,* cuius, ut ait Hieronymus, expositio vulgaris est: "In medio duorum latronum crucifigeris". Post secundam Lectionem cantatur Tractus (Ps 139.2): *Eripe me, Domine,* in quo passio Domini plene describitur, in quo
670 ponitur (Ps 139.8): *Obumbrasti caput meum in die belli,* quia non tantum in alio tempore sed in die passionis deitas a passione immunis permansit, immo in passione Christus homo ita protectus est gratia divinitatis ut hostes superaret[y] qui superari[z] videbatur.

### 243. QUARE ORATIONES POST PASSIONEM

675     Post Passionem secuntur Orationes pro variis generibus hominum, et pro eis genua flectimus, insinuantes quod in nomine Iesu omne genu flectendum est.

### 244. QUARE NON PRO IUDEIS GENUFLECTIMUS

Pro Iudeis tamen non flectimus in detestationem genuflectionis eorum quam ea die ad irrisionem Domini facerunt.

---

661-667    Amal. 1.13.4 (II.91-92); Hon. 3.90 (PL 172.667AB); cf. Dur. 6.77.7.
665-666    Habacuc 3.2 secundum LXX; cf. Marbach 363.
666-667    Hier. *Commentarii in Abacuc* 2 (PL 25.1309D); cf. Amal. 1.13.4 (II.92).
675-687    Hon. 3.95 (PL 172.667C); Dur. 6.77.13-14.
675-679    Amal. 1.13.17 (II.98).

[x] versus K     [y] separaret K     [z] separari A

### 245. DE TRIPLICI VENERATIONE CRUCIS QUARE NON IN HEBRAICA SED GRECA ET LATINA

680 Post Orationes duo presbyteri portant crucem coopertam
et fit veneratio ipsius quasi triplici lingua, hebraica, greca,
latina, quia titulus eius (Jn 19.20) *scriptus fuit; hebraica,*
*greca, latina,* licet tertia etiam lingua sileat adhuc a laude
Dei—ponimus tamen pro hebraica lingua *Populus meus,* etc.,—
685 et cantant hec duo presbyteri in persona Iesu Christi loquentis Hebreis, unde quia loquitur Hebreis, intelligitur hebraice
dictum.

### 246. QUID SIGNIFICANT DUO PRESBYTERI CANTANTES *POPULE MEUS*

Duo tamen presbyteri in persona Christi cantantes sunt
quia due sunt nature in una persona, nam quod dicitur (Mich
690 6.3-4): *Popule meus, quid feci tibi? aut in quo,* etc., *quia eduxi*
*te de terra Egypti,* hoc quantum ad deitatem; *parasti crucem*
*Salvatori tuo?* hoc quantum ad humanitatem. Et infra (cf
Deut 8.2-8): *Quia eduxi te per desertum quadraginta annis et*
*cum manna cibavi te et dedi tibi in terram satis optimam,* hoc ad
695 deitatem; *parasti crucem Salvatori tuo?* hoc ad humilitatem.
Et infra: *Quid ultra debui facere tibi et non feci?* (Jer. 2.21)
*Ego quidem plantavi te vineam meam speciosissimam,* hoc ad
divinitatem, *sed facta es mihi nimis amara, aceto sitim meam*
*potasti et lancea perforasti latus Salvatori tuo,* hoc totum ad
700 humanitatem. Cantant igitur duo presbyteri quasi hebraice
in persona Salvatoris, et acolythi cantant: *Agios, O theos,* grece
quasi in persona Grecorum, et chorus respondet: *Sanctus Deus,*
etc., humiliter se inclinando ante crucem in persona Latinorum.

### 247. QUARE TRES LINGUE

Laudatur ergo tribus linguis quia hebraica mater est om-
705 nium linguarum, greca doctrix, latina imperatrix.

688-703  Dur. 6.77.13-14.
690-703  Textus in Improperiis feriae 6 in Parasceve.
704-705  Hon. 3.95 (PL 172.667D); Dur. 6.77.14.

## 248. QUARE CRUX DENUDATUR

Post hoc denudatur crux in signum quod perversi denuda-
verunt Salvatorem, cui ante illi illuserunt, christiani veneran-
tur salutando et osculando.

## 249. QUARE CORPUS SERVETUR ET NON SANGUIS

Postea defertur corpus Domini priori die reservatum et po-
710 nitur supra altare cum calice habente vinum aqua mixtum non
sanctificautm quasi ipso facto dicatur: hoc est illud corpus de
quo hodie profluuntxer sanguis et aqua, vel ut simplices dicamus: idcirco sanguinem non servamus in calice sed tantum
corpus quia quod sub sicca specie est securius servatur quam
715 quod sub liquida. Dubium est autem apud auctores utrum ad
impositionem corporis in calicem vinum in sanguinem commutetur. Scriptum quidem reperitur quia non sanctificatum
per sanctificatum sanctificatur, sed commutetur non.

## 250. SI PER DOMINICAM ORATIONEM FIAT
## CONSECRATIO VINI IN SANGUINEM

Sed Amalarius[a] dicit quod per dominicam Orationem fiat
720 consecratio seu commutatio vini in sanguinem, et hoc probat
auctoritate beati Gregorii qui, assignans causam quare in-
stituerit quod dominica Oratio in Missa a sacerdote diceretur,
dicit quod in primitiva Ecclesia apostoli sola dominica Oratione utebantur in consecratione, et ita non tantum ad hec
725 verba: *Hoc est corpus meum* et *Hic est sanguis meus* fit trans-
substantio[b] sed etiam per dominicam Orationem, et ita hodierna die servamus ex parte consuetudinem apostolorum.

706-708   Hon. 3.96 (PL 172.667D); Dur. 6.77.16.
709-718   Beleth 99 (PL 202.103C-104AB); cf. Dur. 6.75.11.
719-727   Amal. 4.26.6 (II.486); Greg. M. *Epist.* 12 (PL 77.957A); Beleth
98 (PL 202.103A); Dur. 6.75.11.

[a] treverensis episcopus *add* M     [b] transuberatio BMS/ transubstatio K

### 251. QUOMODO TRIBUS DIEBUS ET
### TRIBUS NOCTIBUS IN SEPULCHRO

Tres autem partes canonis<sup>c</sup> dicimus, scilicet *Oremus: Pre-
ceptis salutaribus*, etc., *Pater noster, Libera*, propter triduanam
730 Domini sepulturam, qui fuit in sepulchro, sicut dicit Evangelium (Mt 12.40), *tribus diebus et tribus noctibus*, quod per
synedochen esse dictum dicit Augustinus, nam pridie et nocte
.VIᵉ. fere ponimus illam particularem illius die qua fuit sepultus, et Sabbatum pro die et pro nocte diei dominice noctem
735 eius ponimus; dies Sabbati integer est, et est sensus: fuit in
sepulchro *tribus diebus et tribus noctibus*, id est tribus temporibus, quorum quodlibet constat ex nocte et ex die; ita enim
loqui consuevimus: si minima parte alicuius diei, qui fuerit
in aliquo loco, dicimus eum ea die ibi fuisse.

### 252. QUARE DUABUS NOCTIBUS ET UNO DIE

740 Fuit autem in sepulchro duabus noctibus et uno die, quia
duplex est nostra vetustas, ut dicit beatus Augustinus, scilicet,
vetustas culpe et vetustas pene, sed simpla fuit vetustas Christi-
ti, scilicet vetustas pene; nostra duplex vetustas per duas
noctes intelligitur, eius simplex vetustas per diem. Fuit au-
745 tem duabus noctibus et uno die in sepulchro quia nostrum
duplicem vetustatem sua simplici destruxit.

### 253. QUOD [.XL.] HORIS FUERIT IN SEPULCHRO

Fuit quoque .XLᵃ. horis in sepulchro, videlicet .IIIIᵒʳ. horis .VIᵉ. ferie et .XXIIII Sabbati, et .XII. noctis die dominice
quia quadrifidum orbem, morte transgressionis decem manda-
750 torum mortuum, vivificavit.

728-739  Hon. 3.96 (PL 172.667D-668A); Dur. 6.72.1.
732-735  Amal. 1.12.32 (II.78); Aug. *Quaestiones evangeliorum* 1.7 (PL
35.1325).
740-746  Hon. 3.97 (PL 172.668A).
741-742  Locus non repertus.
747-750  Dur. 6.72.1.

<sup>c</sup> tantum *add* B

# [LIBER SECUNDUS]

## [DE VIGILIA PASCHE]

### 1. QUOD SABBATUM NON
### HABET DIURNUM OFFICIUM

Hec<sup>a</sup> dies nullum habet diurnum officium, nam officium
quod cantatur noctis est diei dominice, quod apparet in eo
quod dicitur in benedictione cerei, scilicet *Hec nox est de
qua scriptum est* (Ps 138.12): *et nox sicut dies illuminabitur,*

5 etc., et in Collecta Misse: *Deus, qui hanc sacratissimam noctem,* etc. Quondam enim totum illud officium nocte cantabatur. Unde Augustinus: "Dicendum est quare tanta celebritate hodierna potentissimum nocte vigilamus," et infra:
"Noctem vigilando agimus in qua Dominus resurrexit, et vitam

10 illam meditamur in qua nec mors ulla nec somnus, quam Dominus nobis in hac nocte inchoavit in carne sua, quam ita
excitavit ut iam non moreretur et mors illi non dominaretur."
Item, "Cui resurgenti si paulo diutius vigilando concinimus,
prestabit nobis ut cum eo sine fine vivendo regnemus." Hiero-

15 nimus assignat ad quam partem noctis vigilandum sit, dicens

---

1-21  Amal. 1.16 (II.108-110); Dur. 6.78.2.
3-4  In Praeconio paschali, post medium.
5  *Sacram. gregor.* n° 87.1, adhuc in hodierna liturgia.
7-14  Sermo Guelferbytanus 5.4, ed. G. Morin, *Sancti Augustini Sermones
post Maurinos reperti* (*Miscellanea agostiniana*, Rome 1930, I), pp. 459-
460, PLS II.551-552, et C. Lambot, *Sancti Aurelii Augustini Hipponensis episcopi sermones selecti duodeviginti* (Stromata patristica et mediaevalia I), Utrecht-Brussels 1950, pp. 77-80, cuius fragmentum est *Sermo
221* (PL 38.1089-1090), quod per Eugipii *Excerpta ex operibus S. Augustini*
(ed. P. Knöll, CSEL 9, Vienna 1885, pp. 445-446) in homiliaria mediaevalia pervenit.

---

<sup>a</sup> hac BS/ *usque ad cap.* 7 *om* A

quod "traditio Hebreorum habet Christum media nocte venturum," in cuius signum[b] angelus (cf Ex 12.29) *media nocte*
*transivit percutiendo primogenita Egypti* et Dominus transivit
protegendo populum suum. "Unde reor traditionem aposto-
20 lorum fuisse quod non liceat populum dimittere ante noctis
medium," ut ita quasi occurrant resurgenti Salvatori.

### 2. QUARE NON VIGILEMUS IN NOCTIBUS
### SICUT ANTIQUITUS

Sed refrigescente caritate multorum, ea que pro devotione
fuerant instituta[c] in minus honestas actiones, quibus nox fa-
cultatem prebat, sunt conversa[d]. Unde institutum fuit ut
25 officium noctis sequentis in isto die celebraretur.

### 3. QUARE ARCHIDIACONUS ROMANE ECCLESIE
### FACIT DUOS[e] AGNOS DE CERA ET
### OLEO QUOS IN OCTAVA POPULO DISTRIBUIT

Hac die archidiaconus romanus facit agnos de cera admixto
oleo, qui in octava Pasche distribuuntur populo ad domos suf-
fumigandas. Agni isti significant nostrum agnum immaculatum, (Jn 1.29) *qui tollit peccata mundi.* Cera significat hu-
30 manitatem, sicut beatus Gregorius dicit: "Mel in cera est divinitas in humanitate." Apis quoque que operatur ceram cum
melle nulla solvitur libidine, et Beata Virgo eum qui est Deus
et homo concepit sine virili semine. In cera immiscetur oleum
quia Dominus noster plenus est misericordia. In octava distri-
35 buuntur agni quia in octava resurrectionis Dominus suis premia distribuet[f].

16-21  *Commentarii in Evangelium Matthaei* 4 (PL 26.184D-185).
22-25  Cf. Dur. 6.78.3.
26-31  Cf. Amal. 1.17.1 (II.110); cf. Dur. 6.79.1.
30-31  Greg. *Homiliae in evangelia* 24.5 (PL 76.1187A).

[b] significatione M     [c] constituta M     [d] versa B     [e] quod *add* AS
[f] distribuit K

4. QUARE ZOZIMUS PAPA
INSTITUIT BENEDICTIONEM

Ita fit in romana ecclesia, sed in aliis ecclesiis cereus auctoritate Zozimi pape benedicitur, cuius cera eodem modo esset distribuenda. Zozimus papa enim cereum benedici instituit.

5. QUOD AMBROSIUS INVENIT
BENEDICTIONEM CEREI

40 Et beatus Ambrosius ipsam benedictionem invenit, de qua antequam dicamus, notare debemus quod omnis vetus ignis extinguitur et novus de silice vel de crystallo elicitur, de quo et cereus accenditur.

6. QUARE NOVUS IGNIS ACCENDATUR

Vetus ignis extinguitur et novus accenditur[g] quia in pas-
45 sione Domini omnis Lex Vetus est sopita et Nova inchoata vel potius firmata. Ignis de silice vel crystallo elicitur: Spiritus sanctus de Christo et a Christo[h] fidelibus infunditur; unde in hymno cantatur: *Lumen redde tuis, Christe, fidelibus.* Petra enim est Christus, ut dicit Apostolus (1 Cor 10.4), sed
50 crystallus perlucida est humanitas Christi, in resurrectione splendidissima. Hoc igne cereus accenditur quia[i] Christus[j] fuit et est Spiritu sancto repletus; vel lumen istius cerei significat gloriam resurrectionis Christi. De igne huius cerei illuminantur duo cerei: duo cerei sunt apostoli et alii in Chris-
55 to illuminati, qui idcirco sunt duo quod discipuli illuminati a Christo gemina caritate fervent et tam verbo quam exemplo lucent.

37-39  Cf. Amal. 1.18.1 (II.111); L. Duchesne, *Liber pontificalis*, I.225; Hon. 3.102 (PL 172.668D); Dur. 6.80.2.
40-43  Cf. Hon. 3.100 (PL 172.668C); Dur. 6.80.2.
44-57  Cf. Hon. 3.100-101 (PL 172.668C); Dur. 6.80.2.

[g] et novus . . . accenditur *om* K     [h] christi KS     [i] qui S     [j] a christo MS

## 7. QUID SIGNIFICAT CEREUS?

Iste cereus idem significat quod columna que (cf Ex. 13.21)
precedebat populum per desertum: cereus enim precedit cate-
60 chumenos ad baptismum et columna precessit populum ad
Mare Rubrum.

Nota quod [nec] in prima nec in secunda mansione precessit
populum, sed in tertia. (cf Num 33.3-6) Prima mansio fuit
Ramasse, secunda Sochot, tertia Ethan. Ramasse interpreta-
65 tur commotio tinee, Sochot tabernacula, Ethan firmum vel
perfectum vel signa eius. He tres mansiones tribus diebus
Domini coaptantur, scilicet diebus passionis, sepulture et resurrectionis, nam in die passionis fuit Dominus quasi in Ramasse, id est in commotione tinee, videlicet in commotione
70 Iudeorum, qui ad modum tinee vestem Domini inconsutilem[k],
id est unitatem Ecclesie, immo et ipsum Christum, demoliri nisi
sunt. Sed de hac mansione quasi exivit cum obiit, et venit in
Sochot, id est tabernacula, cum in sepulchro latuit et tanquam fortis miles fortem diabolum ligando vasa eius diri-
75 puit: tabernacula enim militantium sunt. Sed de hac mansione exivit cum resurrexit, et intravit in Ethan, quod interpretatur firmum seu perfectum, quia ipse (Rom 6.9) *resurgens a mortuis iam non moritur; mors illi ultra non dominabi-
tur.* Tunc fuit ipse signaculum suis, cum ipse eis gloriosus
80 apparuit et eos tanquam columna ignis illuminavit.

Ad modum Salvatoris moraliter he tres mansiones circa
nos attendende sunt. Tres sunt mansiones: mundus, caro et

58-61   Hon. 3.102 (PL 172.668D).
58-80   Dur. 6.80.4-5.
63-66   Ex. 12.37; 13.20; praesertim Num. 33.3-6; Isidorus, *Quaestiones
in Vetus Testamentum: In Numero* 1.1; 2.1; 3.1 (PL 83.339C,340B):
*Ramasse* interpretari quidam *commotionem* vel *tonitruum* putaverunt . . . ;
*Socoth,* in qua coquunt panes azymos et primum tendunt tabernaculum;
*Ethan* sonat fortitudo sive perfectio.

[k]   consimilem K

bone conversationis perfectio, que tribus predictis mansioni-
bus cooptantur. Quoadusque sumus in presenti vita, neces-
85 sario sumus in mundo et in carne. Sed de prima mansione,
Ramasse, id est commotione tinee, quasi de mundo eximus
cum (cf Mt 6.19-20) non thesaurizamus nobis thesauros in
terra ubi tinea demolitur, sed potius in celo ubi tinea demoliri
non potest; et de secunda, id est Sochot, videlicet de taberna-
90 culo carnis, quasi eximus cum carnis oblectamentis contemp-
tis[1] celestia desideramus, et ita studio boni operis pervenimus
ad tertiam mansionem, scilicet Ethan, videlicet in perfectionem et firmitatem bone conversationis, ut precedat nos
Dominus (Ex 14.24) columna ignis per noctem et nubis per
95 diem. Nam quantumcumque boni simus[m] in presenti vita,
aliquid habemus noctis, quia sine tenebris aliquorum peccatorum esse non possumus, et idcirco necesse est ut ipse sit
nobis culumna ignis ad illuminandum et purgandum tenebras
peccatorum nostrorum. Habemus aliquid etiam diei qui estum
100 temptationum cotidie sentimus; unde necesse est ut ipse sit
nobis columna nubis, refrigerium prestans contra estum vitiorum.

### 8. QUARE CEREUS PRECEDAT PER .VII. DIES

Cereus igitur, sicut dictum est, idem significat quod columna illa, nam cereus per .VII. dies precedit pontificem neophy-
105 torum ad baptismum et columna illa precessit populum usque ad terram promissionis, et Dominus precedit nos ut pa-
ret nobis viam usque ad patriam que post finem huius vite,
que septenario volvitur, promittitur.

103-108 Cf. Hon. 3.102 (PL 172.668D); Hon. *Sacramentarium* 12 (PL
172.748D); Dur. 6.80.4.
103 Cf. supra nº 7, l. 58.
104-106 Cf. Amal. 1.18.6 (II.113).

[1] contemptus A    [m] sumus A

### 9. QUARE CEREUS IN QUIBUSDAM ECCLESIIS
### IN PRINCIPIO BENEDICTIONIS ACCENDATUR

Luminis cerei mysterium duplex est, sicut supra diximus.
110 Significat enim Spiritum sanctum quo Christus plenus fuit
et gloriam resurrectionis eius.

Secundum primum mysterium in quibusdam ecclesiis cereus a principio benedictionis accenditur, quia Christus ab
initio conceptionis sue Spiritu sancto fuit repletus, quod de-
115 bere fieri verba benedictionis[n] sonare videntur, nam statim
circa principium dicitur: *Gaudeat se tellus, tantis[o] irradiata
fulgoribus*, et subditur: *Letetur mater Ecclesia, tanti luminis
adornata fulgoribus*, et postea diaconus rogat circumstantes
cum eo misericordiam Domini invocare ad tam miram sancti
120 luminis huius claritatem, que licet designatio intelligatur, scilicet de Christo, conveniens tamen videtur ut ipsum significans aliquo modo, prout fieri potest, ei respondeat et eius similitudinem gerat.

### 10. QUARE A QUIBUSDAM ACCENDATUR
### POST IMPOSITIONEM INCENSI

Quantum ad alterum mysterium, videlicet quod lumen glo-
125 riam resurrectionis significat, in quibusdam ecclesiis illuminatio cerei usque post appositionem incensi differtur. Infigit
enim cereo ipse diaconus .v. grana thuris in modum crucis cum
dicit; *Suscipe, sancte pater, huius incensi sacrificium vespertinum*—passio Salvatoris fuit revera sacrificium vespertinum,
130 iuxta illud (Ps 140.2): *Elevatio manuum mearum sacrifi-*

109  Cf. supra n° 6, ll. 51-53.
109-134  Dur. 6.80.8.
112-114  Hon. 3.101 (PL 172.668C).
116-118  *Gaudeat* et *Laetatur*: initia duarum sententiarum, medio Praeconio paschali.
126-127  Sic agebatur usque ad annum 1956; nunc a celebrante infigun-
tur cereo grani incensi.

[n] conceptionis BKMS     [o] *om* BKS

*cium vespertinum*, quia fuit in vespera mundi, id est in .vi.
etate, factum et in vespera diei[p]. Post hec aliquantulum inferius fit illuminatio cerei, quia post passionem secuta est
gloria resurrectionis.

### 11. QUARE LECTIONES CAREANT TITULO

135 A lumine autem Christi oportet catechumenos illuminari.
Lumen igitur Christi est eius gratia et eius doctrina, que per
lectiones sequentes insinuantur, que idcirco titulo carent
quia catechumeni, dum nondum sint cives Hierusalem, nomina civium eius ignorant; unde si eis nominarentur, forte po-
140 tius contemnerent[q] quam venerarentur.

### 12. QUARE IN QUIBUSDAM ECCLESIIS TANTUM .VI., IN QUIBUSDAM XII, IN QUIBUSDAM .VI. GRECE ET .VI. LATINE

Ille autem lectiones in quibusdam ecclesiis .vi. sunt, quia
per passionem Christi et resurrectionem mundus .vi. diebus perfectus redemptus est et reparatus. In quibusdam
ecclesiis leguntur .vii. propter doctrinam apostolicam, qua
145 illuminantur; et in quibusdam .vi. grece et .vi. latine quia
Christus a Iudeis translatus est ad gentes. Greca et latina
lingue sunt principales inter linguas gentium, et per has aperte
totum omnium gentium reparatarum[r] per Christum intelligimus.

### 13. QUARE IN QUIBUSDAM IIII[or]

150 In quibusdam ecclesiis .iiii[or]. leguntur lectiones. Doctor
enim catechumenorum debet esse convivator eorum, et[s] de-

135-140  Hon. 3.103 (PL 172.669A); Dur. 6.80.11; 6.81.1.
141-149  Dur. 6.81.9-10.
150-356  De his quatuor lectionibus et earum canticis triplici ratione ab
Honorio agitur: Hon. 3.103-107 (PL 172.669B-670).
150-155  Amal. 1.19.1-2 (II.113-114); Beda, *De tabernaculo et vasis eius*
1.6 (PL 91.410B); Hon. 3.106 (PL 172.669D); Dur. 6.81.1.

[p] *usque ad cap. 13 om* K     [q] contempnerentur A     [r] reparator MS
[s] ubi *add* ABMS/ ut *add* K

bet eis parare convivium[t] in  mensa sacre Scripture, que per
mensam que in tabernaculo Domini fuit significatur; que habuit .iiii[or]. pedes, quia sacra Scriptura .iiii[or]. modis expo-
155 nitur: historice, allegorice, tropologice, anagogice.

### 14. QUID  HISTORIA

Historia est cum res sicut gesta vel dicta narratur, et dicitur historia ab *historim*, quod est gesticulari; unde gesticula-
tores vocantur histriones, quasi hystoriones.

### 15. QUID  ALLEGORIA

Allegoria est cum per unum factum aliud significamus, ut
160 dicitur allegoria ab *alleon*, quod est alienum, et *gore*, quod est
sensus; inde allegoria quasi alienus sensus.

### 16. QUID  SIT  TROPOLOGIA

Tropologia est cum sermonem ad nos ipsos convertimus,
cum ea que ad mores pertinent docemus, sive verbis apertis
sive velatis: verbis apertis, ut ibi (Is 58.7): *Frange esurienti*
165 *panem tuum*; velatis, ut cum dicimus: Oportet ut David in nobis interficiat Goliam, id est humilitas superbiam, ut dicitur
tropologia a *tropos*, quod est conversio, et *logos*, quod est
sermo; inde tropologia quasi[u] conversus sermo.

### 17. QUID  ANAGOGE

Anagoge est cum de supercelestibus exponimus, et dicitur
170 anagoge ab *ana*, quod est sursum, et *gogos*, quod est ductio;
inde anagogia est quasi sursum ductio.

156-171  Beda, *ibid.*; cf. Hon. 3.107 (PL 172.669D), etymologiis omissis,
a Durando in prologo (9-12) retentis.
162-164  Amal. 1.19.11 (II.118), relato Beda *De tabernaculo* 1.6 (PL
91.410C).

[t] de III[or] pedibus mense *add rubr* KS     [u] *om* BMS

### 18. ORDO LECTIONUM. PRIMA AD HISTORIAM

Prima lectio, scilicet (Gen 1.1-2.2): *In principio creavit Deus celum et terram,* historiam instruit: ad litteram enim facta sunt que ibi dicuntur de creatione celi et terre et aliarum
175  rerum, de homine, qui factus est ad imaginem et similitudinem Dei, et sic de similibus.

### 19. SECUNDA AD ALLEGORIAM

Secunda lectio pertinet ad allegoriam, que est (Ex 14.24-15.1) *Factum est in vigilia matutina,* in qua docetur quod Egyptii submersi sunt in Mari Rubro et populus Israel libera-
180  tur. Ita in baptismo vitia et peccata submerguntur et filii Dei liberantur.

### 20. TERTIA AD TROPOLOGIAM

Tertia lectio pertinet ad tropologiam, que est (Is 4.1-6) *Apprehendent*[v] *.VII. mulieres unum virum.* VII mulieres sunt .VII. dona Spiritus sancti que apprehenderunt Iesum;
185  nullum alium hominem apprehenderunt vel apprehendere potuerunt quia in nullo alio potuerunt quiescere quin a peccatis infestarentur, sed hec est allegoria. Oportet igitur ut dicamus moraliter, quia per .VII. mulieres intelliguntur homines septiformi gratia repleti: sapientes, intelligentes, con-
190  sulentes, fortes, scientes[w], pii, timorem Domini habentes, qui apprehenderunt Christum, ei per fidem et caritatem adherentes. Hi dicunt (Is 4.1): *Panem nostrum comedemus,* scilicet corpus tuum quod est noster panis, quia nobis ad refectionem datus; *vestimentis* bonorum operum *operiemur* contra frigus
195  peccati; *invocetur nomen tuum super nos,* ut a te dicamur

172-187  Hon. 3.107 (PL 172.669D-670A); Dur. 6.81.1,4-6.
183-187  Cf. Amal. 1.19.6 (II.116.28-30), relato Hier., *Commentarii in Isaiam prophetam* II.1 (PL 24.72D-73A).

v apprehenderunt A      w docentes M/ decientes K

Christiani; *aufer opprobrium nostrum*, videlicet ne servi diaboli nominemur amodo.

### 21. QUARTA AD ANAGOGEN

Quarta lectio pertinet ad anagogiam, videlicet (Is 54.17-55.11) *Hec est hereditas servorum Dei.* "Hereditas" est vita
200 beata secundum librum qui intitulatur *Gemma anime.*

.IIII. lectiones .IIII. pedibus mense, ut predictum est, respondent, sed si diligenter attendere volumus, prima lectio et secunda tam ad primum quam ad secundum pedem mense pertinent; tertia potius ad secundum quam ad tertium; quar-
205 ta ad quartum et tertium.

Prima lectio pertinet ad secundum pedem sicut ad primum, nam que in ea historice dicuntur allegorice exponuntur, verbi gratia (Gen 1.26) *Factus est homo ad imaginem et similitudinem Dei,* homo, id est Christus; (Gen 1.27): *Masculum et fe-*
210 *minam creavit*[x] *eos: masculum,* Christum; *feminam,* Ecclesiam. Vel etiam partim ad secundum, partim ad tertium lectio refertur, quia opera .VI. dierum operibus lucis spiritualis, quia[y] interius reformantur[z] et illuminantur, cooperantur[a].

Opus primi diei fuit lux, quo significatur illuminatio fidei.
215 Opus secundi diei firmamentum, quod dividit aquas superiores[b] ab inferioribus; hoc est firmamentum sacre Scripture, quod dividit aquas superiores, id est angelos, qui eo non indigent, ab aquis inferioribus, id est ab hominibus eo indigentibus. Opus tertii diei segregatio aquarum ab arida; hec est
220 segregatio eorum qui dediti sunt fluxui carnalium voluptatum et qui ad modum aque alios[c] et se quatiunt, ab hiis qui ad modum aride sitiunt fontem vite, scilicet aque vive, ut

198-200 Hon. 3.107 (PL 172.670B), cui verba "vita beata" desunt.
202-204 Cf. Amal. 1.19.5-6 (II.115.7-8; 116,17-19).
206-236 Cf. Dur. 6.81.1-2.

[x] fecit A    [y] quasi B/ qua A    [z] reformamur A    [a] cooptantur A    [b] id est angelos *add* K    [c] aliorum K

possint fructificare, dicentes (Ps 41.3): *Sitivit anima mea ad Deum, fontem vivum.* Quartum opus est luminaria in firma-
225 mento. Hec luminaria sunt doctores qui, inherentes firmamento sicut sacre Scripture, inferioribus lumine scientie lucent. Quintum opus est creatio piscium et avium ex aquis, per que intelliguntur renati ex aqua baptizmatis, quorum quidam tantum beneficio baptismatis[d] utuntur[e] ad modum
230 piscium, ut parvuli, quidam alis gemine caritatis ad instar avium volant ad superna, ut boni adulti. Sextum opus est creatio animalium de terra. Terra caro nostra est, ex qua creantur animalia cum ex ea procedunt opera viva, et ita interior noster homo reformatur ut in eo imago et similitudo Dei
235 reluceant[f], secundum quod dictum est ibi (Gen 1.26): *Factus est homo ad imaginem et similitudinem Dei.*

### 22. QUARE POST PRIMAM ET SECUNDAM SEQUITUR TANTUM UNUM CANTICUM

Post istam lectionem non sequitur canticum. Sunt enim .IIII[or]. cantica sicut et lectiones .IIII[or]. Post duas primas sequitur unum canticum et post ultimum duo cantica secun-
240 tur.

Idcirco due prime uno cantico clauduntur quia in his duabus est historica narratio, vel etiam idcirco post primam non sequitur canticum quia in ea agitur de primo homine, (cf Rom. 5.12) in quo omnes peccaverunt. Unde potius deberet sequi
245 luctus quam canticum, quod est exultatio mentis, sed quia primus homo per oblectamenta peccati a gloria cecidit et ad eam redire possumus si rationem[g] contra[h] peccatum steterimus, idcirco sacerdos orat statim post lectionem, dicens: *Deus, qui hominem mirabiliter creasti et mirabilius reformasti, da*

237-334 Amal. 1.19.5,13 (II.115,118-119); Dur. 6.81.3-8.
248-251 Oratio post Lectionem 1.

[d] quorum . . . baptismatis *om* KMS      [e] utimur MK      [f] reluceat AB/
*om* M/ relucent KS      [g] ratione ABK      [h] qua A

250 *nobis contra oblectamenta peccati ratione persistere ut ad eterna gaudia pervenire mereamur.* Inde hoc etiam quod ipse dicit *Qui hominem mirabiliter creasti, et mirabilius reformasti* innuit quod in presenti[1] lectione historice agitur de hominis creatione et allegorice de eius redemptione, id est de illo per
255 quem facta est redemptio.

In secunda quoque lectione (Ex 14.24-15.1), ut diximus, est historica narratio, sed ipsa pertinet ad secundum pedem mense quia ibi quod historice dicitur allegorice intelligitur, nam quod in Mari Rubro submersis Egyptiis liberati sunt
260 Hebrei, ita in baptismo submersis vitiis liberatur populus Dei. Unde post illam lectionem sequitur canticum letitie et victorie, videlicet (Ex 15.1-2): *Cantemus Domino*, etc., in quo exultat populus christianus quod a spiritualibus[j] Egyptiis per baptismum est liberatus sicut Iudei a corporalibus. Unde
265 sacerdos orat ut mysterium quo Dominus priorem populum liberavit ab Egyptiis ipse ad salutem gentium in aqua baptismatis operetur.

Tertia lectio (Is 4.1-6) pertinet ad secundum pedem mense licet qualitercumque, ut dictum est, tertio possit coaptari.
270 In ea enim continentur sacramenta Christi et Ecclesie.

Sacramentum Christi ibi notatur ubi dicitur (Is 4.1): *Apprehendent .VII. mulieres virum unum.* .VII. mulieres sunt .VII. dona Spiritus sancti, que apprehenderunt Christum ut in eo plene quiescerent, quod in alio homine facere non po-
275 tuerunt, vitiis et peccatis impedientibus. Sequitur (Is 4.1) *Panem nostrum comedemus*; ad ipsum Spiritum sanctum cuius hec dona sunt refertur, nam Spiritum sanctum panem suum comedere et vestimentis suis cooperiri nihil aliud est quam

256-267  Hon. 3.107 (PL 172.670A).
265-267  Oratio post Lectionem 2.

[1] precedenti A     [j] specialibus K

ipsum equalitatem Patris et Filii possidentem nullo indigere.
280 Quod subditur[k] (Is. 4.1): *Tantummodo invocetur nomen tuum
super nos*, id est illi in quibus erit habitatio nostra a nomine
tuo dicamur Christiani. Et subditur (Is 4.1): *Aufer opprobrium nostrum*, quod in aliis hominibus passi sumus, a quibus
sepe per vitia et peccata expulsi sumus.

285 In eo quod sequitur infra notatur sacramentum ecclesie,
ubi dicitur (Is 4.4) *Si abluerit Dominus sordes filiarum[l]
Sion, et laverit[m] sanguinem Ierusalem de domo eius in spiritu
iudicii et spiritu ardoris.* Quod per *sordes* notat leviora,
per *sanguinem* graviora. Leviora peccata lavat Dominus
290 "in spiritu iudicii," id est levioris correctionis, graviora *in
spiritu ardoris*, id est gravioris satisfactionis. Notat igitur in
hoc effectum baptismi quod Dominus tam leviora quam graviora peccata tollit per baptismum.

Post hanc lectionem sequitur canticum, in quo est primum
295 sacramentum synagoge, scilicet (Is 5.1-2) *Vinea facta est
dilecto meo*, etc. *Vinea* enim ad litteram synagoga est
(cf Is 5.2) *sepes* circa eam legales observantie. *Turris* in
ea est templum, *torcular* altare holocausti. In eis nihilominus
sacramenta Ecclesie intelliguntur: *vinea* enim est Ecclesia,
300 que facta est (cf Is 5.1) *in cornu* illo, scilicet cornu de quo
dictum est (Luc 1.69): *Erexit Dominus cornu salutis in nobis.* Hoc *cornu* est Christus, et *vinea* facta est in loco uberi.
Christus est locus uber, de quo dictum est (Ps 67.16): *Mons
Dei, mons pinguis. Sepes* circa hanc vineam est divina pro-
305 tectio, *fossa* timor Domini, *turris* ipse Christus, de quo dictum est (cf Ps 60.4): *Esto nobis[n] turris fortitudinis. Torcular*
crux Christi, de qua dictum est (Is 63.3): *Torcular calcavi
solus.*

285-293 Amal. 1.19.8 (II.116-117).

[k] similitudo K      [l] filiorum K      [m] lavit K      [n] domine *add* MK

Et quia in lectione et in cantico exprimuntur sacramenta
310 Ecclesie et synagoge, idcirco sacerdos orat, dicens: *Deus,
qui nos ad celebrandum paschale sacramentum utriusque testamenti paginis instruis.* Utriusque Testamenti dicit ut notet
utriusque testamenti sacramentum, et subdit: *da nobis intelligere misericordiam tuam, ut perceptione presentium mune-
315 rum firma sit expectatio*[o] *futurorum.* Misericordia Domini
quam nos intelligere optat est remissio peccatorum in baptismo. *Presentia igitur munera* sunt spiritualia dona que in
presenti percipimus, quibus bene servatis futura percipie-
mus.

320    Ex predictis iam patet quod in prima lectione instruitur
homo de sua formatione, secunda et tertia[p] de reformatione
que fit in baptismo per Iesum Christum. Iam non restat nisi
quod instruatur catechumenus de vita beata et de bonis moribus per quos ad eam venitur, que in quarta lectione docetur,
325 scilicet (Is 54.17-55.11) *Hec est hereditas*[q] *servorum Dei, et
iustitia eorum apud me, dicit Dominus.* Vita eterna est *hereditas* que servis Domini debetur, et *iustitia eorum* est esse
apud eum, nam meritis eorum iuste debetur[r] ut apud eum
eternaliter quiescant. Ea que secuntur ad mores pertinent,
330 ut illud (Is 55.2): *Audite, audientes me, et comedite bonum,
et delectabitur in crassitudine*[s] *anima vestra.* Bonum est intelligere Iesum Christum vel verbum eius quo anima reficitur[t];
unde notans delicias anime, non carnis, dixit: *delectabitur in
crassitudine anima vestra.*

309-312 Amal. 1.19.9 (II.117).
310-315 Oratio post Lectionem 7. Apud *Sacram. gregor.* n⁰ 84.3 et 110.3
post Lectionem 8 legitur.
320-322 Cf. Amal. 1.19.3 (II.115.31-32).
321 Amal. 1.19.4 (II.115.38).

[o] *om* KS    [p] et tertia *om* K    [q] ebrietas KS    [r] et iustitia eorum
est . . . debetur *om* M    [s] in crassitudine/mansuetudine M    [t] anima reficitur] omnia reficiuntur A

### 23. QUARE DUO CANTICA SEQUUNTUR LECTIONEM *HEC EST HEREDITAS*

335     Hanc lectionem secuntur duo cantica propterea ut dicitur in libro qui intitulatur *Gemma anime*. In ea enim agitur de hereditate eterna, que erit in duobus, id est in gloria anime et corporis. Sed convenientior ratio est quia in ea de duobus agitur, scilicet de moribus bonis et vita beata, ut dictum est.

340     Primum, scilicet (Deut 32.1-4) *Audite, celi, que loquor*[u], ad bonos mores pertinet; unde verba cantici huius verbis lectionis in pluribus respondent. In lectione enim dicitur (Is. 55.1): *Omnes sitientes, venite ad aquas*, et in cantico (Deut. 32.2): *Expectetur ut pluvia eloquium meum*, etc. In lectione

345     dicitur (Is. 55.3): *Feriam vobiscum pactum sempiternam, misericordias David fidelis*, et in cantico (Deut 32.4): *Deus fidelis, et absque ulla iniquitate*, etc. Ibi dicitur (Is 55.10): *Quomodo descendit imber et nix de celo, et illuc ultra non revertitur sed inebriat terram et germinare eam facit*, etc. hic dicitur (Deut

350     32.2): *Quasi*[v] *imber super herbam, et nix super fenum*, etc. Et quia omnia bona que facimus ad Dei gloriam sunt referenda, idcirco circa finem lectionis dicitur (Deut 32.3): *Date magnificentiam Deo nostro*. Attendens vero sacerdos catechumenorum animos esse devotos et ad baptizandum esse paratos,

355     orat quod Dominous *quos aqua baptismatis abluit continua protectione tueatur*.

### 24. EX PERSONA CATECHUMENORUM *SICUT CERVUS*

Postea sequitur Canticum in persona catechumenorum respondentium se affectare baptismum ut per hoc ad visionem

---

335-356   Amal. 1.19.13-15 (II.119-120); Dur. 6.81.8.
336-338   Hon. 3.107 (PL 172.670B).
353-356   Ex oratione post Lectionem 6, antiquitus vero post Lectionem 7: *Sacram. Gregor.* 84.4; *Liber sacram.* 74.325.
357-368   Amal. 1.19.16-18 (II.120); Dur. 6.81.8.

[u] loquar K     [v] quantum K

Dei perveniant. Unde cantatur (Ps 41.2) *Sicut cervus de-*
360 *siderat ad fontes aquarum* etc., in quo dicit beatus Augustinus
quod hoc in persona catechumenorum dicitur, desiderantium
ad fontem pervenire sicut cervus desiderat ad fontes aquarum
venire. Post exponit desiderium suum cathecumenus dicens
(Ps 41.3): *Sitivit anima mea ad Deum fontem vivum. Quando*
365 *veniam et apparebo ante faciem Dei?* quasi dicat: Sitio in ingressu, sitio in progressu, satiabor in perventu. Hoc desiderium confirmat sacerdos, orans et dicens: *ut desideriis celesti-*
*bus accensi, fontem vite sitiamus.*

### 25. DE ILLIS QUI .XII. LECTIONES [LEGUNT]

Nunc aliquantulum tangamus consuetudinem ecclesiarum
370 hodie XII lectiones legentium. Verum etiam si legant .XII.
lectiones, non tamen cantant nisi .IIII$^{or}$. predicta$^w$ cantica.
Post quartam enim lectionem cantant primum cantum, post
.VIII$^{am}$. secundum, post XI$^{am}$ tertium, post. XII$^{am}$. quartum.

Prima lectio est (Gen 1.1-2.2) *In principio creavit Deus*
375 *celum et terram*, etc., in qua homo ad imaginem Dei factus
docetur. Sed hec imago, pene amissa per peccatum, restaura-
tur per baptismum.

Unde sequitur secunda lectio (Gen 5.31-6.22, 7.11-14, 18-
21, 24; 8.1-3, 6-12, 15-21) *Noe cum esset*, etc., in qua osten-
380 ditur quod omnes perierunt in diluvio exceptis his qui in arca
salvati sunt. Diluvium est baptismus, arca est Ecclesia: omnes enim qui extra Ecclesiam baptizantur pereunt, et illi soli
qui sunt in Ecclesia, merito salvantur.

360-366  Cf. Aug. *Enarr. in Ps* 41.1,5 (PL 36.464,466D).
366-368  Amal. 4.29.1 (II.496); *Liber sacram.* n° 74.326; *Sacram. gre-*
*gor.* n° 84.5.
369-432  Eaedem lectiones eodem ordine recensentur in Hon. 3.108 (PL
172.671-672) et legebantur in *Missale romano* usque ad 1956; Dur. 6.81.10-
12.

$^w$ preclara KMS

Et quia post baptismum debet esse paratus ad temptationem,
385  idcirco sequitur tertia lectio (Gen 22.1-19) *Temptavit Do-*
*minus*[x] *Abraham,* in qua Isaac a patre legitur oblatus et
aries pro eo immolatus, ita et Dei Filius pro nobis est oblatus[y]
sed non[z] eius deitas immolata, corpus eius pro nobis est im-
molatum.
390  Et quia in passione Domini baptismus maiorem efficaciam
recepit, idcirco sequitur .IIII[a]. lectio, scilicet (Ex 14.24-15.1)
*Factum est in vigilia matutina,* in qua ostenditur quod in Mari
Rubro submersi sunt Egyptii et liberati Hebrei. Sacerdos
enim est Moyses, baptismus mare, cereus columna ignis, cate-
395  chumeni Egyptii, baptizati Hebrei.

### 26. EX QUIBUS LIBRIS SUMPTE SINT LECTIONES

Tres prime lectiones sumpte sunt de Genesi, quarta de Exodo, quam sequitur canticum similiter de Exodo (15.1-2) sumptum, canticum victorie.
.V[a]. lectio (Is 54.17-55.11), *Hec est hereditas,* sumpta est
400  de Isaia, et hec ibi (55.1): *Silientes, venite ad aquas,* ubi invitantur ad baptismum.

### 27. QUARE LECTIO DE LIBRO BARUCH<br>ATTRIBUATUR IEREMIE

.VI[a]. lectio (Bar 3.9-38), *Audi, Israel,* sumpta est de Ieremia vel potius de Baruch, sed convenienter de Ieremia dicitur,
quia quidquid scripsit Baruch de ore Ieremie sumpsit. In ea
405  agitur de Christi resurrectione, que immersione baptismi significatur, et hoc ibi (Bar 3.38): *Post hec in terris visus est, et cum*
*hominibus conversatus est.*
.VII[a]., *Facta est super me manus Domini,* sumpta est de
Ezechiele (37.1-14), in qua agitur de generali ressurrectione,
410  cuius causa precessit resurrectio Christi, et hec ibi (37.4):
*Ossa arida* reviviscant[a].

---

[x] deus AKS     [y] immolatus KMS     [z] *om* M     [a] revivificant BMS

.VIIIᵃ., *Apprehendent* .*VII. mulieres virum unum*, sumpta
de Isaia (4.1-6), in qua Christi et Ecclesie sacramenta exprimuntur et etiam baptismus, ibi (4.4): *cum abluerit Dominus*
415 *sordes*, etc. Post quam sequitur canticum Isaie in persona
Ecclesie, videlicetᵇ (5.1-2) *Vinea facta est*, etc.

.VIIIIᵃ., *Dixit Dominus ad Moysen*, Exodi (12.1-11) est,
in qua sub figura agni immolati passio Christi pro nobis immolati exprimitur.

420 .Xᵐᵃ. (Ion 3.1-10), *Factum est verbum Domini ad Ionam.*
Sub figura Ione in mare proiecti et a ceto absorti et tertia die
evomiti significantur passio Christi, sepultura et resurrectio.

.XIᵐᵃ., *Scripsit Moyses*, Deuteronomii (31.22-30) est, quam
sequitur suum canticum (cf Deut 32.1-4), *Audite celum et*ᶜ
425 *loquar*ᵈ, in quo promittuntur premia renatis, quibus in lectione lex Domini proponiturᵉ.

.XIIᵐᵃ., *Nabuchodonosor*, Danielis (3.1-24), in qua figurate
ostenditur quia sicut (Dan 3.49) angelus in camino extinxit
flammam ignis, ita Spiritus sanctus in baptismo flammam
430 peccati extinguit. Unde catechumeni baptismum desiderantes
cantant canticum (Ps 41.2-3), *Sicut cervus*, etc. Hoc sumptum de Psalterio.

### 28. QUARE ROMANI LEGUNT XXIIIIᵒʳ:
### XII GRECE ET XII LATINE

Romani vero legunt .XXIIIIᵒʳ. lectiones, XII grece et
XII latine, quia ipsi duas habent translationesᶠ, LXXᵃ inter-
435 pretum et nostram. Primum legunt XII grece iuxta translationem LXXᵃ interpretumᵍ, postea XII latine iuxta nostram,
idcirco ut significent cathecumenos fundari super fundamen-

---

433-442  Cf. Hon. 3.109 (PL 172.672).
443-455  Cf. Hon. 3.111 (PL 172.672CD); Dur. 6.82.3,4,9-11.

ᵇ videtur KMS    ᶜ que K    ᵈ loquor A    ᵉ preponitur KS
ᶠ translationem *add* AB    ᵍ iuxta ... interpretum *om* M

tum apostolorum et prophetarum.  Postea descendent[h] ad
baptismum cum cantico.  Canticum sanctorum est interces-
440  sio facta pro catechumenis ut Ecclesie iugantur, sicut et cantus post baptismum est gratiarum actio de coniunctis et intercessio ut perseverent.

### 29. DE ILLIS SEX QUI FIUNT IN BENEDICTIONE BAPTISTERII

Sex fiunt in benedictione baptisterii: sacerdos orat, aquam
manu tangit, vocem mutat, immergitur cereus, insufflat sa-
445  cerdos, et chrisma miscet.
Orat ut Spiritus sanctus in fontem descendat.

### 30. QUARE AD MODUM CRUCIS TANGAT AQUAM SACERDOS

Tangit aquam manu in modum crucis quia per lignum crucis baptismus maxime recipit[i] efficaciam.

### 31. QUARE MUTET VOCEM

Mutatio vocis est signum humilitatis que in adventu Spiri-
450  tus sancti est necessaria.

### 32. QUARE CEREUM IMMERGAT

Mersio cerei est adventus Spiritus sancti.

### 33. QUARE INSUFFLAT

Insufflat sacerdos ut spiritus immundus expellatur et aqua
Spiritu sancto fecundetur.

### 34. QUARE CHRISMA ADMISCEATUR

Chrismatis admixtio est Christi et ecclesie unio, nam chrisma
455  est Christus, aqua populus, iuxta illud: Aque multe, populi
multi, sed hec diffusius[j] pertractemus.  Sacerdos igitur im-
primis ab astantibus sibi benevolentiam captat salutando, di-

454-511  Cf. Amal. 1.25.1-6 (II.134-136); Dur. 6.82.11,3,6.

h descenditur *mss*   i recepit  ABMS   j distinctius M

cens: *Dominus vobiscum.* Respondent: *Et cum spiritu tuo,*
quasi dicant: Dominus sit tecum in tanto sacramento perfi-
460 ciendo, quia sine eo nihil potes. Post sacerdos alloquitur
Dominum quasi longe positum, rogans ut velit adesse, dicens:
*Omnipotens sempiterne Deus, adesto magne pietatis tue my-
steriis, adesto sacramentis,* etc., sed quia videtur sacerdoti
quod non sit sufficiens et indignus sit ad tam magnum
465 Dominum invocandum, iterum sic circumstantes monet et
vocem mutat; unde dicit: *Sursum corda,* et ipsi respondent:
*Habemus ad Dominum.*

Sed quia Dominus dicit (Is 52.6) adhuc loquente: *Ecce
adsum,* intelligens iam Dominum esse presentem, monet alios
470 secum[k] ei gratias agere, dicens: *Gratias agamus Domino
Deo nostro,* et ipsi respondent: *Dignum et iustum est.* Postea sacerdos tanquam Domino presenti familiariter loquens,
dicit; *Vere dignum et iustum est,* etc., et adiecit; *Qui invisibili potentia sacramentorum tuorum mirabiliter operaris ef-
475 fectum,* etc.

Postea ponit duo[l] in quibus significatum[m] fuit baptismum,
primum in exordio mundi nascentis, secundum in purgatione
mundi nocentis; primum cum dicit; *Deus, cuius Spiritus
super aquas ferebatur, ut iam tunc inter ipsa mundi primor-
480 dia virtutem significationis aquarum natura susciperet[n],* id
est conceptura significaretur[o]; secundum cum subiungit: *Deus,
qui nocentis[p] mundi crimina per aquas abluens, regenerationis
speciem in ipsa effusione diluvii significasti ut, unius eiusdem-
que elementi mysterio, et finis esset vitiis et origo virtutibus,
485 respice in faciem ecclesie tue,* etc., et terminat hanc orationem: *Ut tue maiestatis imperio sumat unigeniti tui gratiam,*
de Spiritu sancto subauditur.

---

[k] sancti M/ sicut K     [l] de eo KMS     [m] signatum M     [n] concipe-
ret A     [o] signaretur AB     [p] innocentis B

### 35. QUARE IN MODUM CRUCIS AQUAM TANGAT.

Sacerdos igitur tangit aquam manu in modum crucis predicta ratione, ut aqua Spiritu sancto fecundetur et spiritus
490 immundus expellatur. De fecundatione^q dicit: *Qui hanc aquam, regenerandis hominibus preparatam, arcana sui luminis admixtione fecundet,* etc., de expulsione demonis dicit: *Procul, ergo, iubente te, Domine, omnis spiritus immundus abscedat,* etc., usque ibi: *non inficiendo corrumpat,* et ibi
495 iterum tangit aquam in modum crucis ut signaculo crucis aquam muniat, ne hostis ab ea expulsus redeundi habeat potestatem. Unde signando dicit: *Sit hec sancta et innocens creatura libera ab omni impugnatoris incursu,* etc.

### 36. QUARE SACERDOS UTATUR VERBO
### PRIME PERSONE

Finita^r hac oratione benedicit aquam, dicens: *Unde bene*
500 *dico te, creatura aque per Deum sanctum,* etc., ubi tamen utitur verbo prime persone, dicens: *benedico,* qui prius utebatur^s verbo secunde, dirigens sermonem ad Deum, vel tertie, loquens de ipso vel de^t .e benedicenda.

Quare utitur verbo prime^u persone ut^v ostendat se hoc fa
505 cere ministerio quod Deus facit auctoritate, et sicut in baptismo Domini affuit Trinitas, ita et in nostro baptismo adesse ostenditur. Patrem adesse ostendit^w cum dicit: *Benedico te, creatura, per Deum* etc., Filium cum dicit: *Benedico te^x per Iesum Christum,* Spiritum sanctum circa finem, ubi di
510 cit: *Descendat in hanc plenitudinem fontis virtus^y Spiritus tui^z.*

490-511 *Sacram. gregor.* n° 85.4-8,10. Textus et rubricae in *Missale romano* adhuc leguntur.

^q fundatione KS    ^r facta M    ^s utitur M    ^t *om* BMS    ^u *om*
BKMS    ^v cum K    ^w ostenditur K    ^x creatura aque *add* K
^y virtutes BS/ vite K/ *om* A    ^z sanctus A

### 37. .V. MIRACULA FACTA IN AQUA
### ANTE ADVENTUM CHRISTI

Et nota quod ın benedictione que est per Patrem ponuntur
.V. miracula in aqua facta[a] ante adventum Christi et in benedictione que fit per Filium alia .V. miracula in aqua post ad-
515 ventum, que licet non eodem ordine facta sint omnino quo
ponuntur, tamen quantum ad mysterium rationabiliter ordinantur et posteriora prioribus congrue coaptantur[b].

### 38. DE .V. PRIORIBUS

Priora hoc ordine ponuntur: .I. *Qui te verbo separavit ab*
*arida,* .II. *Cuius spiritus super te ferebatur,* .III. *Qui de*
520 *paradiso te manare precepit,* etc., .IIII. *Qui te, in deserto ama-*
*ram, suavitate indita fecit esse potabilem,* .V. *Sitienti populo*
*de petra produxit.*

### 39. DE .V. MIRACULIS FACTIS IN
### AQUA POST ADVENTUM

Posteriora sic ponuntur; .I. *Qui te in Cana Galilee mutavit*
*in vinum,* .II. *Qui pedibus super te ambulavit,* .III. *Qui*
525 *in te a Ioanne baptizatus est,* .IIII. *Qui te una cum sanguine*
*suo de latere produxit,* .V. *Qui in te omnes gentes a discipu-*
*lis baptizari precepit* etc.

### 40. QUOMODO PER ANTITHESIM RESPONDEANT
### POSTERIORA PRIORIBUS

In omnibus his baptismus exprimitur et posteriora prioribus
per antithesim respondent. In prima aqua baptismi, *verbo*
530 *separata ab arida,* accendente verbo terrenitatem peccatorum
a nobis separat. In baptismo quoque aqua mutatur in[c] vinum
quia, tristitia peccatorum expulsa, mens nostra quadam spirituali letitia inebriatur, que per vinum intelligitur[d], unde (Ps

512-563  Dur. 6.82.7-9.

[a] sancta B    [b] captantur K    [c] mutatur in] mittatur S    [d] intelligatur  K

103.15): *vinum letificat cor hominis*. Aquam enim mutari in vi-
535 num est timorem de peccatis converti in exultationem mentis.

Ibi dicitur (Gen 1.2): *Spiritus ferebatur super aquas*; hic
dicitur: *Qui pedibus super te ambulavit*, et hec duo bene
conveniunt, quia in baptismo sicut in aliis, et indivisibilis est
operatio Patris et Filii et Spiritus sancti et utrobique dicitur
540 *super*, quia gratia que confertur in baptismo de supernis
est, et ut notetur quod Dominus potentiam suam sacramentis
non alligavit[e].

Ibi dicitur: *Qui te de paradiso*, etc., quia gratia baptismi,
de paradiso Ecclesie[f] perfluens, in .IIII[or]. partes orbis, dilatata
545 est, quod quodammodo factum est quando Dominus baptizatus est, quia tunc omnes aque vim regenerativam susceperunt.

Ibi aqua *in deserto suavitate indita facta* est potabilis quia
in gentilitate, que prius erat a Domino deserta, aqua baptismi
reficiendi mentes et sanandi[g] habet effectum. Dulcorata au-
550 tem fuit per lignum aqua quia per passionem crucis maxime
baptismus recipit effectum, unde in cruce de latere Domini
aqua profluxit.

Ibi *sitienti populo aqua de petra producta est* et baptismus
a Christo petra originem [habens], populum eum desiderantem
555 reficit: non enim prodest baptismus nisi sitienti eum, id est
desideranti, vel in se vel in alio. Unde discipulis preceptum
est ut baptizarent (Mt 28.19) *omnes gentes in nomine Patris
et Filii et Spiritus sancti* sicut in ultimo capitulo[h] Matthei dicitur.

### 41. QUARE SACERDOS AQUAM IN .IIII[or]. PARTES PROICIT

560 Nota quod ubi dicitur: *Qui te de paradiso manare* et in
.IIII[or]. fluminibus totam terram rigare precepit. Ibi sacerdos
aquam manu in partes proicit ut ostendatur quod gratia baptismi in .IIII[or]. partes orbis sit dilatata.

[e] allegavit BKS     [f] ecclesia AK     [g] saciandi AB     [h] posteriorum *mss*

## 42. QUARE SACERDOS AQUAM TER TANGAT

Ter igitur sacerdos aquam tangit; primo ut Spiritu sancto
565 fecundetur et spiritus immundus eiciatur, secundo ut contra
inpugnatoris incursum muniatur, tertio ut in baptismi gratia
per totum orbem diffusa ostendatur.

## 43. QUARE SACERDOS MUTET VOCEM

Post benedictionem que fit per Filium, que terminatur: *In
nomine Patris et Filii et Spiritus sancti,* mutat sacerdos vo-
570 cem. Usque ad locum illum cantat in modum Prefationis,
sed postea legit in modum lectionis voce humiliori. Illa
vocis humiliatio est quedam ad Spiritus sancti adventum
preparatio, sicut predictum est. Dicit ergo sacerdos: *Hec nobis precepta servantibus* etc., quasi dicat: Non auderemus
575 tantam rem et tam altam, scilicet Spiritum sanctum, in na-
turam aque ut descendat vocare, quia tu precepisti nobis
baptisma exercere, et addit sacerdos: *Tu, Deus omnipotens,
clemens adesto; tu benignus aspira,* etc., ubi orat ut, sicut in
predictis, miraculose in aqua operatus est, ita et modo faciat,
580 videlicet *ut preter naturalem emundationem[i] quam aque possunt adhibere corporibus, sint et purificandis mentibus ef-
ficaces.*

## 44. QUARE SACERDOS ALTA
## VOCE CLAMAT *DESCENDAT*

Post hec alta voce clamat sacerdos: *Descendat in hanc
plenitudinem fontis virtus[j] Spiritus tui[k].* Alta voce clamat
585 ut altum mentis designet desiderium. Et tunc deponitur

564-567  Dur. 6.82.4-6.
568-587  Dur. 6.82.9.
568-582  Cf. Amal. 1.25.4-5 (II.135-136).
573  Cf. supra n° 31.
583-587  Cf. Amal. 1.25.6 (II.136).

[i] emulationem B     [j] *om* KS/ etc M     [k] spiritus tui *om* M

cereus in aquam. Ipsa cerei immersio, sicut dictum est, est Spiritus sancti infusio[1].

### 45. QUARE NEOPHYTI HABEANT CEREOS SUOS EXTINCTOS

Habent quoque neophyti cereos suos extinctos, qui etsi plures sint pro uno reputantur. Sicut in cereo accenso significa-
590 tur (Ex 13.21) columna ignis, ita et in cereo extincto significatur columna nubis que precedebat populum, in qua significabatur Spiritus sanctus.

### 46. QUARE DIVERSIS HORIS ACCENDANTUR CEREI BAPTIZATORUM

Notandum autem quod cereus catechumenorum in quibusdam ecclesiis statim cum baptizati sunt illuminatur, in qui-
595 busdam differtur eis illuminatio usque ad *Agnus Dei* quod cantatur in Litania, in quibusdam usque ad Missam. Qui statim post baptismum accendunt significant quod turbationem peccatorum comitatur illuminatio gratiarum; qui differunt usque ad "Agnus Dei" significant per agnum (Jn 1.29) qui tollit
600 peccata mundi fideles illuminari; qui differunt usque ad Missam ideo faciunt quia Missa illa ad noctem pertinet resurrectionis dominice, ut sicut nox irradiata fuit splendore, ita a nostro lumine irradietur et ut neophytos nostros Christo resurrexisse signemus.

### 47. QUARE SUFFLET TER IN AQUA

605 Post immersionem cerei in quibusdam ecclesiis sacerdos sufflat in aquam, dicens: *totamque huius aque substantiam regenerandi fecundet*[m] *effectu.* Insufflat autem ter quia Spiri-

587  Cf. supra n° 32.
588-604  Dur. 6.82.10.
598-600  Amal. 1.30 (II.157).
600-604  Cf. Amal. 1.26.5 (II.138).
606-607  *Sacram. gregor.* n° 85.10.

[1] immissio A     [m] regenerandi fecundet] regnandi fecundetur K

tus sanctus in baptismo operatur tria: a vitiis purgat, virtutibus illustrat et tandem premio eterno coronat. In quibusdam
610 ecclesiis fit hec sufflatio [ut] supra, ubi de immundi spiritus
expulsione agitur, ut sicut in exorcismo catechumenorum spiritus immundus exsufflatur ut ab homine recedat, ita in exorcismo aque ab ea expellatur, ut intelligat Satanas quam vilis[n]
habeatur qui tam leviter, videlicet per exsufflationem, potest
615 expelli.

Post exsufflationem munitur aqua crucis[o] signaculo ut non
habeat potestatem diabolus amplius ad eam redeundi. Post
omnia fit admixtio chrismatis in aqua, sicut dictum est, [qua]
unio Christi et Ecclesie significatur, et dicitur: *Sanctificetur*
620 *et fecundetur fons iste*, etc. Ex quibus verbis ad quid fiat
admixtio satis intelligi datur.

Post hec baptizatur[p] neophytus et queritur ab eo utrum abre-
nuntiet diabolo, etc.—ipse respondet: *Abrenuntio*;—et utrum
credat in Patrem et Filium et Spiritum sanctum, et ipse re-
625 spondet: *Credo*. In his duobus de vita et de fide instruitur:
de vita cum docetur abrenuntiare diabolo, de fide cum docetur
credere in Trinitatem.

### 48. QUARE FIANT DUE UNCTIONES IN SCAPULIS ET IN PECTORE

Unde due fiunt et unctiones, una inter scapulas, per quam
significatur virtus bonorum operum—scapulis enim onera por-
630 tamus; alia in pectore, per quam intelligitur virtus fidei, nam
in pectore est locus cordis et (Rom 10.10) *corde creditur ad
iustitiam*.

610  Cf. supra, n° 33.
618  Cf. supra, n° 34. l. 454.
622-627  Cf. Amal. 1.23.7,11 (II.127-128); cf. Hon. 3.111 (PL 172.672D).
628-632  Cf. Amal. 1.23.5-6 (II.126-127); Dur. 1.8.8; cf. Hon. *ibid.*

[n] quam vilis] quamvis AKMS    [o] signando *add* K    [p] baptizatus
ABMS/ baptismus K

### 49. QUARE FIAT TRINA IMMERSIO

Post hoc baptizatur trina immersione in nomine Trinitatis. Trina fit immersio quia in fide Trinitatis baptizatur. In trina
635 etiam immersione triduana Domini sepultura intelligitur. Fit quoque ideo trina immersio quia in baptismo a triplici peccato, scilicet cogitationis, locutionis, operationis, mundamur, et a triplici transgressione liberamur[q], videlicet transgressione legis nature, legis Mosaice, legis evangelice.

### 50. DE UNCTIONE IN CEREBRO.
### QUARE UNGATUR IN CEREBRO

640  Postea, antequam baptizatus plene extrahatur de aqua, inungitur a presbytero in cerebro, quia eius anima desponsata est capiti Christo. Hanc unctionem Silvester papa instituit fieri a presbyteris, sicut scriptum est de eo: "Hic instituit baptizatum chrismate liniri[r] a presbyteris propter occasionem
645 mortis." Credibile est quod utraque unctio verticis et frontis episcopo servabatur[s] ante tempora Silvestri, sed propter timorem mortis voluit ut hec unctio fieret a presbytero.

### 51. DE VESTE QUE DATUR POST BAPTISMUM

Sed quia non tanto premio frueretur, sicut ab Amalario dici videtur; post hec datur baptizato[t] vestis candida in signum
650 sacerdotii et mitra in signum corone regni, quia ipse est membrum Christi, qui est rex et sacerdos. Omnes enim vere christiani reges et sacerdotes dicuntur: reges quia seipsos regunt, sacerdotes quia seipsos Domino offerunt, iuxta illud Apostoli (Rom. 12.1): *Obsecro vos ut exhibeatis corpora vestra hostiam*

633-639   Hon. 3.111 (PL 172.673A); Dur. 6.83.11-12.
640-645   Amal. 1.27.1 (II.138); L. Duchesne, *Liber pontificalis* I, 171; Hon. 3.111 (PL 172.673A); cf. Dur. 1.8.10.
645-648   Cf. Amal 1.27.3 (II.139).
648-655   L. Duchesne, *ibid.*; Hon. 3.111 (PL 172.673B); Dur. 6.83.15.

[q] mundamur M    [r] leniri BKS    [s] servaretur ABKS    [t] premio ... baptizato *om* K

655 *viventem*, etc. Hic Petrus dicit (1 Pet 2.9): *Vos estis genus electum, regale sacerdotium.*

### 52. HORA .IX$^a$. FIT BAPTISMUS

Notandum autem quod baptismus fit hora VIIII$^{na}$, in qua Dominus tradidit spiritum, et, sicut sepe dictum est, baptismus per mortem Christi plenam recepit$^u$ efficaciam.

### 53. QUARE FIAT IN SABBATO

660    Fit quoque in sabbato quia Dominus sabbato iacuit in sepulchro et nos consepelimur Christo in baptismo. Per baptismum et sabbatum, id est requiem obtinemus eternam.

### 54. QUARE TANTUM SEMEL DETUR BAPTISMUS

Tantum semel baptizatur quis quia tantum semel mortuus est Christus et sepultus et resurrexit, que tria in baptismo 665 signantur$^v$. Quia tantum una est fides, idcirco unum debet esse sacramentum eius, iuxta illud (Eph 4.5): *Una fides et unum baptisma.*

### 55. DE CONFIRMATIONE. DIFFERENTIA INTER UNCTIONEM FRONTIS ET CEREBRI

Confirmatio fit ab episcopis in fronte, et differt hec unctio ab illa unctione que fit in cerebro, quia per illam, ut dictum 670 est, anima Christo desponsatur, per istam dotatur et ditatur; per illam ostenditur esse sanata vulnera, per hanc plenitudo gratiarum confertur.

657-659 Amal. 4.28 (II.495-496).
657-662 Hon. 3.112 (PL 172.673C); Dur. 6.106.2.
663-667 Hon. 3.112 (PL 172.673C); Dur. 6.83.12.
668-688 Amal. 1.27.4-5 (II.139); *Sacram. gregor.* n° 85.11; 86, p. 54; Hon. 3.114 (PL 172.673); Dur. 6.84.4; M. Andrieu, *Le pontiiical romain au moyen-âge*, III. *Le pontifical de Guillaume Durand* (Studi e testi 88), Città del Vaticano 1940, 333-335.
669-670 Cf. supra n° 50, 493-494.

$^u$ recipit AB     $^v$ significatur A

Quod ex verbis utriusque unctionis potest perpendi. In collatione enim illius unctionis dicit sacerdos: *Deus omnipo-*
675 *tens, Pater Domini nostri Iesu Christi, qui te regenaravit ex aqua et Spiritu sancto, quique tibi dedit remissionem omnium peccatorum, ipse te liniat chrismate salutis in vitam eternam.* His verbis quedam salvatio[w] que est in vitam eternam per hanc unctionem obtineri ostenditur.

680 Sed hec verba transcendit episcopus in unctione confirmationis, dicens: *Emitte in eum Spiritum tuum septiformen, Paraclitum Spiritum, de celis spiritum sapientie et intellectus, spiritum consilii et fortitudinis, spiritum scientie et pietatis; et imple eum spiritu timoris tui, et consigna eum signaculo*
685 *sancte crucis, propriatiatus in vitam eternam.*

Est ergo differentia[x] inter priorem[y] unctionem et secundam. In priori, sicut dictum est, fit anime ad Deum desponsatio, in sequenti dotatio et ditatio.

### 56. QUARE DUPLEX UNCTIO

Duplex quoque unctio significat quod Spiritus sanctus bis
690 datus est discipulis, semel in terra ad dilectionem proximi[z], semel de celo ad dilectionem[a] Dei. Unde ad notandum plenitudinem donorum Spiritus sancti, que in confirmatione conferuntur, dicitur: *Mitte in eum Spiritum sapientie et intellectus,* etc. He sunt veste quibus induuntur filii regis, de quibus
695 dictum est (Jn 1.12): *Dedit eis potestatem filios Dei fieri, his qui credunt in nomine eius,* et de quibus dicit Apostolus (Gal 3.27): *Quotquot baptizati estis Christum induistis.* Non enim

686-691  Hon. 3.114 (PL 172.673D).
687  Cf. supra n° 55, l. 670.
689-699  Dur. 6.84.3.
694-697  Amal. 1.27.5-6 (II.140).

[w] salutatio A      [x] distinctio M      [y] primam M      [z] propriam K
[a] benedictionem K

habet Christum pro indumento qui donis Spiritus sancti, quibus Christus ab ipsa conceptione ornatus fuit, non est ornatus.

### 57. PROGRESSUS DONORUM

700 Connumerat autem hec dona episcopus, incipiens a superiori et digniori, scilicet a sapientia, perveniens usque ad ultimum, videlicet ad timorem. Nobis autem incipiendum est
ab inferiori et procedendum usque ad summum.

Ad hoc enim ut peccata dimittamus et ad sapientiam per-
705 veniamus oportet quod timor gehenne corda nostra moneat,
quia (Ps 110.10) *initium sapientie timor Domini.* Sed iste
timor nihil valet nisi excitet nos ad pietatem— alioquin non
est timor Domini ante oculos nostros—ergo timorem sequitur pietas. Sed quia pietas potest esse indiscreta ut det cui
710 non est dandum et parcat cui non est parcendum, ideo pietatem sequitur scientia, que docet cui dandum, cui parcendum.
Sed quia potest esse ut in eo quod scimus esse faciendum
simus debiles, idcirco post scientiam ponitur fortitudo, que
facit ut fortes simus ad faciendum facienda et cavendum
715 cavenda. Sed quia fortitudo potest esse[b] severa et dura,
ita quod aut vix aut numquam ab eo quod proponimus
flecti possimus, idcirco sequitur consilium, quod consulit
quomodo fortitudine sit utendum[c]. Consilium autem non
potest esse sine intellectu; unde post consilium ponitur intel-
720 lectus. Sed quia[d] intellectus potest esse nimis subtilis in his
que ad rem non pertinent et (Rom 12.3): *plus sapere quam
oportet sapere* satagat, idcirco sequitur sapientia, que maturi-
tatem spiritualem inducit et ipsum intellectum modificat et
ad edificationem disponit.

700-724 Cf. Amal. 1.27.21-23 (II.146-147); Gregorius, *Hom. in Ezechiel*
II, 7.7 (PL 76.1016D-1017C); Dur. 4.47.9.

[b] nimis *add* AB    [c] intendum B    [d] *om* MKS

725    Sunt igitur .VII. dona Spiritus sancti, quorum .IIII<sup>or</sup>. pertinent ad intellectum, scilicet sapientia, intellectus, consilium,
scientia; et tria ad affectum<sup>e</sup>, scilicet·fortitudo, pietas, timor.

### 58. QUOD DONORUM QUEDAM AD VITAM ET QUEDAM AD DOCTRINAM PERTINENT

Quatuor ergo pertinent ad doctrinam, tria ad vitam. Verum quia sapientia est ipsius intellectus quedam maturitas et
730  in spiritualibus iocunditas, idcirco sapientia convenientius ad
vitam refertur.  Sapientia igitur pertinet ad vitam, intellectus ad doctrinam, consilium ad doctrinam, fortitudo ad vitam, scientia ad doctrinam, pietas ad vitam.  Timor vero comitatur ad omnes gradus, nam sapiendum, consulendum, for-
735  titer agendum, sciendum, pie faciendum cum timore, unde
(Ps 2.11) *Servite Domino in timore*, etc.  Hec duo cuilibet
Christiano ratione utenti sunt necessaria, scilicet vita et doctrina; quod notat psalmista ubi ait (Ps 1.2): *In lege Domini
sui voluntas eius*, hec ad vitam; (*ibid.*) *et in lege eius meditabi-*
740  *tur die et nocte*, hec ad doctrinam.

Hec duo significantur in oleo et balsamo ex quibus chrisma
conficitur, sicut longe superius dictum est.  Oleum namque
ad vitam refertur quia per ipsum misericordia intelligitur, que
est omnium virtutum plenitudo, quia sicut oleum supernatat
745  aliis liquoribus, ita misericordia alias virtutes excellit.  Balsamus, cuius odor longe lateque diffunditur, doctrinam significat et famam bonam.

Est igitur sapientia oleum, intellectus balsamum, consilium
balsamum, fortitudo oleum, scientia balsamum, pietas oleum;
750  timor, sicut dictum est, omnibus adiungitur.

731-733 Amal. 1.27.24 (II.147). Sapientia ad vitam, scientia vero
pertinet ad doctrinam: Gregorius, *Hom. in Ezechiel* II, 6.2 (PL 76.998D),
ut ab Amal. 1.27.24 citatur.
741-754 Amal. 1.27.24,27 (II.147-148).
742 Supra Liber I, n° 189,

<sup>e</sup> officium B/ effectum AKMS

In fine orationis dicit sacerdos: *Signa eum signaculo sanc-te crucis, propitiatus in vitam eternam*, in quo optat ut Spiritus sanctus ita eum muniat ut fide passionis munitus veniat ad vitam eternam.

### 59. QUARE SIGNET IN FRONTE

755   Post orationem quam communiter dicit episcopus super omnes confirmandos si plures sunt, singulariter cuiuslibet frontem linit in modum crucis chrismate cum pollice, dicens cuilibet: *In nomine Patris et Filii et Spiritus sancti pax tibi.* Hec salutatio fit ad novum hominem qui dignus est salutari 760   propter vite novitatem.   Interim enim cum erat vetus, non erat salutandus sed tantum pro eo orandum.

Fit autem signum crucis chrismate in fronte illius qui confirmatur ut hoc signo munitum transeat exterminator angelus, videns istum ad se non pertinere, sicut (cf Ex 12.12-13) 765   transivit domos Hebreorum in Egypto, ubi vidit utrumque postem linitum sanguine agni et excussit primogenita Egypti in domibus ubi hoc signum non erat. Quid est sanguis agni nisi fides passionis Christi? Uterque noster postis hoc sanguine linitur[f] cum fidem passionis Christi in corpore et in mente 770   gestamus, in corpore per mysterium, in mente per efficaciam.

Notandum quod confirmatio fiebat ab apostolis per manus impositionem, sicut etiam baptismus in qualibet aqua in nomine Trinitatis dabatur.   Sed beatus Clemens, quartus a bea-

---

751-752   *Sacram. gregor.* n⁰ 86.
755-758   Amal. 1.27.33 (II.150-151).
762-768   Amal. 1.27.29 (II.149).
771-775   Hon. 3.116 (PL 172.674D).
773-775   Quae fecerint Clemens, Damasus et Ambrosius non referunt *La Maison-Dieu* n⁰ 54 (1958) nec Th. Camelot, "Sur la théologie de la Confirmation", *Revue des Sciences philosophiques et théologiques* 38 (1954) 637-657.

---

[f] unitur B

to Petro, chrisma cum oleo [addidit], tandem Damasus et Am-
775 brosius exorcismos et benedictiones adiecerunt.

### 60. QUARE LITANIA POST BAPTISMUM

Litania vero que fit post baptismum est gratiarum actio.
Nihilominus tamen est intercessio sanctorum quibus Ecclesie
munitus significatur, unde in Apocalypsi dicitur (4.3) *Iris
erat posita in circuitu sedis, similis visioni smaragdine.* "Iris,"
780 ut ait Beda, "que fit sole irradiante nubes et que post diluvium fuit propitiationis indicium significat intercessu sanctorum ecclesiam muniri." Nubes enim sunt sancti predicatores et alii sancti, iuxta illud Isaie (60.8): *Qui sunt hi qui ut
nubes volant?* Sol a quo illuminatur Christus est, de quo di-
785 cunt mali in futuro (cf Sap 5.6): *Sol iustitie non alluxit nobis.*
Hii etiam smaragdo comparantur, qui est viridissimi coloris
propter immarcesibilem virorem glorie future.

### 61. QUARE NEOPHYTI DEPONANT ALBAS
### VESTES OCTAVA DIE

Albas vestes deponunt neophyti octava die quas .VII. diebus tulerunt. Hoc enim tempore quod .VII. diebus agitur
790 innocentiam per bona opera exerceri oportet. In octava etate,
quam octava dies significat, ab omni opere presentis cessabi-
mus. Tunc etiam adveniente veritate[g] omnis figura cessabit
omnino, que per vestem candidam innuitur. Nam tunc erimus utroque homine gloriosi, id est anima et corpore, unde
795 octava die duplex Alleluia cantatur. Albe quoque vestes significant corpora nostra, que omni tempore munda servari oportet
iuxta illud (Eccl 9.8): *Omni tempore sint vestimenta tua candida.* In fine autem vite nostre ea deponimus, resumpturi ea
gloriosi[h].

776-787  Cf. Amal. 1.28 (II.151); Dur. 6.83.39.
779-782  Beda, *Explanatio Apocalypsis 1.4* (PL 93.143B).
788-812  Cf. Amal. 1.29.1-5 (II.152-154); Dur. 6.83.18-19.

[g] varietate BM/ vanitate K      [h] gloriosa A

800      Portamus autem quasi octo diebus quia patres Novi Testamenti deserviunt octonario propter octavam resurrectionis
sicut patres Veteris Testamenti septenario serviebant, unde
Salomon (Eccl 11.2): *Da partes .VII. necnon et VIII.* Iam
enim intelligebat ille per Spiritum sanctum quod aliqui erant
805 deservituri octonario et secundum mandata Novi Testamenti
victuri, in quo gloria resurrectionis corporum promittitur, que
octava etate dabitur.

### 62. QUARE SERVANTUR VESTES A SABBATO IN SABBATUM

Servantur autem he vestes de sabbato in sabbatum quia de
sabbato pectoris, si munditiam corporum servaverimus, transi-
810 turi sumus depositis corporibus ad sabbatum eternitatis, ut
ex predictis patet. Alba vestis tria significat: est enim sacerdotii insignum, innocentie et corporis nostri.

### 63. QUARE NEOPHYTI OFFERANT SACERDOTI LUMINARIA IN SABBATO IN ALBIS

Per luminaria bona opera intelligimus, quibus toto tempore
vite presentis lucere debemus. Et nota quod in quibusdam
815 ecclesiis in Sabbato in Albis neophyti offerunt luminaria sua
sacerdoti, quia post hanc vitam ad summum sacerdotem, id
est Christum, cum luminaribus bonorum operum venient, iuxta illud (Ps 125.6): *Venientes autem venient cum exultatione,*
*portantes manipulos suos.*

### 64. DE PATRINIS

820      Hic de patrinis est adiciendum, qui in baptismo et confirmatione sunt necessarii. Notandum igitur quod sacerdos bapti-
zans vel episcopus confirmans se eis obligat quod de eis curam
spiritualem gerat. Verum quia ipse non omnibus potest cu-

808-811    Dur. 6.83.19.
813-819    Dur. 6.89.11.
820-837    Cf. Hon. 3.115 (PL 172.674); Dur. 6.83.35-36.
823-824    Amal. 1.29.10 (II.156.39-41).

ram impendere, idcirco patrino committit qui se fideiussorem
825   constituit quod renatum duo doceat, scilicet Orationem dominicam et Symbolum fidei, que quilibet Christianus adultus
et discretus scire tenetur, vel in lingua latina vel in alia ut[1],
puta, materna. Que si patrinus suum filium neglexerit docere,
gravissime peccabit. Potest autem unus esse in baptismo et
830   in confirmatione patrinus, et potest alius esse in baptismo et
alius in confirmatione.

Iuxta auctoritatem Leonis pape unus tantum debet esse in
baptismo et unus in confirmatione. Sed huic canoni in quibusdam ecclesiis, contraria consuetudine, etiam *Decreto* videtur
835   esse derogatum, in quo dicitur quod "Vir et uxor, si aliquem
levaverint de sacro fonte, non peccant nec impediuntur quin
ad invicem convenire possint."

### 65. QUOD PLURES POSSUNT ESSE PATRINI

Etiam ratio videretur suadere quod plures possint esse, quia
si veniat in dubium de aliquo utrum sit baptizatus, quanto
840   plures sunt testes baptismatis, tanto fortius dubitatio exclu-
ditur, et quanto plures sunt patrini, tanto plures ad instruen-
dum filiolum se constituunt debitores.

### DE MISSA

Nunc de Missa dicendum, in qua plura sunt notabilia, videlicet quod ministri altaris sunt splendidis vestibus decorati,
845   quod Introitus non cantatur solito more sed a Kyrie eleison
officium incipitur, et alia plura sunt notanda que  ordine suo
exponemus.

835-837  Gratianus, *Decretum* III. *De consecr.* Dist. IV, c.101 (Friedberg
I.1394).
838-842  Dur. 6.83.36.
843-853  Dur. 6.85.1-2.

[1] *om* AB

Quod ministri pretiosis vestibus sunt decorati significat quod neophyti sunt indumentis virtutum decorati.

### 66. QUARE INTROITUS NON DICATUR

850    Introitus non dicitur quia ille qui est caput et principium nostrum subtractus est et nocte resurrectionis, licet resurrexisset, a suis nesciebatur; unde Magdalena (cf Jn 20.13) cum invenit monumentum vacuum, credidit eum sublatum.

### 67. QUARE MISSA INCIPIAT A KYRIE ELEISON

Incipit autem officium a Kyrie eleison, quod est quedam 855 vox letitie de hoc quod neophyti sunt renati, et rogat Ecclesia ut Dominus eos in novitate conservare dignetur: omnia enim que sunt usque ad Evangelium ad eos referuntur.

### 68. QUARE *GLORIA IN EXCELSIS DEO*

Sequitur *Gloria in excelsis Deo*, quia pax data est renatis que nuntiata est ab angelis in nocte Nativitatis. Collecta de 860 eis manifesta est, que est *Deus, qui hanc sacratissimam noctem gloria dominice resurrectionis illustras, conserva in nova Ecclesie tue progenie adoptionis spiritum quem dedisti*, etc.

Similiter Epistola (Col 3.1) refertur ad eos, videlicet, *Si consurrexistis cum Christo, que sursum sunt querite, ubi Chris-* 885 *tus est in dextera Dei sedens*. Resurrexistis in baptismo a peccatis sicut Christus resurrexit ab omnibus infirmitatibus suis. Sed ad quid debent laborare resurgentes nisi ea que sursum sunt eterna obtineant, unde addicitur (Col 3.2): *Que sursum sunt sapite, non que super terram*, id est non terrena sed celestia 870 vobis sapiant, et addicitur (Col 3.3): *Mortui enim estis, et vita vestra abscondita est cum Christo in Deo*. Mortui estis

848-849   Cf. Hon. 3.118 (PL 172.674).
854-857   Hon. 3.118 (PL 172.674); Dur. 6.85.2.
858-878   Amal. 1.31.1-3 (II.157-158); Dur. 6.85.2-3.
860-862   *Lib. sacram.* 75.327.
869-909   Dur. 6.85.3-4.
869-884   Cf. Hon. 3.118 (PL 172.675A).

peccato, mortui estis et vobis, ut iam non vobis sed Domino
vivatis, sicut dicit Apostolus (Gal 2.20): *Vivo, iam non ego;
vivit vero in me Christus.* (Col 3.3): *Vita enim vestra abscon-*
875 *dita est in Deo* quia nondum apparet quod futuri estis, sed
(Col 3.4) *cum apparuerit Christus, vita vestra, apparebitis
cum Christo in gloria.* Ecce ad quid debent tendere neophyti,
scilicet ut sint et appareant cum Christo in gloria.

### 69. QUARE PRIMO ALLELUIA ET POST TRACTUS

Post Epistolam sequitur Alleluia et Tractus et preter mo-
870 rem post Alleluia ponitur Tractus. Primo ponitur Alleluia,
quod est quedam vox letitie, ad notandam letitiam neophytorum quam habent de spirituali novitate. Sed quia graves
sunt labores vie, sequitur Tractus. "Tractus" enim dicitur a
"trahendo." Ad idem tamen invitantur neophyti in Versu,
885 Alleluia et in Tractu, videlicet ad laudem Dei, nam "Alleluia" sonat "laudate Dominum." In Versu dicitur (Ps 117.1):
*Confitemini Domino,* etc. Non agitur ibi de confessione peccati sed de confessione laudis. Est ergo sensus: *Confitemini,*
id est laudate, *Dominum,* et additur causa: *quoniam bonus
890 est,* in se scilicet et in nobis, cum quibus benigne egit dimittendo
peccata. Sed quia effectus benignitatis posset esse ad tempus
subditur (Ps 117.2): *Quoniam in seculum misericordia eius.*
Ad idem invitantur in Tractu, scilicet (Ps 116.1): *Quoniam*[j] *con-
firmata est super nos misericordia eius, et veritas Domini manet
895 in eternum*[k]. Revera firmata est misericordia que in eternum
durat, sicut in Versu "Alleluia" dictum est. "Hec autem duo,
scilicet misericordia et veritas, sepe in psalmis coniunguntur

---

887 Amal. 1.31.4 (II.158.6).
887-899 Amal. 1.31.4-6 (II.158-159).
887-895 Aug. *Enarr. in Ps.* 117.1-2 (PL 37.1495-1496).
896-899 Cf. Aug. *Enarr. in Ps* 113, *Sermo* I.13 (PL 37.1480).

[j] postquam M     [k] *om* A

ut nec misericordia iniusta nec veritas nimis austera credatur."

900    Inde Evangelium (Mt 28.1-7) sequitur, in quo de sollicitu-
dine mulierum circa Domini sepulchrum et de ministerio angelorum et de resurrectione Salvatoris agitur, scilicet (Mt 28.1)
*Vespere sabbati, que lucescit in prima sabbati.* "Vespere" accipitur pro "nocte" et [est] sensus: *Vespere sabbati,* id est
905 nocte sabbati. Sed quia posset esse quod venissent mulieres
in principio vel in medio noctis, idcirco adiunctum est: *que
lucescit in prima sabbati,* id est que pertinet ad lucem primi
sabbati, et cum lucescerit, *venit Maria Magdalena et altera
Maria videre sepulchrum,* etc.

### 70. QUARE LUMEN NON PORTATUR ANTE EVANGELIUM

910    Ante Evangelium autem non portatur lumen, quia ille qui
est verum lumen nondum nobis redditus est, sed fertur incen-
sum in signum quod mulieres tulerunt aromata ut ungerent
Iesum.

### 71. QUARE OFFERTORIUM NON CANTATUR

Post Evangelium non cantatur Offertorium, in quo signi-
915 ficamus mulierum silentium, que territe quasi cum silentio recesserunt a monumento. *Sanctus, sanctus, sanctus* cantatur, quod est angelorum canticum, quod angeli in sepultura
Domini et eius resurrectione suum adhibuerunt ministerium.

### 72. QUARE AGNUS DEI NON CANTATUR

Agnus Dei non cantatur, quia discipuli tunc desperaverunt
920 et non credebant eum esse Deum qui redimeret Israel, unde
Cleophas dixit (Lc 24.21): *Nos sperabamus quia redempturus
esset Israel,* quasi diceret: iam non speramus, immo despera-
mus, sed et mulieres que venerunt ad monumentum non cre-

---

910-918  Amal. 1.31.6 (II.159); Hon. 3.118 (PL 172.675A); Dur. 5.85.5-6.
919-933  Amal. 1.31.11-12 (II.161); Hon. 3.110 (PL 172.675AB); Dur. 6.85.
6-7.

debant quia ipse peccata mundi tolleret. Unde et Magdalena,
925   que fuit magis sollicita, audivit a Domino (Jn 20.17): *Noli
me tangere; nondum enim ascendi ad Patrem meum*; subintelligitur: In corde tuo, id est nondum credis me esse equalem
Patri, ergo non credebat eum tollere peccata mundi.

### 73. QUARE PAX NON DETUR

Propter hoc etiam non datur pax, quia non erant qui darent
930   sibi pacem in nomine Christi. Propter hoc quoque non cantatur Communio, quia non erant qui fidei Christi communicarent.
Sacerdos tamen, qui est vicarius Christi, semper implet officium suum.

### 74. QUARE OFFICIUM VESPERARUM NON EST QUASI VESPERE

Adiciuntur brevissime Vespere, scilicet (Ps 116) *Laudate
935   Dominum, omnes gentes* que quasi non sunt Vespere, quia
sabbatum eterne quietis nullam habet vesperam.

### 75. QUARE ADEO BREVES VESPERE

Fit autem hoc propter neophytos, quibus omnia breviter
debent cantari, maxime primo die, ne eis generetur fastidium
ex prolixitate.

### 76. QUARE MISSA ET VESPERE SUB UNA COLLECTA

940   Unde sub una Collecta Missa et Vespere clauduntur, ne forte
si finita Missa dicerentur Vespere, neophyti, non auditis Vesperis, recederent.

### 77. QUARE *GLORIA* IN VESPERIS NON CANTETUR

Cantatur autem *Laudate Dominum, omnes gentes* sine "Gloria" quia Filius, qui est secunda[1] persona in Trinitate, nondum
945   nobis est redditus.

934-936   Hon. 3.118 (PL 172.675B); Dur. 6.85.8.
934-950   Missam sequebantur vesperae usque ad annum 1955, postea
laudes.
937-950   Beleth 111 (PL 202.116D-117A); Dur. 6.85.8.

[1] tertia *mss*

### 78. QUARE PSALMUS ILLE CANTETUR

Invitantur vero neophyti ad laudem Domini per illum
psalmum (116) *Laudate.*

### 79. QUARE POST PSALMUM
### SEQUATUR *MAGNIFICAT*

Et ipsi se laudare respondent, cum quasi unus homo dicant
vel per se vel per alios (Lc 1.46-55): *Magnificat anima mea*
950  *Dominum.*

### DE .VIII. DIEBUS

Hic notandum est quod .VIII. sunt dies in quibus cantatur
pro memoria neophytorum, et singulis diebus singula sunt
denotata officia, quod non fit in toto tempore usque ad Pentecosten.

### 80. QUARE IN PRIMO SABBATO DUPLEX LAUS,
### PRIMO "ALLELUIA," SECUNDO *LAUDATE*

955     In primo autem die et in octavo duplices Laudes ponuntur,
sed in primo Alleluia (Ps 117.1): *Confitemini* et (Ps 116.1-2):
*Laudate Dominum,* in secundo duplex Alleluia. Quare hoc?
Quia in primo vita nostra, que fuit ante peccatum, beata fuit
sed non sempiterna, sed vita que erit in septima quietis erit
960  beata et sempiterna. Quia ergo prima vita fuit beata, idcirco primo cantatur "Alleluia," quia lingua hebrea dignior
est, et quia "Alleluia" est vox angelica. Quia vero non fuit
sempiterna, ad notandum humilitatem sequentis status hu-
miliore lingua cantatur *Laudate Dominum.*

### 81. QUARE IN SEQUENTI SABBATO
### DUPLEX ALLELUIA

965     Et quia vita que erit in .VIIᵃ. quietis erit beata et sempiterna, idcirco in sabbato, qui est septimus dies, duplex canta-

951-954 Amal. 1.32.2 (II.161); Dur. 6.89.21.
955-969 Amal. 1.32.2-3 (II.162); Hon. *Sacramentarium* 13 (PL 172.752C);
Dur. 6.89.21.

tur Alleluia, nam vita illa, que in septima quietis dabitur in
octava etate, que per octavum officium intelligitur, non tolletur sed potius consummabitur.

### 82. QUARE .VI. MEDIIS GRADUALE
### ET ALLELUIA

970    In .VI. autem mediis cantatur Responsorium sive Graduale
et unum Alleluia. Senarius refertur ad opera sicut septenarius
ad quietem[m], quia qui vult ad quietem venire oportet eum
toto tempore presentis vite bene operari.

### 83. QUARE OMNES VERSI SUMPTI SUNT
### DE HOC PSALMO *CONFITEMINI*

Notandum quod omnes versus qui cantantur his diebus
975  sumpti sunt de illo psalmo (117) *Confitemini,* vel de simili, eo
ordine quo ibi positi sunt, exceptis duobus qui prepostere
ponuntur.

### 84. QUARE IN .V[a]. FERIA CANTETUR
### *LAPIDEM QUEM REPROBAVERUNT*

Cantatur enim in .V[a]. feria ille versus (Ps 117.26): *Benedictus[n] qui venit in nomine Domini,* etc., qui est ibi positus
980  ultimo, et in .VI[a]. feria (Ps 117.22): *Lapidem quem reproba-
verunt,* qui primo. Quare? Quia in isto plenius agitur de
passione Salvatoris quam in aliis versibus ibi positis, et idcirco rationabiliter cantatur illa die in qua passus fuit. Verum quia in laboribus presentis vite exultandum est, secun-
985  dum quod dicitur (2 Cor 9.7): *Hilarem datorem diligit Deus,*
idcirco Alleluia, quod est vox letitie[o], convenienter post
Graduale et Versum cantatur.

970-973  Amal. 1.32.6 (II.163-164); Hon. 3.123 (PL 172.678,753A); Dur.
6.89.14.
974-977  Hon. *Sacramentarium* 13 (PL 172.753B).
978-987  Hon. *ibid.*; Dur. 6.89.14.
978-981  *Benedictus qui . . . Lapidem . . .* : verba initialia versiculi Grad.
fer. 6 et 5 infra octavam Paschae.

[m] requiem A      [n] est *add* M      [o] cantatur *add* KMS

## 85. QUARE DUPLEX ALLELUIA IN DOMINICO

Diximus quod in Sabbato in Albis duplex Alleluia cantatur et quare. Ex eadem causa quia cantamus tunc duplex
990 Alleluia in omnibus diebus[p] dominicis usque ad Pentecosten
similiter facimus, videlicet in octava etate, que erit resurrectionis corporum, erimus utroque homine gloriosi et quia resurrectio Domini que facta est in die dominico causa est future glorie nostre resurrectionis, inde est quod quovis die do-
995 minico usque ad Pentecosten duplex Alleluia cantamus
quasi[q] octavam dominice resurrectionis celebremus.

## 86. QUARE DUPLEX ALLELUIA IN
## FESTIS SANCTORUM

In festivitatibus quoque que illo medio tempore occurrunt
canimus duplex Alleluia hac de causa quia sancti iam duobus
gaudent, scilicet eterna quiete et Dei visione, et quia iam ha-
1000 bent gloriam anime et securi sunt de gloria corporis quam in
suo capite certissime cognoscunt.

## 87. QUARE SIMPLEX ALLELUIA IN
## DIEBUS PROFESTIS

Aliis diebus inter octavam Pasche et Pentecosten simplex
Alleluia absque Graduali canimus quia simplicem stolam habent modo sancti.

### DE OFFICIO RESURRECTIONIS

## 88. DE INTROITU EXPOSITIO

5    Iam de officio resurrectionis dicendum est. Dominus igitur
per ora prophetarum (Ps 138.18) dirigens sermonem ad Pa-

988-1  Amal. 1.32.5 (II.163); Hon. 3.135 (PL 172.679-680); Dur. 6.89.25.
2-4  Dur. 6.89.24.
5-125  Textus Missae dominicae Resurrectionis in *Missale romano* leguntur.
5-6  Amal. 1.34.1 (II.167).
5-42  Dur. 6.88.5-6.

p his M    q que B

trem ait: *Resurrexi et adhuc tecum sum, alleluia*, (Ps 138.5-6)
*Posuisti super me manum tuam*, etc.  In quo tria notat, videlicet suam gloriosam resurrectionem et Patris in passione
10  protectionem et cognitionis eius per orbem dilatationem[r]: suam
resurrectionem cum dicitur: *et adhuc tecum sum*, quasi dicat:
Non ita sicut[s] Iudeus cogitavit quod ego a te omnino sum
abiectus tanquam immundus, unde deridendo dicebat Iudeus (cf Mt 27.40, 43): Si Filius Dei es liberet eum, quasi di-
15  ceret: Non liberabit eum quia de eo non curat.  Sed non ita est;
O tu Pater, sicut Iudeus cogitavit; immo *ego resurrexi et adhuc* tecum sum, sicut ab initio fui.

Protectionem in passione notat cum dicit (Ps 138.5): *Posuisti super me manum tuam*, quasi dicat: Protexisti me non
20  a passione sed ab eo quod[t] intendebant Iudei, videlicet ab
extinctione[u] nominis mei.  Hoc enim intendebant, ut nomen
meum extinguerent.  Unde dixerunt (Jn 11.48): *Si dimittimus
eum sic, omnes credent in eum.*  Sed in hoc quod me occiderunt hoc quod ipsi timebant consecutum est, nam ego, qui
25  sum (Jn 12.24-25) *granum frumenti cadens in terram, multum
fructum* attuli, et tam de isto quam de primo laudandus est
Pater, unde post utrumque cantatur *Alleluia.*

Scientie Patris dilatationem notat cum dicit (Ps 138.6):
*Mirabilis facta est scientia tua*, quasi dicat: Ex hoc cognitio
30  tua, Pater, non tantum ad Iudeos sed ad gentes dilatata est,
nam prius tantum in gente Iudeorum cognoscebaris, unde
dictum est (Ps 75.2): *Notus in Iudea Deus*, etc.  Et quia in
utroque populo cognosceris, ab utroque laus offertur, et idcirco duplex Alleluia sequitur: *Alleluia Alleluia*. Ad idem
35  pertinet psalmus, scilicet (138.1-2) *Domine, probasti me et cognovisti me; tu cognovisti sessionem meam et resurrectionem*

7-8  Introitus, Ps. 138.18,5-6.

[r] dilationem KMS     [s] quia K     [t] eis qui K     [u] exultatione K

## 174  TRACTATUS DE OFFICIIS

*meam; sessionem,* id est, humiliationem[v] in passione; *resurrectionem meam,* id est gloriam in resurrectione. Sequitur hymnus Trinitatis, scilicet: *Gloria Patri et Filio et Spiritui sancto,*
40  qui precedentibus diebus intermissus fuit propter ignominiam illatam Trinitati in secunda[w] persona, scilicet in Filio. Nunc autem quia sublata est illa ignominia hymnus ille cantatur.

### 89. QUARE TRES CEREI ANTE ALTARE, QUARE IN TRIBUS DIEBUS TANTUM DUO

Hoc etiam in quibusdam ecclesiis per cereos representatur ubi tres cerei ante altare ardere consueverunt, sed in his die-
45  bus tribus ante Pascha non ardent nisi duo, in signum quod secunda[w] persona nobis substracta est. Sed in die Resurrectionis adicitur tertius, quia per resurrectionem eadem persona gloriose nobis reddita est. In persona igitur Filii loquentis ad Patrem dicitur: *Resurrexi,* etc. Quis autem sit effectus mortis
50  et resurrectionis ostenditur in Collecta, ubi dicitur[x]: *Deus qui per unigenitum tuum[y] eternitatis nobis aditum, devicta morte, reserasti,* etc; apertio igitur ianue est effectus.

### 90. EXPOSITIO EPISTOLE

Qualiter autem illam ianuam intrare valemus[z] ostenditur in Epistola (1 Cor 5.7-8), ubi dicitur: *Expurgate vetus fermentum*
55  *ut sitis nova conspersio sicut estis azymi*[a].

Sed videtur in littera ipsa esse contrarietas. Si enim sumus azimi, id est, fermento carentes, quomodo dicitur nobis: *Expurgate vetus fermentum?* Quomodo etiam dicitur: *Ut sitis nova conspersio sicut estis azymi?* Videtur enim dicere: *Ut*
60  *sitis* azymi *sicut estis azymi* nam, *nova conspersio* nihil aliud est quam farina aqua conspersa, id est pasta nondum fermentata.

43-52  Dur. 6.88.6.
53-74  Dur. 6.88.7-9.

[v] humilitatem AK    [w] tertia *mss*    [x] resurrexi . . . dicitur *om* K
[y] filium *add* K    [z] valeamus ABK    [a] ut . . . azymi] etc M

Sed notandum quod duobus modis dicitur quis peccare,
scilicet peccato proprio et peccato alieno, cum scilicet consen-
tit vel per negligentiam vel alio modo in alieno peccato. Erant
65 ergo illi quibus loquebatur Apostolus azymi, id est sine fermento proprii peccati, sed non erant sine fermento alieni peccati[b],
nam (cf 1 Cor 5.1) habebant inter se illum qui propriam no-
vercam patri suo abstulerat, quale peccatum inter gentes non
inveniebatur, nec reprehendebant eum cum possent, unde fer-
70 mento alieni peccati per consensum erant infecti. Dicitur
ergo eis: *Expurgate vetus fermentum*, id est abicite illum a
vobis per excommunicationem, *ut sitis nova conspersio*, id est
sine fermento alieni peccati, *sicut estis azymi*, id est sine
fermento proprii peccati. Ita etiam nobis dicitur ut expur-
75 gemus *vetus fermentum*, ut simus sine vitio alieno[c], quod
facimus illum abiciendo si potestatem habeamus vel si non
habeamus potestatem, adminus ei non consentiamus. Ad
hoc enim ut intremus januam regni celestis oportet quod
simus immunes a proprio peccato mortali et ab alieno.
80   Et adicitur (1 Cor 5.7-8): *Etenim Pascha nostrum immolatus est Christus*, quasi iam intrare possumus quia per immolationem veri agni aperta est nobis ianua. Proprium autem peccatum in duobus est: in errore fidei et in macula vite. Unde
dicitur nobis quod *epulemur* in azymis sinceritatis et *veritatis*:
85 *sinceritatis*, hoc contra maculam vite; *veritatis*, hoc contra
errorem fidei.

### 91. DE GRADUALI

Pro immolatione autem et resurrectione nostri agni invitamur in Graduali ad exultationem et laudem cum dicitur (Ps
117.24): *Hec est dies quam fecit Dominus, exultemus*, etc., ita
90 et in Versu (117.1): *Confitemini*, etc., ubi dicitur: *quoniam
in seculum misericordia eius*, quasi enim usque ad tempora illa
misericordia Domini fuit temporalis circa homines quia con-

---

[b] sed . . . peccati *om* KMS      [c] alieni peccati M

ferebat eis temporalia[d], sed non eterna, sed iam misericordia
Domini eis est eterna per quam eterna conferuntur. In Alle-
95 luia idem dicitur quod in Epistola. In Evangelio plenius de
resurrectione instruimur et in Offertorio, in quo dicitur (Ps
75.9): *Terra tremuit et quievit* quia, resurgente Domino et pro-
deunte de clauso sepulchro, (Mt 28.2): *terremotus factus est
magnus, et Angelus Domini descendit de celo,* qui lapidem a
100 monumento vacuo revolvit[e].

DE INTROITU

92. EXPOSITIO INTROITUS MORALIS

Iuxta hunc modum predictus Introitus de Domino intelligitur. Nihilominus tamen moraliter de choro neophytorum
intelligitur, ut clamet chorus neophytorum quasi unus homo (Ps 138.18): *Resurrexi et adhuc sum tecum,* et est sensus:
105 Prius longe eram a te per dissimilitudinem peccati, sed iam
resurrexi a vitiis et tecum sum per similitudinem virtutis, et
hoc inde quia posuisti super me manum misericordie tue qua
me infirmum ab infirmitate peccati liberasti, et inde (Ps
138.6) *mirabilis facta est scientia tua,* quia per hoc per totum
110 orbem dilatata. Nisi[f] enim cotidie nova[g] proles tibi succresce-
ret, nequaquam scientia tua per totum orbem mirabilis videretur.

Ad idem pertinet versus (Ps 138.1-2) *Domine, probasti me
et cognovisti me; tu cognovisti sessionem meam et resurrectionem
115 meam* et humilitatem meam et resurrectionem[h], quia non tantum a vitiis surrexi sed ad celestia sum erectus[i], unde dictum
est (Ps 126.2): *Surgite postquam sederitis,* id est post sessionem humilitatis sperate resurrectionem exultationis. Ad
hoc idem pertinet Collecta et Epistola et Graduale et Versus
120 et Alleluia sicut supra exposuimus. Sequitur Evangelium de
resurrectione, quia resurrectio dominica causa est nostre re-

---

[d] temporalis ABS    [e] vacuo revolvit KMS    [f] si KMS    [g] vera
K    [h] meam *add* AM    [i] electus K

surrectionis, non tantum resurrectionis que a vitiis sed resurrectionis que est ab omni infirmitate anime, que datur post
hanc vitam, et glorie resurrectionis corporis, que dabitur in
125 octava.

Sicut enim dictum est longe superius, .XL$^a$. terminatur in
Cena Domini, L$^a$ in die Pasche, LX$^a$ in quarta feria in Albis,
LXX$^a$ in Sabbato in Albis$^j$. Qui enim vere XL$^{mam}$ suam
implet, id est tempus laboris presentis, quod per ipsam intel-
130 ligitur, ille vere gloriatur in cruce Domini; quod cantatur in
Cena (Gal 6.14): *Nos autem gloriari oportet*, etc. Et qui vere
quinquagesimam suam implet, quinque sensus corporis bene
regendo vel si per aliquam eorum excedit emendando, ille potest dicere quod cantatur in die Resurrectionis: *Resurrexi*
135 *et adhuc tecum sum*, etc. Similiter qui .LX$^{mam}$. implet senarium opus implet, quod Dominus in Evangelio exponit, fideliter faciendo, ille audiet quod cantatur in quarta feria (Mt
25.34): *Venite, benedicti Patris mei*, etc. Et qui .LXX$^{mam}$.
suam implet toto tempore huius vite, quod per septenarium
140 volvitur, Domino fideliter serviendo, ille erit utroque homine
gloriosus, propter quod in sabbato duplex Alleluia cantatur.

### 93. DE INTROITU SECUNDE FERIE

Diximus qualiter in persona neophytorum officium quod
cantatur in die Resurrectionis ex maxima parte intelligatur.
De officiis aliorum dierum planum est, nam in Introitu secunde
145 ferie dirigitur sermo ad eos, cum dicitur (Ex 13.5): *Intro-*
*duxit vos Dominus in terram fluentum lac$^k$ et mel$^l$*. Iam enim
introducti sunt per fidem, tandem introducentur per speciem
in terram fluentam lacte humanitatis et melle deitatis. Lac
enim est ex carne et eo nihil candidius, et mel est ex rore et
150 eo nihil dulcius. Unde per lac intelligitur convenienter hu-

---

126  Cf. supra, Liber I, n° 93, ll. 128-130.

$^j$ LXX . . . albis] *om* BKMS        $^k$ lacto A        $^l$ melle A

manitas Salvatoris, que est ex nostra carne sumpta et est candidissima quia ab omni peccato immunis. Mel intelligitur deitas eius, que est ex supernis, cuius gustus est suavissimus, iuxta illud (Ps 33.9): *Gustate et videte quia suavis Dominus.*

### 94. DE INTROITU TERTIE FERIE

155    In Introitu tertie ferie de ipsis neophytis dicitur ad alios (Eccl 15.3) *Aqua sapientie*$^m$ *potavit eos.*" Quid est aliud aqua sapientie quam gratia sancti Spiritus in baptismo collata, qua ipsi refecti sunt contra sitim vitiorum?

### 95. DE INTROITU QUARTE FERIE

De his autem et de aliis vere credentibus dicetur quod can-
160    tatur in quarta feria (Mt 25.34) *Venite, benedicti Patis*, etc.

### 96. DE INTROITU QUINTE FERIE

Sed ad hoc perveniri opportet per fidem, spem et caritatem. Unde Introitus quinte ferie est de fide, Introitus .VI$^e$. ferie de spe, Sabbati de caritate. Introitus V$^e$ ferie est (Sap 10.20) *Victricem manum tuam*, etc$^n$. Genus humanum erat prius
165    mutum a laude Dei, sed per fidem apertum est et per eam lingue infantium, id est simplicium, facte sunt diserte.

### 97. INTROITUS VI$^e$ FERIE

Introitus .VI$^e$. ferie manifeste est, scilicet (Ps 77.53) *Eduxit eos de spe et inimicos eorum operuit mare* baptismi.

### 98. IN SABBATO

Introitus Sabbati est de caritate, scilicet (Ps 104.43) *Edu-*
170    *xit Dominus populum suum in exultatione*, etc. Caritas enim dilatat cor ad exultationem.

### 99. DE COLLECTIS ET GRADUALIBUS

Collecte quoque ad neophytos et ad alios credentes pertinent, et Graduale et Lectiones partim de resurrectione agunt, par-

---

$^m$ salutaris *add* A     $^n$ et partem quia sapientia aperuit os muti et linguas infancium fecit disertas *add* A

tim invitant non credentes ad baptismum et partim ipsos cre-
175 dentes ad profectum.

### 100. ALLELUIA OMNIA AD RESURRECTIONEM

Alleluia omnia sunt de resurrectione, exceptis que in Sabbato cantantur que respondent his que cantata sunt precedenti Sabbato, sicut supra ostensum est.

### 101. DE ORDINE EVANGELIORUM

Evangelia de Resurrectione sunt et iuxta ordinem scripto-
180 rum ponuntur. Mattheus enim primo scripsit, secundo Marcus, tertio Lucas, ad ultimum Iohannes. Unde primo ponitur Evangelium Matthei in vigilia Pasche. In ipso die Evangelium Marci, in secunda et tertia feria Evangelium Luce,
in quarta et .Vª. feria Evangelium Iohannis, et etiam in Sab-
185 bato. In .VIª. feria interponitur Evangelium Matthei. In
Evangelio vigilie et diei agitur tantum de annuntiatione resurrectionis facta per angelum, in aliis de visione. Conveniebat ut primo annuntiaretur Domini resurrectio et postea ad
maiorem fidem faciendam corporaliter ab omnibus ipse vi-
190 deretur.

Tria Iohannis evangeliste omnino prepostere posita sunt.
Primo enim fuit quod legitur in Sabbato (20.1-9), postea quod
legitur in .Vª. feria (20.11-18), et aliquanto tempore post quod
in quarta feria legitur (21.1-14). Nam Maria Magdalene
195 (20.1-9) cum venisset ad monumentum et non invenisset corpus Domini, credidit sublatum et cucurrit et nuntiavit Petro
et Iohanni, qui cucurrerunt ad monumentum, et Iohannes pre-
cucurrit sed non statim intravit et Petrus tardius veniens intravit et postea Iohannes intravit et cum non invenissent,
200 redierunt ad propria. Hoc legitur in Sabbato.

178  Cf. supra, n° 85.
179-276  Dur. 6.89.25-27.
194-198  Greg. *Hom. in Evang.* 22,2 et 25.1-6 (PL 76.1175; 1189-1193).

(Jn 20.11-18) Illis redeuntibus *Maria* remansit ad *monumentum et inclinans se in monumentum vidit unum* angelum
sedentem *ad caput* et alium *ad pedes,* qui dixerunt ei: *Mulier,
quid ploras?* Et illa respondit: *Tulerunt Dominum meum et*
205 *nescio ubi posuerunt eum.* Postea *conversa vidit* Dominum,
qui similiter dixit ei: *Mulier, quid ploras?* Et *illa* putans
eum esse *hortulanum dicit: Domine, si tu sustulisti eum dicito
mihi et ego eum tollam.* Hoc legitur in .V$^a$. feria.

Aliquanto tempore post (21.1-14), Petrus venit piscatum
210 cum .VI. aliis ad mare Tiberiadis ubi Dominus apparuit ei
in littore, et hoc legitur in quarta feria. Sed quare hec omnia?

102. QUARE EVANGELIA PROPOSTERE LEGANTUR

Solutio. In .IIII. feria cantatur hoc quod dicitur sanctis
in die iudicii, scilicet (Mt 25.34) *Venite, benedicti Patris mei,*
etc. causa predicta, et in illo Evangelio (Jn 21.1-14) quod ea die
215 legitur dicitur quod Dominus apparuit discipulis in maris littore, et hoc bene convenit, nam per litus maris, ut dicit beatus
Gregorius super illum locum, finis intelligitur mundi, in quo
Dominus apparebit° suis gloriosus, et tunc Petrus trahet ad
litus rete plenum magnis piscibus .CL. tribus, nec tamen scin-
220 detur rete. Per Petrum intelligitur ordo sanctorum prelato-
rum, qui de fluctu istius seculi ad litus stabilitatis eterne du-
cent eos qui per eos conversi sunt. Sed hoc attribuitur soli
Petro propter unitatem Ecclesie.

Et nota quod in alia captura (Luc 5.4-7) Petri quam fecit
225 Domino iubente dicitur quod scindebatur, nec dicitur in
quam partem mitterent rete nec etiam numerus ponitur piscium captorum. Hic dicitur quod ponant in dexteram navigii
rete, et ponitur numerus piscium et quod non est scissum rete.

213  Introitus Missae feriae 4 post Pascha.
217-243  Cf. Greg. *Hom. in evangelia* 24.4 (PL 76.1185-1186C).

° apparens KMS

Quare hoc? Quia in Ecclesia congregati sunt per doctores
230 et boni et mali, quorum quidam ad sinistram, quidam ad dexteram pertinent, nec ponitur numerus quia mali non sunt
digni numero, et scissum est rete quia per hereses et schismata
et contentiones scissa est Ecclesia. Sed tunc illi soli adducentur qui pertinent ad dexteram eterne beatitudinis, per quos
235 rete Ecclesie non scinditur, qui etiam magni sunt et digni numero propter dignitatem meriti, et sunt tres propter fidem sancte Trinitatis quam servant illesam et sunt .Lᵃ. quia dimittunt
aliis peccata in se commissa, ut a Domino dimittatur eis; sic
Dominus dicit (cf Mt 6.15): Nisi dimiseritis huic peccata, etc.
240   Quinquagenarius enim numerus est (cf Lev 25.11) remis-
sionis et .Lᵘˢ. annus erat iubileus. Iubileus enim dicitur a
"iobel," quod est "remittens," quia tunc omnia debita remitte-
bantur.

### 103. NOTA DE NUMERO. QUARE CENTENARIUS
### IN DEXTERA

Et sunt centum, id est ad dexteram pertinentes contempta
245 sinistra, nam iuxta manualem computationem omnes numeri
computantur in sinistra usque ad centum sed centum in dex-
tra. Per sinistram autem intelliguntur hec temporalia, per
dexteram eterna, iuxta illud (Cant 2.6): Leva eius sub capite
et dextera eius amplexabitur me. Temporalia enim debent hic
250 esse sub capite mentis ut tandem dextera amplexetur.

240-243  Cf. Amal. 1.35.3 (II.172).
245-247  De computatione manuali vide Beda, De temporum ratione
(PL 90.296-297); Charles W. Jones, ed., De temporis ratione, cap. 1.
"De computo vel loquela digitorum" (Beda. Opera de temporibus,
Cambridge, Mass. 1943), pp. 179-181 et annotationes pp. 329-331; Eva
M. Sanford, "De loquela digitorum", Classical Journal 23 (1927-1928)
588-593.
247-249  Greg. Hom. in evang. 21.2 (PL 76.1170D).
249-250  Zacharias Chrysopolitanus, De concordia evangelistarum 4.173,175
(PL 186.591A).

### 104. QUOD CLIII CONSTANT EX PARTIBUS XVII

Vel etiam propter hoc dictum est CLIII$^{us}$ quia iste numerus consistit ex partibus denarii et septenarii simul aggregatis. Si enim incipias ab unitate et ascendas usque ad .XVII. dicendo unus, duo, tria, etc. et omnia simul coniunxeris, habe-
255 bis .CLIII. Septenarius autem est numerus universitatis, denarius decalogi. Universi enim qui vere et perseveranter implent decalogum de fluctu huius seculi ad eternam ducuntur stabilitatem. Rationabiliter igitur illud Evangelium in quarta feria legitur.

### 105. DE CONVENIENTIA SABBATI CUM PRECEDENTI

260     Sed quare legitur in Sabbato illud Evangelium quod tunc legitur? Hec est causa, quia, sicut in precedentibus dictum est, officium illius Sabbati cum officio precedentis Sabbati in multis convenit, nam in precedenti Sabbato  duplex laus Domino cantatur sicut et in hoc, et etiam Lectio Lectioni convenit,
265 quia in Lectione precedentis Sabbati dicitur (Col 3.2): *Que sursum sunt sapite, non que super terram*, et in Lectione sequentis dicitur (1 Pet 2.1): *Deponentes omnem dolum*, etc. et infra (1 Pet 2.5): *Tanquam lapides vivi superedificamini*, quod nihil aliud est quam *que sursum sunt sapite*. Conveniebat
270 igitur ut Evangelium Evangelio in aliquo responderet, quod fit in eorum principiis, nam in Evangelio precedentis sabbati dicitur (Mt 28.1-7):  *Vespere sabbati, que lucescit in prima sabbati*, id est diluculo, *venit Maria Magdalene*, et in Evangelio sequentis (Jn 20.1-14) dicitur: *Una sabbati Maria Mag-*
275 *dalene venit mane, cum adhuc tenebre essent, ad monumentum*, quod idem est.

251-255  Aug. *Sermo* 251.5. (PL 38.1170).
261   Sabbatum in albis; cf. supra, n$^{os}$ 80, 81.
264   Vigilia Paschae.

### 106. DE CONCORDIA EVANGELIORUM

In hoc videtur differentia, quia ibi (Mt 28.1-7) dicitur quod *venit Maria Magdalene et altera Maria*, hic (Jn 20.1-14) non fit mentio nisi de Maria Magdalene, sed Iohannes, ut ait Au-
280 gustinus in *Concordia libro Evangeliorum*, solam Mariam Magdalene nominat quia fuit ceteris ferventior, nec tamen ceteras excludit. Evangelium vero Matthei (28.16-20) legitur in .VIª feria, quia per passionem Dominus meruit sibi dari potestatem in celo et in terra vel potius datam notificari. Et quia in
285 .VIª. feria Dominus passus est, idcirco legitur in .VIª. feria Evangelium Matthei, in quo dicit Dominus discipulis (Mt 28.18): *Data est mihi omnis potestas in celo et in terra.* Unde Apostolus (Phil 2.8-10): *Christus factus est pro nobis obediens Patri usque ad mortem, mortem autem crucis. Propter quod*
290 *exaltavit illum Deus, et donavit illi nomen quod est super omne nomen, ut in nomine Iesu omne genu flectatur celestium, terrestrium et infernorum.* Ubi ergo poneretur Evangelium in quo agitur a Iohanne de prima visione Domini que facta fuit Magdalene nisi in .Vª. feria? In vigilia enim vel in ipso die
295 non poterat poni predictis causis, nec in secunda nec in tertia feria nec in .IIIIª. nec in VIª nec in Sabbato; restat quod in Vª. Hec sufficiant de Missa illorum dierum.

### 107. DE MATUTINIS ET ALIIS HORIS IN HIS DIEBUS

De Matutinis et aliis officiis non est questio quin in eis agatur de resurrectione, que omnia sub brevitate dicuntur prop-
300 ter neophytos, ut supra dictum est, et in quibusdam ecclesiis quedam brevius dicuntur quam in aliis, nam in quibusdam ecclesiis in Prima pretermittitur *Quicumque vult* et in Ves-

---

279-280 Aug. *De consensu evangelistarum* 3.24.69 (PL 34.1201); Dur. 6.89.27.
300 Cf. supra, nº 75.
302 Quicumque vult: *Symbolum Athanasianum*; cf. *Clavis patrum latinorum (Sacris erudiri* 3), ed. altera 1961, n.167.
302-304 Cf. Hon. 3.128-129 (PL 172.677-678).

peris tantum tres psalmi dicuntur et in Completorio pretermittitur (Ps 90) *Qui habitat.* Cantantur tamen duo psalmi
305 circa fontem in Vesperis vel post, ad quem cum cereo descen-
dimus fere singulis diebus per illam hebdomadam in memoriam
eius facti quod fecerunt Iudei, submerso Pharaone et suis in
Mari Rubro, qui per totam hebdomadam rediebant ad mare,
viri per se et mulieres per se cantantes (Ex 15.1-2): *Cante-*
310 *mus Domino,* etc. Ita et nostri neophyti precedente suo lumine Christo redeunt ad fontem baptismi illis diebus, gratias
agentes quod inimici eorum sunt submersi, scilicet vitia et peccata.

### 108. DE VISIONE ANGELORUM

Hic, licet preter prepositum[p], dicendum est de visione ange-
315 lorum et de Maria Magdalene, in quibus evangeliste discordare
videntur, nam Mattheus (28.2) dicit quod mulieres viderunt
angelum sedentem super lapidem, qui tamen erat extra
monumentum. Marcus dicit (16.6) quod ipse introeuntes in
monumentum[q] viderunt eum sedentem[r] in dexteris; Iohan-
320 nes (20.12) dicit quod Maria Magdalene vidit duos angelos,
unum ad caput et unum ad pedes sedentes, Lucas (24.4)
stantes.

### 109. DE DISCORDIA EVANGELISTARUM: QUOT FUERINT MARIE?

Iohannes (20.1,11) dicit unam venisse, scilicet Mariam Magdalene; Mattheus duas; eam et aliam; Marcus .III. (15.40; 16.1),
325 eam et Mariam Iacobi Minoris, et Mariam filiam Salome, que
fuit mater filiorum Zebedei, scilicet Iacobi Maioris et Iohan-

307-312  Dur. 6.89.10.
313-322  Dur. 6.89.28.

p propositum AMK      q marcus . . . monumentum *om* K      r sedere
KMS

nis evangeliste—secundum Chrysostomum tantum[s] Salome mulier fuit—Lucas plures; dicit enim (Lc 24.10): *Erat autem*
*Maria Magdalene et Iohanna et Maria Iacobi* Minoris—subau-
330 ditur mater—*et cetere que cum ipsis erant* et alie venerunt
quas non nominant evangeliste. Ecclesia tamen tres Marias
representat[t]. Mattheus enim dicit (28.8) quod mulieres certi-
ficate per angelum, inter quas erat precipue Maria Magdalene,
nuntiaverunt apostolis Dominum surrexisse. Iohannes dicit
335 (20.2) quod Maria Magdalene nuntiavit Petro et Iohanni
eum sublatum fuisse.

### 110. SOLUTIO PRIME QUESTIONIS

Vera sunt omnia que dicunt evangeliste in his et non sunt
adversa, sed quod unus minus dicit alius supplet. Verum est
enim, sicut narrat Mattheus, quod primo viderunt angelum
340 sedentem super lapidem quem revolverat ab ostio monumenti,
qui (Mt 28.6) et dixit eis eum resurrexisse et adiecit: *Venite*
*et videte locum ubi posuerunt eum*, et tunc ipse surgens precessit
eas in monumentum et sedit in dexteris, sicut narrat Marcus
(16.5). Post Maria Magdalene vidit unum ad caput et alium
345 ad pedes sedentem, sicut dicit Iohannes (20.12), qui dixerunt
ei (Jn 20.13): *Mulier, quid ploras?* Et nuntiaverunt eum
resurrexisse. Et tunc surrexerunt ipsi ut apparerent eis stantes, sicut dicit Lucas (24.4), ut in hoc quod resurrexerunt Dominum resurrexisse ostenderent[t bis] et cum starent dixerunt
350 ei et aliis (Lc 24.5): *Cur queritis viventem cum mortuis?* id
est eum qui resurrexit cur queritis in sepulchro, quod est locus
mortuorum?

327  Locus non repertus.
337-352  Dur. 6.89.29.

[s] tamen BKMS    [t] et alie . . . representat *om* M    [t bis]) ostenderunt
BKS/ ostenderat M

### 111. SOLUTIO AMBROSII

Ambrosius dicit duas fuisse Marias Magdalene: unam que secundum Mattheum (28.6-7) scivit Dominuum resurrexisse, 355 aliam que secundum Iohannem (20.13) nescivit sed corpus sublatum credidit. Augustinus *De concordia evangelistarum* sic loquitur. Dicit quod cum Maria Magdalene cum aliis venerit dicendo (Mc 16.3): *Quis revolvet nobis lapidem ab ostio monumenti*, cum adhuc aliquantulum longe essent, vidit revolutum 360 lapidem et statim cucurrit ad Petrum et Iohannem et significavit eis corpus Domini esse sublatum. Qui venientes invenerunt monumentum vacuum et credentes quod esset sublatum redierunt. Maria autem iterum adiunxit se aliis et propius cum eis accedens, vidit angelum sedentem super lapidem, 365 sicut dicit Mattheus (28.2), et cetera, sicut superius dicta sunt.

Zacharias, qui composuit<sup>u</sup> *Evangelium unum ex IIII<sup>or</sup>*, aliter solvit. Dicit enim quod Maria Magdalene et alie venerunt ad monumentum, et viderunt angelum sedentem super lapidem sicut dicit Mattheus, et post in monumento sicut 370 dicit Marcus, et inde stantes, unum ad caput et unum ad pedes, sicut dicit Lucas, illum priorem cum alio, vel eo disparente

---

353-420  Dur. 6.89.29-30.
353-356  Ambrosius, *Exp. evang. secundum Lucam* 10.24.153 (PL 15. 1842D-1843A); Aug. *De consensu evang.* 3.24.69 (PL 34.1197A).
365  Cf. supra, n° 110, ll. 338-340.
366-411  Zacharias Chrysopolitanus, *De concordia evangelistarum* 4.175 (PL 186.598-600). De Zacharia vide Damien Van den Eynde, "Les 'magistri' du Commentaire 'Unum ex quatuor' de Zacharias Chrysopolitanus", *Antonianum* 23 (1948) 3-32, 181-220; J. B. Valvekens, "Zacharias Chrysopolitanus", *Analecta praemonstratensia* 28 (1952) 53-58; Bernard de Vregille, "Notes sur la vie et les œuvres de Zacharie de Besançon", *Analecta praemonstratensia* 41 (1965) 293-309; Tr. Gerits, "Notes sur la tradition manuscrite et imprimée du traité 'In unum ex quatuor' de Zacharie de Besançon", *Analecta praemonstratensia* 42 (1966) 276-303; Lacombe, *La vie . . .* p. 82, note 3.

<sup>u</sup> posuit  BKMS

alios duos, qui dixerunt (Lc 24.5): *Cur queritis viventem cum
mortuis*, et significaverunt eum resurrexisse. Alie crediderunt
verbis eorum. Maria remansit incredula, unde alie nuntiave-
375 runt discipulis Dominum resurrexisse; illa nuntiavit Petro et
Iohanni eum sublatum fuisse, que (Jn 20.11) post adventum
eorum et recessum sola remansit ad monumentum, que inclinans se in monumentum vidit duos angelos sedentes unum
ad caput et alium ad pedes, sicut dicit Iohannes, qui dixerunt
380 ei (Jn 20.13): *Mulier, quid ploras?* Et illa: *Quia tulerunt
Dominum meum*, etc. Tunc respiciens vidit Iesum, qui dixit
ei (20.15-16): *Mulier, qui ploras? Et illa*[v] putans eum esse[w]
*hortulanum dixit: Domine, si tu sustulisti eum, dicito mihi et
ego eum tollam* et tunc Dominus eam ex nomine nominavit:
385 *Maria*. Et ipsa tunc eum cognovit, et post plures allocutiones
angelorum tunc primo credidit et voluit procidere ad pedes
Domini. Et Dominus dixit ei (20.17): *Noli me tangere; nondum
enim ascendi ad Patrem meum*,—subintelligitur in corde tuo—
quasi dicat: Quem queris tanquam mortuum non credis Patri
390 esse equalem? Et adiecit Dominus (20.17): *Vade et dic fratribus meis: Ascendo ad Patrem meum et Patrem vestrum*, etc.,
id est in proximo est ut ascendam, et ipsa cepit ire iam certifi-
cata et inventis aliis mulieribus ivit pariter cum eis hec nuntiare apostolis, et in illa via apparuit eis Dominus dicens (Mt
395 28.9): *Avete. Que accesserunt et tenuerunt pedes eius*. Predictum autem modum loquendi, in quo quasi generaliter dictum est quod mulieres iverunt nuntiare Dominum resurrexisse,
cum tamen Maria que erat una de illis tunc incredula[x] fuit,
sepe in Scripturis invenimus, sicut et Dominus dicit discipu-
400 lis (Jn 14.4): *Et me scitis et viam meam scitis*, cum tamen
quidam essent inter eos qui hec nescierunt, unde infra Dominus ait (Jn 14.9): *Tanto tempore vobiscum sum et non cognovistis
me? Philippe, qui videt me*, etc. Sed illud predictum est scien-

---

[v] quia . . . illa *om* A     [w] *om* KMS     [x] credula BKMS

tibus, istud ignorantibus. Ita etiam dicitur quod Dominus
405 in ascensione (Mc 16.14) *apparuit* discipulis *et exprobravit in-*
*credulitatem et*[y] *duritiam cordis eorum quia hii*[z] *qui videbant*
*eum resurrexisse non crediderunt,* cum tamen fuerant quidam
qui iam crediderunt[a], sicut fuerat Petrus et alii plures, sed illud
primum dictum est de incredulis. Hec opinio videtur mihi
410 probabilior, in qua non tantum secunda questio sed et prima
probabilius quam prius solvi videtur.

Et quod dicit Ambrosius non est credendum quod dixerit
asserendo sed aliorum opinionem referendo, licet ipse eam
argumentis probare videatur, quibus iuxta predictam[b] opi-
415 nionem leviter respondeatur, et fere totum quod ipse inducit
per interpretationem solvitur, verbi gratia quod ipse dicit
quod una Maria sit secundum Mattheum, hoc falsum, quia aliis
credentibus, verbis angeli ipsa incredula remansit. Augustinus vero non dicit sic fuisse ut narrat sed narrat ita potuisse
420 fuisse, sententie non preiudicat.

### 112. QUARE TRES PSALMI CANTENTUR CUM TRIBUS ANTIPHONIS IN DIE RESURRECTIONIS

Quare in die resurrectionis cantentur .III. psalmi cum tribus antiphonis? Tria sunt que in nobis operatur Dominus:
demonum eiectio, sanitatis perfectio et consummatio, sicut
ipse dicit in Luca (13.32): *Ecce ego demonia eiicio, sanitates*
425 *perficio hodie et cras, et tertia die consummor.* Primum operatus est Dominus cum fecit ut relicta creatura ad creatorem
rediremus, secundum cum per fidem sibi tanquam membra
capiti univit, ut de eius spiritu viveremus, tertium cum in
hoc confirmavit nos ne relaboremur.

421-458  Cf. Amal. 4.23.1-8 (II.473-475); Hon. 3.127 (PL 172.677); Dur.
6.87.3.

[y] incredulitatem et *om* BKMS      [z] hiis KMS      [a] cum . . . crediderunt
*om* KMS      [b] primam M

430   Hec etiam in nostra conversione apparent. Eiciuntur enim
a nobis demones per exorcismum, sanamur per catechismum,
confirmamur per baptismum et confirmationem. Primum notatur in primo psalmo et sua antiphona, ubi dicitur: *et consilium meum non est cum impiis.* In psalmo ostenditur quid
435  vitari debeat—quid vitare debeat queris? Ad hoc sic (Ps 1.1):
*Beatus,* scilicet non ire in consilio impiorum, etc.—et quid facere debeat, scilicet habere voluntatem Domini in corde et
in ea die et nocte meditari. In hac demonum eiectione fit quod
Dominus dicit in evangelio Iohannis (12.31): *Nunc iudicium
440  mundi est; nunc princeps huius mundi eicietur foras.* Hoc iudicium est discretio qua demonibus eiectis fideles separantur
a vitiis vel ab impiis. In multis milibus credentium factum
est hoc iudicium, sed in hoc iudicio impii, id est in impietate
perseverantes, non surgunt.

445   Secundum notatur in secundo psalmo et sua antiphona,
ubi dicitur: *Postulavi patrem meum et dedit mihi gentes in
hereditatem,* quod factum est cum per fidem ei tanquam capiti fideles uniti sunt ut per ipsum ad modum hereditatis fruc-
tificent, unde in psalmo irridendo dicit (2.1): *Quare fremuerunt
450  gentes?* Et dicentes (2.3): *Dirumpamus vincula eorum* etc.,
et stulte dicunt, quia (2.4) *qui habitat in celis irridebit eos,* etc.
Et Christus dicit (2.6): *Ego constitutus sum rex ab eo super Sion*
Quid dicit mihi? (2.8): *Postula a me, et dabo tibi gentes hereditatem tuam,* etc.

### 113. IN ANTIPHONA DICITUR *DEDIT MIHI GENTES* SED IN PSALMO *DABO*

455   Et nota quod in Antiphona dicitur *dedit* et in psalmo *dabo,*
ut ostendatur esse impletum quod in psalmo est promissum.
Tertium notatur in tertio psalmo et sua antiphona, ubi dicitur: *Ego dormivi et somnum cepi,* etc. Et si hoc de passione
et morte et resurrectione Salvatoris intelligitur moraliter, con-

455-461  Dur. 6.87.3.

460 venienter intelligitur de eo qui dum in peccato dormivit et
tandem per Dei adiutorium resurrexit<sup>c</sup>.

### 114. DE MUTATIONE TEMPORUM. QUARE NOX INCEPIT PRECEDERE DIEM

Potest etiam in illis tribus psalmis triduana sepultura Domini notari quia tunc incepit nox precedere diem. Conditor
enim temporis fecit ut a principio dies precederet noctem, se-
465 cundum quod dicit Scriptura (Gen. 4.3): *Fiat lux, et facta
est lux.* Et ea precedente per superius hemispherium ab orien-
te ad occidentem factum est vespere, et redeunte per inferius
hemispherium ab occidente in orientem factum est mane.
Precessit ergo dies noctem in signum quod homo transiturus
470 erat de luce virtutum in tenebras peccatorum, sed tunc fecit
Dominus ut nox precederet<sup>d</sup>, et fuit illa nox quasi communis
precedentis sabbati et dominice diei. Precessit ergo nox diem
in signum quod homo per salvatorem<sup>e</sup> de peccatorum tenebris rediit ad lucem, unde Apostolus (Rom 13.12): *Nox pre-
475 cessit, dies autem appropinquavit.* Sicut ergo in die nostram
resurrectionem presentamus qua Christo consurreximus, ita
et in nocte sepulturam qua ei consepulti sumus, sicut dicit
Apostolus (Rom 6.4): *Consepulti enim in Christo per baptisma
in morte.* Trina enim immersio triduanam Domini sepulturam
480 representat. Ille consepultus est Christo qui peccare quiescit.
Ille resurrexit cum Christo<sup>f</sup> qui celestibus intendit. Quid<sup>f bis</sup>
ergo in die representamus resurrectionem? Dicimus in die
(Ps 117.24): *Hec est dies quam fecit Dominus,* sed in nocte
hec non dicimus quia tunc sicut est sepulturam representamus,
485 scilicet quod Dominus in sepulchro iacuit, unde tunc Alleluia

---

462-493  Cf. Amal. 4.23.12-17 (II.476-477).
474-481  Dur. 6.87.5.

<sup>c</sup> resurgit M      <sup>d</sup> diem *add* A      <sup>e</sup> salvationem K      <sup>f</sup> quia peccare
quiescit ille resurrexit cum christo *add* A      <sup>f bis</sup> qui BKMS

non dicimus. In hac nocte sepulturam representamus in eo quod Christo consepulti sumus, et propterea Alleluia cantamus quia Christo consepeliri gaudium nobis est.

### 115. QUARE PER TOTAM HEBDOMADAM CANIMUS *HEC DIES*

Sicut autem in nocte resurrectionis tres psalmos cantamus,
490 ita per totam hebdomadam, sed in hoc est differentia quia in hac nocte cum tribus antiphonis, per septimanam vero cum sola antiphona et per totam hebdomadam (Ps 117.24): *Hec est dies quam fecit Dominus.*

### 116. QUARE DURET PASCHA PER HEBDOMADAM

Hec namque est hebdomadaria festivitas, nam tres hebdo-
495 madarias festivitates habuerunt in Vetere Testamento: Pascha, Pentecosten et Scenopheis [g].

### 117. QUARE NON CELEBREMUS SCENOPHEIA SICUT PASCHA ET PENTECOSTEN

Pascha et Pentecosten adhuc habemus licet ad aliud quam illi habuerunt. *Scenopheia* interpretatur fixio tabernaculorum et significabat umbram legis, quam non habemus, quia ve-
500 niente veritate cessavit umbra legis. Loco tamen illo aliquo modo habemus nativitatem Domini.

### 118. QUARE VII DIES TRES PSALMI ET QUARE *HEC EST DIES QUAM FECIT*

In hac habdomadaria festivitate per totam hebdomadam dicimus tantum tres psalmos cum una antiphona ad notandum quod qui pure baptizantur dona septiformis Spiritus accipiunt,

489-493  Dur. 6.89.3.
494-501  Dur. 6.89.2.
504-505  Amal. 4.23.18 (II.477.15-16).

[g] pascha . . . scenopheis *om* K

505 que per septenarium dierum intelliguntur[h]. Hii sunt .VII.
filii Iob, qui faciebant convivia singuli in diebus suis et tres
sorores suas invitabant. Sapientia namque facit convivium
cum iocunditate, intellectus in subtilitate, consilium in prudentia, fortitudo in constantia, scientia in temporalium pro-
510 visione, pietas in miseratione, timor in cautela, sed nullum
istorum facit convivium sine sororibus suis, quia in hoc non
potest esse utile sine fide, spe et caritate. Unus est autem
quia unus est a quo hec omnia. Tota autem hec hebdomada
quasi unus dies reputatur, unde per eam cantatur (Ps 117.24)
515 *Hec est dies quam fecit Dominus* et in *Sacramentario*: *Te
quidem, Domine, omne tempore, sed in hoc potissimum die,*
etc.

### 119. QUARE PER TOTAM HEBDOMADAM PSALMOS DE NOCTURNA DOMINICA ACCIPIAMUS

Inde est etiam quod per totam septimanam[i] pasalmos sumimus de nocturna dominice diei vel ei adiacentes. Psalmos
520 maiores, scilicet (137) *Confitebor*, (17) *Diligam te*, pretermitti-
mus, quia neophytis omnia brevia debent preponi, sed numerum
supplemus per illos duos: (4) *Cum invocarem et* (5) *Verba mea*,
et ita .XVIII. psalmos perficimus usque in .VI[a]. feria. In
Sabbato autem sumimus .III. psalmos de adiacentibus, quos
525 in die dominico in maiori Prima cantare solemus, scilicet
(Ps 92) *Dominus regnavit*, (Ps. 23) *Domini est terra* et (Ps
42) *Iudica*, sed illos duos, scilicet (21) *Deus, Deus meus, respice* et (24) *Ad te, Domine*, propter predictam causam preter-
mittimus.

505-513   Amal. 4.27.21-23 (II.493-494); Dur. 6.89.4.
513-517   Amal. 4.23.12 (II.476); cf. *Lib. sacram.* 75.329, etc.
515-517   Praefatio Missae infra hebdomadam paschae. Cf. Amal. 4.23.12.
518-546   Dur. 6.89.5-7.

[h] et tres virtutes fidem spem et caritatem accipiunt que per tres psalmos
intelliguntur *add* A      [i] ebdomadam M

### 120. QUOD NON DEBET ESSE DIFFERENTIA
### IN OFFICIO DIVINO INTER CANONICOS
### REGULARES ET SECULARES

530  In sequenti autem tempore multiplicandi sunt psalmi, quia multiplicandi sunt boni mores, qui per psalmos intelliguntur, per quos ad gloriam pervenitur, quam per totum illud tempus significamus, licet in quibusdam ecclesiis non dicantur usque ad Pentecosten nisi tres psalmi, nam inter canonicos regulares
535  et alios clericos qui, usurpato nomine seculares dicuntur, nulla debet esse differentia in officio diurno. Et certum est quod canonici regulares in octava Resurrectionis dicunt nocturnam et .IX. lectiones cum .IX. responsoriis.

### 121. QUOD TANTUM DUE SUNT
### HEBDOMADE NEOPHYTORUM

Quod enim dicunt quod omnia debent esse facilia illo tem-
540  pore propter neophytos illam facilitatem nimis extendunt, nam tantum due sunt hebdomade neophytorum, scilicet in Pascha et Pentecosten, nam cum dicitur nobis[j] in Ascensione, ubi sunt .IX. responsoria et .IX. psalmi cum suis antiphonis, nulla enim ratio quare in sequenti die post Ascensionem dica-
545  mus tres psalmos cum tribus antiphonis, sequenti die post et in pascha tres psalmos cum una antiphona.

### 122. QUARE TANTUM DUE HISTORIE A PASCHA
### USQUE AD PENTECOSTEN

Sunt autem due historie, ut ita dicam, a Pascha usque ad Pentecosten, scilicet, *Dignus es, Domine* de Apocalypsi (5.9) et *Si oblitus* de Psalmis (136.5), ad significandum quod sicut

---

547-552  Cf. Hon. 3.141-143 (PL 172.681-682). De "historiis," quae sunt series responsoriorum et antiphonarum ad lectiones in matutinis pertinentes, vide P. Salmon, "La prière des heures" apud A. G. Martimort, *L'église en prière. Introduction à la liturgie* (Paris, 3e éd. 1965), p. 823-824; Hanssens III (Index) 393. Cf. infra Liber IV, nos 118-122.

[j] *om* AM

550 patres Novi Testamenti, sic et Veteris suspirant ad celestem
Ierusalem, nam sicut Iohannes[k] propheta in Novo Testamento,
sic et David inter veteres prophetas.

### 123. QUARE INFRA PASCHA ET PENTECOSTEN LEGANTUR APOCALYPSIS ET CANONICE EPISTOLE

Cum autem cantatur (Apoc 5.9) *Dignus es, Domine,* debet
legi Apocalypsis, et cum cantatur (Ps 136.5) *Si oblitus,* de-
555 bent legi canonice Epistole quia tam in Apocalypsi quam in
canonicis Epistolis agitur de persecutionibus Ecclesie, quas
non tantum in labore sed cum gaudio pro illa futura gloria
sustinere debemus, pro qua in ipsis responsoriis "Alleluia" multiplicamus, quia teste Apostolo (Rom 8.18), *Non sunt condigne*
560 *passiones huus temporis,* etc.

### 124. TRACTUS DE MISSA BREVIS PER TOTUM ANNUM. QUARE QUANDOQUE TANTUM GRADUALE SINE ALLELUIA CANTAMUS? QUARE QUANDOQUE ALLELUIA CANTAMUS? QUARE DUPLEX ALLELUIA? QUARE GRADUALE CUM ALLELUIA? QUARE GRA- DUALE CUM TRACTU? QUARE ALLELUIA CUM TRACTUS?

Nunc brevi epilogo utendum est de officio Misse per totum
annum. Quandoque enim solum Responsorium cantatur in
Missa, quod Graduale dicimus, quandoque Alleluia solum,
quandoque simplex, quandoque duplex, Responsorium cum
565 Alleluia, quandoque cum Tractu, quandoque Alleluia cum
Tractu.

Attende quod per Responsorium intelligimus activam vitam,
per Alleluia contemplativam. Quando igitur solum Responsorium cantamus, propter illos cantamus qui sunt in graviori-
570 bus peccatis et ea sacerdotibus confitentur, querentes ab eis
consilium, et quia pro talibus dolet Ecclesia tanquam pro

567-582  Cf. Dur. 6.89.13,23-25.

[k] crisostomus *add* AB

membris vulneratis et nondum sanatis, non cantat Alleluia, quod est letitie.

Cum solum Alleluia cantamus, pro illis cantamus qui iam
575 sunt in patria, ad quos iam non pertinet laboriosa octava quam notat Responsorium sed potius in Dei contemplatione exultatio est, que intelligitur per Alleluia.

Sed cum cantamus Alleluia simplex, notamus quod simplicem habent stolam, scilicet stolam anime, cum duplex, repre-
580 sentamus tempus resurrectionis, quando duplicem stolam recipient, quoniam scilicet erimus in utroque homine gloriosi, sicut in octava Pasche, vel quia sancti iam in duobus gaudent, scilicet in Dei cognitione sine errore et dilectione sine tardatione.

585 Cum Responsorium cum Alleluia cantamus, pro illis canimus qui sunt in bonis operibus et exultant in spe future glorie[1].

Cum Responsorium cum Tractu canimus, pro infirmis cantamus, qui sunt in bonis operibus sed videntes labores vite timent.

590 Cum Alleluia cum Tractu cantamus, tunc pro neophytis, pro quibus gaudemus quod ab omni sunt peccato purgati, sed quia eos trahendos variis laboribus videmus, Tractum adicimus, per quem labores intelliguntur.

### 125. QUARE IN HEBDOMADA PASCHALI ANTIPHONE SINE FINALI MELODIA

Item nota quod in hebdomada paschali Antiphone dicuntur
595 sine finali[m] quia in illa hebdomada cantamus pro Domino nostro, qui in anima et corpore per resurrectionem gloriosus factus est. Illa enim finalis melodia expectationem significat nostram vel etiam sanctorum secunde stole expectationem. Parvuli plorare dicuntur cum panem non habent, sed dum ha-
600 bent quod desiderant, tacent; ita et nos quasi ploramus quia

594-606 Dur. 6.89.19-20.

[1] cum . . . glorie om K     [m] sed in sequentibus cum finali add A

non habemus quod expectamus, et sancti sunt etiam in desiderio expectationis.

### 126. QUARE IN QUIBUSDAM ECCLESIIS IN MAGNIS FESTIS ANTIPHONE SINE FINALI MELODIA

In quibusdam tamen ecclesiis in maximis sollemnitatibus tacetur illa melodia in signum quod sancti, pro quibus celebra-
605 mus, et secundam stolam [acciperunt] quam expectant et certi sunt quod eam amittere non possunt.

### 127. QUOD IUBILUS DIVERSA NOTAT

Nota etiam quod huiusmodi iubilus quandoque notat expectationem, ut dictum est, quandoque nostram infirmitatem ut in *Tanquam sponsus*, quandoque rei magnitudinem de qua
610 agitur, ut in *Fabrice mundi*, quandoque gaudii immensitatem, ut in *Veritate*.

### 128. QUOD DUAS .XL<sup>as</sup>. HABEMUS

Notandum etiam quod duas .XL<sup>as</sup>. celebramus, unam ante Pascha, aliam post Pascha. In illa que est ante Pascha labores miserie huius temporis representamus, unde ieiunamus
615 et cantica letitie subticemus. In illa que post Pascha tempus glorie nostre post hanc vitam representamus, ubi ab omni labore quiescimus et in laude Dei erimus, unde eo tempore non ieiunamus et cantica letitie multiplicamus. Pro quibusdam tamen eventibus quedam abstinentie eo tempore institute
620 sunt, ut in Litania maiore et minore.

### 129. DE LITANIA MAIORE

Dicitur autem maior litania maior quia a maiore instituta est, videlicet a beato Gregorio Papa; minor vero a Mamerto,

---

607-611  Dur. 6.13.11; cf. N. M. Denis-Boulet, R. Béraudy, "La liturgie de la Parole", apud A. G. Martimort, *L'église en prière*, p. 352.
609-610  Supra Liber I, n° 27.
612-629  Amal. 4.23.26-27 (II.480); Dur. 6.89.3.
621-629  Amal. 1.37.3-4 (II.179); 4.24 (II.481); Gregorius Turonensis,

Viennensi episcopo. Illa autem maior pro hoc eventu instituta
fuit, quia Romani moriebantur peste inguinaria, qua cadebant
625 mortui antequam sentirent dolorem, in quo etiam Pelagius
papa illius temporis occubuit. Propter hoc beatus Gregorius,
successor eius, instituit hanc litaniam et cum surgeret ab oratione, vidit super Castrum Crescentie angelum ingentem, gla-
dium tenentem, et intellexit quod cessasset quassatio. Prop-
630 terea receptum est a tota Ecclesia ut ea die fieret litania contra quaslibet pestes et etiam quia tunc temporis est quasi inchoatio frugum ut Deus ipsas nobis conservet.

### 130. DE SEPTIFORMI LITANIA QUE FIT ROME

Est autem hec litania septiformis Rome, prima clericorum,
secunda virorum laicorum, tertia monachorum, .IIIIª. monia-
635 lium, .Vª. feminarum coniugatarum, .VIª. viduarum, .VIIa.
pauperum et puerorum. Prima progreditur ab ecclesia beati
Iohannis Baptiste, secunda ab ecclesia Sancti Marcellini martyris, tertia ab ecclesia beatorum Iohannis et Pauli, .IIIIª.
ab ecclesia Cosme et Damiani, .Vª. ab ecclesia beati Petri et
640 Stephani martyris, .VIª. ab ecclesia beati Vitalis, .VIIª. ab ecclesia beate Cecilie, et omnes procedunt ad ecclesiam beate Virginis.

*Liber Historiae Francorum*, MGH, Scriptores rerum merovingicarum,
II, p. 266; Honorius 3.138-139 (PL 172.681AB); *Sacramentarium* 19 (PL
172.755D-756A); *Speculum ecclesiae: In rogationibus* (PL 172.951AC);
Beleth 122-123 (PL 202.129); Durandus 6.89.3; Praepositino usus videtur
Guido de Orchellis: V. Kennedy, "The 'Summa de Officiis Ecclesiae' of
Guy d'Orchelles", *Mediaeval Studies* I, 1939, c.40, p. 56; L. Duchesne,
*Liber pontificalis*, II, 368; *Les premiers temps de l'état pontifical* (Paris,
1909), p. 364; A. Chavasse, "Le Cycle Pascal", in Mortimort, *L'église en
priére*, pp. 744-745.
633-642 Gregorius, *De mortalitate* (PL 76.1314B); Gregorii *Vita auctore
Johanne Diacono* 1.42 (PL 75.80D); Amal. 4.25.9 (II.483); cf. Hon. 3.138
(PL 172.681D-682A); cf. Beleth 123 (PL 202.129D); Dur. 6.102.3; cf.
*Clavis patrum latinorum* (*Sacris erudiri* 3), ed. altera 1961, n.1714.

### 131. DE LITANIA MINORE

Litania minor instituta est a beato Mamerto propter feras
que tunc in Penatibus omnes interficiebant, et nos contra
645  quaslibet infirmitates et aeris intemperiem celebramus hanc
litaniam et non sine magno mysterio fit triduo vel quatriduo,
nam in tribus diebus illis quibus in veste lugubri incedimus
tria tempora intelligimus, videlicet tempus ante legem, sub
lege et initium temporis gratie, quod fuit a predicatione Io-
650  hannis usque ad passionem Salvatoris.

### 132. QUARE FIAT TRIBUS DIEBUS

In illis namque tribus temporibus omnes, quantumcumque
iusti, descendebant ad infernos. In die vero ascensionis, quo
incedimus in vestibus letitie, illud tempus gratie significamus
quod a passione Domini est usque in finem seculi, in quo sancti
655  post mortem volant ad regnum[n].

### 133. QUARE DRACO PRECEDAT ET SEQUITUR

In quibusdam autem ecclesiis maius representamus mysterium, nam in tribus precedentibus diebus precedit draco vexilla
qui habet caudam plenam vento in signum quod in illis temporibus diabolus habuit potestatem in hominibus, qui erant
660  quasi ventus, quia movebantur quolibet vento doctrine, et
ipsum diabolum in idolis adorabant. Postremo sequitur draco, acuta cauda, in signum quod diabolus per passionem
Domini et ascensionem potestatem suam amisit.

Diximus superius duas esse .XL$^{mas}$, unam ante Resurrec-
665  tionem, in qua cum afflictionibus labores huius vite representamus; aliam post Resurrectionem, in qua non affligimur sed

643-648  Beleth 122 (PL 202.128C-129A); Dur. 6.102.4.
656-662  Beleth 123 (PL 202.130A); Dur. 6.102.9.
664-668  Cf. supra, II, n° 128.

[n] requiem A

cantica letitie multiplicamus, in qua representamus quia quod
representamus nondum habemus sed expectamus.

### 134. QUARE ADICIAMUS .X. QUADRAGENARIO PASCHALI. QUARE IN FUTURO ERIT ACTIO IN QUIETE, ET QUIES IN ACTIONE

Huic quadragesime adiicimus denarium, qui est ab Ascen-
670 sione usque ad Pentecosten ut fiat quinquagenarius. In quadragenario intelligimus actionem, que erit post hanc vitam,
in quinquagenario quietem, nam post hanc vitam erit actio
sine labore adminus in laude Dei, sed nec actio tollet requiem
nec requies actionem. Adiicitur autem ergo denarius quadra-
675 genario, quia quadragenarii partes multiplicate, simul con-
iuncte, in quinquagenarium ascendunt, sicut longe superius
dictum est, et quia Dominus denarium° quadragenario coniun-
xit, cum quadragesimo die in celum ascendit et decimo die
post Spiritum sanctum misit, noster denarius tunc erit inte-
680 ger cum redintegrabitur corpus nostrum, quod per quaternarium intelligitur propter .IIIIᵃ. elementa, et anima nostra
que per ternarium intelligitur propter tres vires anime, scilicet
vim irascibilem, vim concupiscibilem, vim rationabilem, et ita
totus homo qui per septenarium intelligitur totus erit in laude
685 Trinitatis ut ita sit perfectus denarius, ex quaternario corporis
et ternario anime et ternario totius Trinitatis.

676-677 Cf. supra, I, n° 115.

° ascendunt . . . denarium *om* A

# [LIBER TERTIUS]

## [DE VIGILIA PENTECOSTES]

### 1. DE VIGILIA PENTECOSTES

Nunc de Vigilia Pentecostes dicendum est. In ea, sicut in Sabbato Paschali, fit baptismus, et ante baptismum leguntur Lectiones sine titulo ea causa [quam] superius diximus cum de eis diceremus. Sed notandum quod quedam Lectiones ibi
5 ponuntur que non hic, et quedam ibi que hic sed prepostere, quia ibi legitur prius (Is 4.1-6): *Apprehendent .VII. mulieres* et postea (Deut 31.22-30): *Scripsit Moyses,* sed econveiso [in vigilia Pentecostes].

Nota igitur, duo sunt patres, unus secundum carnem, scili-
10 cet Adam, qui propter inobedientiam Deo displicuit et in quo omnes peccaverunt et mortui sunt; alter secundum spiritum, scilicet Abraham, qui propter obedientiam Deo placuit, et eius immitatores liberati sunt et vivunt. De primo agimus in vigilia Pasche; unde legimus (Gen 1.1-2.2): *In principio,* etc.
15 ubi describitur dignitas hominis, pro quo omnia facta sunt, ut miserabilior appareat casus eius. Inde est quod non subsequitur canticum. Adicitur tamen Lectio (Ex 14.24-15.1): *Factum est in vigilia,* in quo per figuram Maris Rubri agitur de baptismo, in quo, Egyptiis spiritualibus submersis, veri
20 filii Israel liberati sunt. Unde sequitur canticum victorie, scilicet (Ex 14.1-2) *Cantemus Domino.*

1-36 Amal. 1.38.1-7 (II.181-183); cf. Hon. 3.146 (PL 172.683).
1-21 Cf. Dur. 6.106.3.
3 Cf. supra, Liber II, n° 11.
4-8 Lectionum in Sabbato Paschali (supra Liber II, n°ˢ 25-27) positarum desunt in Vigilia Pentecostes 1, 2, 5, 9, 10, 12; lectiones in utraque Vigilia positae ordine 3, 4, 6, 7, 8, 11 in Vigilia Paschae legebantur, ordine vero 3, 4, 11,8, 6, 7 in Vigilia Pentecostes.
9-13 Amal. 1.38.2-3 (II.181-182).

## 2. QUARE VARIENTUR LECTIONES IN
## VIGILIA PASCHALI ET PENTECOSTES

Sed quia imitatores Ade, ut per baptismum liberentur[a] primum instruendi sunt in fide, postea de moribus, idcirco primum legitur Lectio illa (Is 4.1-6): *Apprehendent .VII. mu-*
25  *lieres* et postea illa (Deut 31.22-30): *Scripsit Moyses canticum.*
In illa enim *Apprehendent VII. mulieres* de fide agitur, in qua
Christus a septiformi gratia Spiritus sancti apprehensus ostén-
ditur, etc.; in illa *Scripsit Moyses* agitur de moribus, sicut ex
ipsa legenti satis apparet.

30    In vigilia Pentecostes agitur de patre spirituali, scilicet
Abraham; unde legitur prima Lectio (Gen 22.1-19): *Temp-*
*tavit Deus Abraham,* sed veri filii Abrahe bonos habuere mores
antequam .VII. mulieres apprehenderent, id est antequam
Christus septiformi gratia Spiritu sancto repletus nasceretur,
35  idcirco legitur postea illa Lectio: *Scripsit Moyses canticum*
et postea *Apprehendent .VII. mulieres.*

### 3. QUARE BAPTISMUS IN PENTECOSTE

Fit autem in Pentecoste baptismus quia dictum est discipulis Iohannis, qui baptizavit aqua (cf Acta 1.5): *Vos baptiza-*
*vit spiritus,* etc., unde ergo notatur quod in Spiritu sancto bap-
40  tizantur nostri neophyti fit baptismus in Pentecostes.

### 4. QUARE BAPTISMUS IN SABBATO

Fit tamen in sabbato quia in baptismo, sicut dictum est
superius, triduana Domini sepultura figuratur, et quies ipsius,
qua in sepulchro quievit, per sabbatum intelligitur, immo et
quies nostra qua, omni peccati nostri corruptione absorta, in
45  eternum quiescimus.

22-36  Dur. 6.106.3-4.
37-55  Amal. 4.28 (II.495-496), 4.29.9 (II.498); Dur. 6.106.1-2.
41  Cf. supra, Liber II, nᵒ 53.

a  liberarentur KMS

### 5. QUARE BAPTISMUS NON FIAT HORA TERTIA SED NONA

Sed potest queri quare baptismus non fiat hora tertia sed hora nona, cum hora tertia baptizati sint[b] Apostoli Spiritu sancto. Ad hoc respondetur quod in baptismo non tantum representatur sepultura Salvatoris sed etiam mors eius per
50 quam baptismus plenariam recepit efficatiam, et ipse hora nona (Jn. 19.30): *inclinato capite emisit spiritum*; centurio quoque eadem hora, sicut ex Actibus Apostolorum habetur, audivit ab angelo (cf Acta 10.4) *Audite sunt orationes tue*, et eadem hora a beato Petro baptizatus est. Inde inolevit con-
55 suetudo quod Ecclesie hora nona fit baptismus.

### 6. DE OFFICIO NOCTURNO

In nocte Pentecostes leguntur tres psalmi cum tribus anti-phonis, quia Spiritus sanctus tria operatus est circa apostolos, veteres innovavit[c], innovatos[d] confirmavit, confirmatos ad alios convertendos[e] misit. Ad primum pertinet quod dicitur
60 in prima Antiphona (Acta 2.2): *Factus est repente de celo so-nus*; ad secundum quod in secunda (cf Ps 67.20): *Confirma hoc, Deus*; ad tertium quod in tertia (cf Ps 103.30): *Emitte Spiritum tuum*. Eorum enim ministerio docti sunt alii et per Spiritum sanctum interius recreati, et quia in ipsis apostolis
65 duo operatus est Spiritus sanctus, scilicet remissionem pecca-torum et operationem miraculorum, idcirco Antiphone ille per duplex Alleluia terminantur. Chorus enim apostolorum est Eliseus qui petiit ab Elia et obtinuit (cf 4 Reg 2.9) duplicem spiritum eius. *Elias* enim interpretatur "Deus meus," *Eli-*
70 *seus* "Dei mei salus;" Elias ergo Christus, Eliseus "populus

---

56-67   Amal. 4.27.16-19 (II.492-493); Dur. 6.107.4.
69-70   *Elias . . . meus*: Hier. *De nominibus hebraicis* (PL 23.821A); *Eli-seus . . . salus* (*ibid.* 821B).

[b] sunt AK    [c] immolavit KMS    [d] immolatos KMS    [e] confirman-dos M

christianus." Eliseus postulavit ab Elia duplicem spiritum et
obtinuit, et populus christianus obtinet a Christo remissionem peccatorum, quam Christus in se non habuit, quia non
indiguit ad operationem miraculorum quam Christus habuit,
75 maxime ille cetus apostolicus. Propter ergo illa tria que
dicta sunt tres antiphone cantantur cum tribus psalmis.

### 7. QUARE NON FIAT VARIATIO ANTIPHONARUM NEC TONORUM

Si tamen diligenter attendere volumus et conferre psalmis
et antiphonis que dicuntur in Pascha psalmos qui dicuntur
in Pentecoste, aliam rationem invenimus, nam ibi infra heb-
80 domadam fit variatio psalmorum et antiphonarum et etiam
tonorum. Hic autem nec in ipsa die nec in aliis fit variatio,
immo ipse antiphone omnes unius sunt toni, scilicet octavi
et eiusdem differentie. Quare hoc?

### 8. DE DUPLICI BAPTISMO APOSTOLORUM

Quasi duplex baptisma legimus apostolorum: primum in
85 quo perceperunt remissionem peccatorum, nam eos baptizatos esse baptismo Christi teste Augustino non est dubitandum;
et secundum baptisma, quod perceperunt ad robur virtutum
et operationem miraculorum et ad repulsionem$^r$ omnium ille-
cebrarum secularium. Primo baptizatus fuerat Petrus cum ad
90 vocem ancille negavit, secundo baptizatus fuit in die Pentecostes cum coram regibus et principibus non timuit predicare
verbum Dei. In primo ergo multa instabilitas et varietas circa discipulos, in secundo uniformitas et stabilitas.

In hunc modum in Ecclesia Dei sunt duo genera bonorum,
95 activorum scilicet et contemplativorum. Activa vita consistit

77-83  Dur. 6.107.4.
84-93  Amal. 4.27.12-14 (II.490-491); cf. Aug. *Epist.* 265.5 (PL 33.1089);
Dur. 6.107.4-5.
94-128  Amal. 4.27.15-18 (II.491-492.)

$^r$ remissionem K

in bonis operibus et in administratione exteriorum in qua constituti ab amore temporalium non omnino separantur, licet
amorem Dei amori temporalium preferant. Contemplativa vero
vita consistit in Dei dilectione et contemplatione. He due vite
100 per Mariam et Martham significate sunt. Marie pars dicta est
optima (Luc 10.42): *Maria optimam partem*, etc. Non tamen
reprehenditur pars Marthe quia et ipsa bona. Activa enim
vita bona quidem, sed hic inchoatur et terminatur; contemplativa vero optima, hic inchoatur et in futuro consummatur.
105 In illa est multa varietas, in ista uniformitas, prout in hac vita
esse potest. Antiphone ergo cum psalmis que cantantur
in Pascha pertinent ad vitam activam, et idcirco in eis varietas. Antiphone et psalmi que in Pentecoste dicuntur pertinent ad contemplativam vitam, et ideo in eis uniformitas.
110 In prima enim Antiphona que ibi, scilicet in Pascha, cantatur dicitur (cf Ps 1.1): *Et consilium meum non est cum im-*
*piis*. Hic dicitur (Acta 2.2): *Factus est repente de celo sonus*,
etc. Spiritus seu ventus veniens solet pulverem a facie terre
deicere. Magna est differentia inter donum Spiritus sancti,
115 quo separantur fideles ab impiis[g], et donum quo omnis pulvis
terrenarum cogitationum a pectore humano pellitur. Illud ad
activam pertinet, hoc ad contemplativam.
In secunda dicitur (Ps 2.8): *Postulavi Patrem meum* etc. Hic
dicitur (cf Ps 67.29-30): *Confirma hoc Deus*, etc. Ad omnes fi-
120 deles pertinet esse de hereditate Domini sed ad paucos pertinet
a terrenis cogitationibus esse separatos, et in hoc confirmari
ne ad terrena redeant sed per conversionem esse in Ierusalem
celesti et ibi *Alleluia* cantare non cessent, quod hic petitur.
In tertia Antiphona ibi dicitur (cf Ps 3.6): *Ego dormivi et*
125 *somnum cepi*,[h] hic (cf Ps 103.30): *Emitte Spiritum tuum et*
*creabuntur*. Omnes fideles boni a vitiis resurgent vel resurrexerunt, sicut et Christus a mortuis resurrexit, quod ibi

[g] hic . . . impiis *om* A    [h] ego . . . cepi *om* KMS

dicitur. Hic in paucis[1] *ut innovetur facies terre*, id est ratio
anime quod sit ab omni pulvere terrenorum desideriorum
130 immunis. Ibi ergo, hoc est in vita activa, que ibi ostenditur,
est inchoatio; hic autem, hoc est in vita contemplativa, que
hic ostenditur, est[j] perfectio et consummatio. Ibi varietas, hic
uniformitas; propterea variantur ibi antiphone et psalmi, hic
non.

### 9. QUARE ANTIPHONE SINT OCTAVI TONI

135    Propter hanc confirmationem et uniformitatem notandum
antiphone sunt octavi toni et eiusdem differentie quia octo
sunt beatitudines, quarum octava reddit ad caput, nam in
prima dicitur (Mt 5.3): *Beati pauperes spiritu quoniam ipso-*
*rum est regnum celorum*, et in octava (Mt 5.10): *Beati qui per-*
140 *secutionem patiuntur propter iustitiam quoniam ipsorum est*
*regnum celorum*. Propter hanc eandem consumationem notandum quod in quibusdam ecclesiis celebratur octava Pentecostes.

### 10. QUARE LECTIONES SINE TITULO. QUARE PLENIUS QUEDAM HIC QUAM IN PASCHALI VIGILIA

Notandum autem quod ea que hic cantantur quedam ad
145 apostolos, quedam ad neophytos referuntur, quedam ad utros-
que, verbi gratia quod in vigilia Pentecosten leguntur lectiones
sine titulo, hoc fit propter neophytos, sicut superius dictum
est; quod *Gloria in excelsis* canimus et *Alleluia* multiplicamus,
hoc ad apostolos, qui ante Spiritus sancti missionem iugiter
150 (Lc 24.53): *erant in templo laudentes et benedicentes Deum*,
et quia ad *Kyrie eleison* Missam incipimus et post *Alleluia*
Tractum cantamus, hoc ad neophytos, et quod alia omnia plene
dicimus, hoc ad apostolos.

135-143  Dur. 6.107.5-6.
146-147  Cf. supra, Liber II, n⁰ 11.

[1] pacis BKMS      [j] inchoatio . . . est *om* KMS

## 11. QUARE IEIUNIUM INFRA
## HEBDOMADAM PENTECOSTES

Quod infra hebdomadam ieiunamus apostolos imitamur, qui
155 recepto Spiritu sancto ieiunaverunt ieiunio exultationis, qui
subtracto sponso ieiunaverunt ieiunio meroris.

## 12. DE DUPLICI IEIUNIO

Duplex est enim ieiunium Ecclesie, scilicet ieiunium meroris
et ieiunium exultationis. Ieiunium meroris consistit in uno,
scilicet in abstinentia ciborum et fit propter duo, scilicet prop-
160 ter corporalem abstinentiam et spiritualem sponsi; ieiunium
exultationis consistit in duobus, scilicet in abstinentia ciborum
et in abstinentia ab amore mumdanorum, et fit pro uno, scilicet pro quadam interne dulcedinis pregustatione, iuxta illud
(Ps 33.9): *Gustate et videte.*

## 13. QUARE NON FLECTAMUS GENUA

165     Primum ieiunium representat Ecclesia in aliis .IIII.ᵒʳ temporibus, unde tunc genua flectimus et pene omnia cantica letitie subticemus. Secundum ieiunium in hac hebdomada representamus, unde genua non flectimus sed stantes oramus
et cantica letitie multiplicamus. Quod stantes oramus etiam
170 propter neophytos facimus, gaudentes quod a peccatis resurrexerunt. Gratia huius ieiunii ieiunandum est.

## 14. DE .IIIIᵒʳ. TEMPORIBUS

Quare instituta sint ieiunia .IIII. temporum et quare in
quolibet tribus diebus ieiunaturᵏ et quare potius .IIIIᵃ. feria
et .VIᵃ. et sabbato quam aliis diebus fiat et quare hoc modo
175 ordinata sunt iuxta primariam institutionem. Unde primum
fit in prima hebdomada martii, secundum in secunda iunii,
tertium in tertia septimana septembris, quartum in .IIIIᵃ.

165-171  Cf. Dur. 6.6.7.

ᵏ continentur K

decembris nisi vigilia Nativitatis impediat: tunc enim in tertia
hebdomada fit. Hoc autem dicimus si tot dies[1] sunt in hebdo-
180 mada a die kalendarum quod possit hoc ieiunium fieri, verbi
gratia si prima hebdomada martii a .IIII$^a$. feria vel supra,
tunc in prima hebdomada erit hoc ieiunium. Si autem incipit
a .V$^a$. feria vel .VI$^a$. vel sabbato, tunc oportet in sequentem
hebdomadam differri. Hodie tamen hoc ieiunium veris semper
185 erit in prima hebdomada .XL$^e$., sive in martio sive in alio
mense; ieiunium estatis semper in hebdomada Pentecostes,
sive in iunio sive non.

### 15. QUARE INSTITUTA SINT .IIII$^{or}$. IEIUNIA. QUARE PER TRES DIES

Ideo hec ieiunia instituta sunt quod sicut in .XL$^a$. solvimus
decimas temporum, ita et in istis solvimus primitias, sicut
290 superius dictum est. Quia ergo sunt .IIII$^{or}$. tempora anni et in
quodlibet tres menses, idcirco quatuor in anno fiunt hec ieiunia
et in quolibet tres dies, ut pro duodecim mensibus totidem
dies offeramus Deo.

Facimus etiam ista .IIII$^{or}$. ieiunia ut .IIII. elementa in nobis
195 vitiata castigemus, id est corpus nostrum ex .IIII. elementis
constitutum. Attendendum quoque quod ver est calidum et
humidum, et estas calida et sicca, autumnus siccus et frigidus
hiems frigida et humida.

### 16. QUARE IN .IIII$^{or}$ TEMPORIBUS ANNI

Ieiunanmus igitur in vere ut noxium humorem, id est luxu-
200 riam, in nobis temperemus; ieiunamus in estate ut noxium
calorem, id est avaritiam, in nobis castigemus; ieiunamus in

---

188-198 Amal. 2.2.4-5 (II.202); Hon. 3.151 (PL 172.685AB). Cf. Aug.
*De diversis quaestionibus* LXXXIII (PL 40.97).
190 Cf. supra, Liber I, n° 88, l. 83.
199-203 Amal. 2.2.4-6 (II.202); Hon., *Sacramentarium* 22 (PL 172.758CD).
199-211 Dur. 6.6.2-3.

[1] *om* KMS

autumno ut castigemus ariditatem superbie; ieiunamus in
hieme ut castigemus frigus infidelitatis et malitie. De noxio
humore dictum est (Gen 1.9): *Congregantur aque in locum*
205  *unum et appareat arida.* De noxio calore dictum est[m] (Ex
13.21): *Quia columna nubis posita precedebat populum per so-*
*lem in die.* De noxia ariditate dicit psalmista (142.6): *Anima*
*mea sicut terra sine aqua tibi.* De noxio frigore dicit evangelista (Jn 10.22): *Facta sunt encenia in Ierusalem, et hiems*
210  *erat.* Dicit glosator: "Qualitas temporum congruit qualitati
peccatorum quia frigus infidelitatis inerat."

### 17. QUARE IEIUNIA FIANT IN FERIA .IIII[a]. ET .VI[a]. ET SABBATO

Fiunt autem hec ieiunia in .IIII[a]. et .VI[a]. et sabbato quia
in .IIII[a]. feria (cf Mt. 26.4) *Iudei consilium habuerunt[n] quo-*
*modo Iesum caperent dolo et occiderent.* In .VI[a]. feria eum
215  cruci affixerunt, in sabbato tristitiam apostolorum de nece
Salvatoris representamus.

### 18. QUOD ROMANI OMNI SABBATO IEIUNANT

Propter quam causam Romani omni sabbato ieiunant auctoritate Innocentii pape, nisi forte festivitas in contrarium
suadeat.

### 19. DE ORDINE IEIUNIORUM

220  Idcirco ieiunia sic ordinata sunt quia  rationabile erat ut
sibi responderent proportionaliter, nam a prima hebdomada
martii usque ad secundam iunii sunt .XIIII. hebdomade et a

---

210-211  Locus non repertus.
212-216  Amal. 2.2.12 (II.204); Hon. *ibid.* (PL 172.759A); Dur. 8.3.23.
217-218  Amal. *ibid.*; Innocentius, *Epist.* 25.4.7 (PL 20.555AB); Gratianus,
*Decretum* III, *De consecr.*, Dist 3. c.13 (Friedberg I.1355).
220-221  Cf. Dur. 6.6.13.

[m] congregantur . . . est *om* K      [n] tenerent M

secunda iunii usque ad tertiam septimanam septembris sunt
totidem[o].

### 20. QUOD .IIII. IEIUNIA RESPONDENT PERSONIS IN GENEALOGIA DOMINI POSITIS

225    Sunt autem hec disposita per tres tessere decades, ut re-
spondeant ieiunia personis que in genealogia Domini ponuntur.    In principiis tessere decadis, id est quatuordenariorum
iuxta evangelium Matthei (1.1-17), que sunt ab Abraham usque ad David, ab David usque ad Iechoniam, [a Iechonia usque
230 ad Christum]; nam ab Abraham usque ad David sunt generationes .XIIII., a David usque ad Iechoniam .XIIII., a Iechonia
usque ad Christum .XIIII., Iechonia patre et Iechonia filio
computatis.

Christus enim est principium generationis spiritualis, que
235 etiam quatuordenarius dici potest[p], nam qui implet denarium.
legis cum .IIII. mandatis evangeliorum ad generationem Christi pertinere non dubitatur.    Abraham vero interpretatur (Gen
17.5) *pater multarum gentium*, David "manu fortis", Iechonia
"preparatio Domini"; et hoc bene convenit quia nostri ordinandi
240 ad hoc ordinantur ut sint patres multarum gentium, id est multorum subditorum et adminus multorum bonorum operum
Debent quoque esse manu fortes ut superent hostes tam visi-
biles quam invisibiles, videlicet ut superent superbos per humilitatem, et debent esse parati in adventum Domini susci-
245 piendi ut ei uniantur tanquam membra capiti.

### 21. DE ORDINIBUS IN .IIII[or]. TEMPORIBUS

Fiunt autem ordines in .IIII. temporibus quia sacerdotes et
alii clerici obtinent locum quam obtinuerunt levite in populo

238-239 *David . . . fortis*: Hier. *De nominibus hebraicis* (PL 23.813B); *Ieco-
nia . . . Domini*; Hier. *(ibid.* 833B); *Glossa interl.* Esther 2.6 (Lyons 1589).
246-254 Dur. 2.1.34-35.

[o] et tertia septimana usque ad IIII decembris totidem *add* A
[p] dici potest] accipitur KMS

Israel. Levitas vero, sicut dicitur in libro Numerorum [cf 3.13;
8.17-18]: *Dominus pro primogenitis recepit*�q *quos custodivit in*
250 *Egypto, dum interficerentur primogenita Egyptiorum.* Primitie vero sunt primogenita, quomodo primitias hominum offerimus cum aliquos ad sacros ordines offerimus. Conveniens autem erat ut in primitiis temporum offerremus primitias hominum.

255    Sed quare potius in sabbato et hora nona plus quam in .IIIIᵃ.
feria vel .VIᵃ. fiunt ordines? Quia hora illius temporis iam
intelligitur pertinere ad diem dominicum, ad diem scilicet
Resurrectionis, ut nostri ordinandi ad similitudinem Christi
resurrexisse intelligantur. Fiunt etiam in sabbato in signum
260 quod debent habere sabbatum pectoris, ut transeant tandem
ad sabbatum eternitatis.

### 22. DE SABBATO .VI. LECTIONUM

Quare hoc sabbatum intituletur sabbatum .VI. Lectionum
videamus. Idcirco quod in primitiva Ecclesia Rome legebantur .VI. lectiones grece et totidem latine, quia admixti erant
265 greci latinis; grece legebantur Grecos, latine propter Latinos.
Adhuc dicitur hoc hodie fieri Constantinopoli. Erant igitur
tantum .VI. lectiones quantum ad sententiamʳ, .XII. propter
legentes.

### 23. QUARE .IIII. LECTIONES ANTE
### *ANGELUS DOMINI*

Videndum etiam quare .IIIIᵒʳ. Lectiones ante (Dan 3.49-51)
270 *Angelus Domini* legantur, et postea Epistola et tandem Tractus. Ideo .IIIIᵒʳ. leguntur lectiones quia .IIIIᵒʳ. sunt ordines
laudantium. Deum in Ecclesia, de quibus loquitur Psalmista

---

262-268  Amal. 2.1.1  (II.197);  Hon. 3.154  (PL 172.685D-686A);  Dur.
6.10.4-5.
269-274  Cf. Amal. 2.3.5-7  (II.206-207);  Dur. 6.10.1,3,5,6.

q israel . . . recepit *om* K     ʳ summam KMS

(134.19-20): *Domus Israhel, . . . domus Aaron, . . . Domus Levi
et . . . qui timetis Dominum, benedicite Domino.* In quo no-
275 tamus quod nostris ordinandis benedictiones optemus que
.IIIIᵒʳ. illis debent ordinibus. Inde sequitur Lectio *Angelus
Domini* quia non debent accedere ad ordines qui in fornace
tribulationum non fuerint probatiˢ. Sequitur Epistola ad notandum quod quasi per Epistolas invitamus ordinandos ad
280 suas ecclesias. Tractus autem significat gravitatem morum
quam debent habere ordinati; unde in illis pro eis genua flectimus in Pentecoste. In quinta autem non flectimus genua
in detestationem illorum qui flectis genibus adoraverunt sta-
tuam Nabuchodonosor, pro quo (Dan 3.23) tres pueri missi
285 sunt in fornacem.

### 24. QUOD CONTINUANDUM EST IEIUNIUM SI ORDINATIONES PROCEDANTUR USQUE IN DOMINICAM

Si autem die dominico necessitate cogente fiat ordinatio, debet fieri continuato ieiunio ab ordinatore et ordinando.

### 25. DE ORDINATIONE EPISCOPALI

Consecratio vero episcopalis semper fit die dominico et hora
tertia quia episcopi tenent vicem apostolorum quibus hora ter-
290 tia datus est Spiritus sanctus in die Pentecostes. Rationabile
igitur fuit quod hora tertia diei dominici consecrationem re-
cipitᵗ episcopus, in qua digne sumenti datus est Spiritus sanctus.

### 26. DE SPIRITU SANCTO. QUARE EVANGELIA DE SPIRITU SANCTO LEGANTUR

Gratia ieiunii fecimus digressionem ut de ieiunio .IIIIᵒʳ.
295 temporum loqueremur. Nunc revertendum ad officium Pente-

286-287  Dur. 2.1.37.
288-293  Dur. 2.11.6.

ˢ nota quod diaconus in parisiensi ecclesia legit .v. lectionem *add* K
ᵗ receperit ABKS

costes. Notandum igitur quod Spiritus sanctus est amor Patris et Filii. Idcirco .V. Evangelia leguntur de amore, scilicet Evangelium quod legitur in vigilia Pentecostes et in ipso die et in tribus sequentibus, sed quia est dilectio qua nos diligimus
300 Deum et dilectio qua diligit nos. In primo et secundo Evangelio agitur de dilectione qua nos diligimus Deum et in tertio qua nos Deus diligit. Dicit enim in Evangelio quod legitur in Vigilia (Jn 14.15-16): *Si diligitis me, mandata mea servate et rogabo Patrem et alium Paraclitum dabit vobis.*

305 Sed ne forte putaret quis Spiritum sanctum esse minorem Patre et Filio et ita non esset bonum concambium in quo Spiritus sanctus loco Filii daretur, idcirco in Evangelio ipsius diei Pater et Filius promittitur, quibus ipse Spiritus sanctus est equalis. Dicit enim in Evangelio illo (Jn 14.23): *Si quis dili-*
310 *git me, mandata mea servabit et ego et Pater ad eum veniemus, et mansionem apud eum faciemus.*

Quia vero dilectio qua Deum diligimus pendet ex dilectione qua Deus diligit nos, idcirco in Evangelio secunde ferie agitur de dilectione qua ipse nos diligit. Dicitur enim ibi (Jn 3.16):
315 *Sic dilexit mundum ut animam suam daret pro mundo.*

In Evangelio vero tertie ferie (Jn 10.1-10) agitur de pastore et ovibus que per ostium, id est per Christum, intrant et quibus ostiarius, id est Spiritus sanctus, aperit qui est amor quo Pater et Filius nos diligunt.

320 Sed quia aliquis posset de se presumere et sine Dei adiutorio ad ipsum venire, idcirco in Evangelio .IIII$^e$. ferie dicit Dominus (Jn 6.44): *Nemo potest venire ad me nisi Pater meus traxerit eum.* Hec autem tractio non est invita sed voluntaria, que de homine prius invito facit voluntarium.

325 Verum quia sanctis vel apostolis tantum dilectio pertinet que ad vite munditiam ad alios convertendos erat necessaria, idcirco in Evangelio .V$^e$. (Lc 9.1-6) ferie dicitur quod Dominus eis dedit potestatem demones eiciendi et alia miracula facien-

di, ubi quoque eos ab omni cupiditate immunes esse precepit
330 cum dixit (cf Lc 22.35) quod non portarent sacculum neque
peram.

Verum quia hec omnia de passione Salvatoris, que in .VIª.
feria celebrata effectum suum receperunt, idcirco in Evangelio .VIᵉ. ferie (Lc 5.17-26) agitur de paralytico a Domino
335 curato sub figura generis humani per passionem Dominicam
liberati.

Verum quia genus humanum ex duobus populis consistit, scilicet Iudeorum et Gentium<sup>u</sup>, in Evangelio sabbati (Lc 4.38-44)
agitur de socru Petri sanata a Domino sub figura synagoge, et
340 aliis post occasum solis sanatis sub figura gentium post occasum solis veri ab ipso curatis.

### 27. DE OCTAVA PENTECOSTES

De octava Pentecostes nunc dicendum, que et quibus celebratur, quia in septenario qui precedit intelligitur perfectio
bonorum operum, ita in octava intelligitur consummatio pre-
345 miorum quorum utrumque appropriatur Spiritui<sup>v</sup> sancto, licet
tota Trinitas utrumque operetur. Indivisa<sup>w</sup> sunt enim opera
Trinitatis, sed quia Spiritus sanctus amor est Patris et Filii et
ex solo amore hoc dat et dabit nobis Dominus, idcirco Spiritui
sancto ascribitur.

### 28. QUOD DIVERSI DIVERSIS MODIS
### CELEBRANT DE TRINITATE

350 Eorum quidam qui octavam Pentecostes celebrant per totam septimanam illam celebrant de Trinitate, dicentes .III.
psalmos cum tribus Lectionibus et Responsoriis forsitan ad
honorem Trinitatis. Credo tamen hoc fieri ad tollendum fasti-

---

<sup>u</sup> gentilium A      <sup>v</sup> appropriatur spiritui] appropriat spiritu KMS
<sup>w</sup> indivisibilia AK

dium. Alii dicunt nocturnam cum tribus Lectionibus et Res-
355 ponsoriis.

### 29. PROBABILIS CONSUETUDO

Quidam tamen in ipso die dominico cantant de Trinitate
cum novem lectionibus et responsoriis, quod magis placet mihi,
et per hebdomadam cantant *Deus omnium* et legunt de libro
Regum, et isti melius ordinem servare videntur quia post octa-
360 vam Pentecostes statim incipit tempus declinationis; quidam
in fine temporis declinationis, hoc est in dominica proxima ante
Adventum, de Trinitate agunt, et in quolibet die dominico
ab octava Pentecostes usque ad Adventum unum responsorium de Trinitate cantant nisi festum aliquod interveniat, et
365 Alleluia ad Missam, qualis Pater, talis Filius, etc.

### 30. QUOD ROMANI NON AGUNT [FESTUM] TRINITATIS

Romani vero festum Trinitatis numquam celebrant, unde
Alexander papa inquisitus quare non ageret festum Trinitatis, respondit: "Quare vos non agitis festum unitatis? Quicquid enim omni tempore cantamus ad honorem fit Trinitatis."

### DE AUTUMNO

### 31. QUARE DICATUR TEMPUS DECLINATIONIS

370 Notandum igitur de autumno, id est de tempore declinationis. In autumno enim multum est lucis et parum obscuritatis, iam sed tunc est declinatio temporis ad hiemem et fit casus
foliorum, ita in tempore declinationis, in quo nos sumus, et quia
iam dudum incepit, multum luminis habemus, quia nobis re-

---

356-365  Cf. Dur. 6.114.7.
358  Resp. 2 feria 2 post octavam Pentecostes.
363-364  Usui venit usque ad annum 1955, Resp. ad Lectionem 8 die
dominico.
366-369  Dur. 6.114.6.

375  velata sunt secreta celestia ex Salvatoris nostri clementia. Sed
     iam habemus aliquid obscuritatis, nostra faciente negligentia,
     et folia verborum Dei et bonorum [operum] iam ex magna
     parte deciderunt. Unde timendum est ne in hieme relapsi si-
     mus. Iam videtur tempus illud esse de quo dicit Dominus
380  (Luc 18.8): *Putas cum venerit Filius hominis, inveniet fidem*
     *super terram?* De hoc igitur tempore dicit.

# [LIBER QUARTUS]

1. [QUARE CELEBRAMUS .I<sup>am</sup>., .III<sup>am</sup>.,
.VI<sup>am</sup>., .IX<sup>am</sup>., COMPLETORIUM]

Primo dicamus quare .I<sup>a</sup>., .III<sup>a</sup>., .VI<sup>a</sup>., .IX<sup>a</sup>. et Completorium dicantur<sup>a</sup>. Parabolam evangelicam (Mt 20.1-15), in
qua de operariis in vineam missis agitur, in hoc sequi vide-
mur: missi enim sunt operarii in vineam hora .I<sup>a</sup>., .III<sup>a</sup>., .VI<sup>a</sup>.
5  et .IX<sup>a</sup>., unde versus:

## 2. VERSUS DE VINEA

Vinea culta fuit, cultores premia querunt.
Non<sup>b</sup> labor equalis, equalia dona fuerunt.
Qui venit extremus, dispensatore vocante,
Tantum recepit quantum qui venerat ante.<sup>bbis</sup>
10    Mane dedit viticultores, tertia, sexta horaque nona suos
misit et undecima. Et quia non fuerant operis patiendo labores, mercedem fiunt accipiendo pares. Dominus quoque
noster (cf Jn 18.24) mane ad Caifam ductus fuit qui sero
captus fuerat, tota nocte apud Annam fuit, unde Iohannes
15  evangelista dicit quod duxerunt eum ad Annam primum et
inferius dicit: (cf *ibid.* 28) ducunt eum a Caipha<sup>c</sup>, et addu-

---

1-4 Dur. 5.1.6.
6-9 Hildebertus Cenomanensis, *Carmina miscellanea* 132 (PL 171.1440);
Hans Walther, *Carmina medii aevi posterioris latina*, I. *Initia carminum
ac versuum medii aevi posterioris latinorum* (Göttingen 1959), n° 20357;
Geneviève Grand-Carlet-Soulages, "Les mélanges poétiques d'Hildebert
de Lavardin; édition et commentaire", *Positions des thèses soutenues par
les Élèves de la promotion de 1967* (École des Chartes, Paris, 1967), pp. 47-50.
10-22 Cf. Dur. 5.1.6.

<sup>a</sup> cantemus A    <sup>b</sup> est BM    <sup>bbis</sup>) versus (*tit*) . . . ante *om* AKM
<sup>c</sup> ad caifam *mss*

xerunt eum mane. Hora tertia crucifixus erat a Iudeis gladio
lingue, unde Marcus (15.25) eum crucifixum dicit hora tertia.
Hora .VI. fuit levatus in cruce, hora nona (Jn 19.30) *incli-*
20 *nato capite emisit spiritum,* circa finem diei fuit sepultus, et
propter hoc cantamus Primam, Tertiam, Sextam, Nonam et
Completorium.

### 3. QUARE IN PRIMA DUOS OCTONARIOS ET IN ALIIS HORIS TRES

In Prima tamen inde cantamus, pro prima et secuda ponentes .IIII$^{or}$. octonarios, duos pro prima et duos pro secuda.
25 Item pro .III$^a$., .IIII$^a$., .V$^a$., octonarios duos ponentes pro
tertia, .II$^{os}$. pro quarta, .II$^{os}$. pro quinta, in Sexta similiter
et in Nona et circa finem diei Completorium, sed de Completorio tamen aliter dicemus inferius.

### 4. DE .III$^a$., .VI$^a$., .IX$^a$. IN DANIELE

De Tertia, .VI$^a$., .IX$^a$. manifestum habemus argumentum
30 in Daniele, qui cum intellexisset quod Nabuchodonosor sta-
tuam erexisset quam omnibus adorandum esse preceperat
(cf Dan 6.10), intravit *domum suam et apertis fenestris* ter
*in die flectabat genua* versus Ierusalem, quod exponens, Hieronymus dicit: "Hinc habet ecclesiastica traditio quod ter in
35 die flectenda sunt genua, scilicet .III$^a$., .VI$^a$., .IX$^a$. Hora (cf
Acta 2.4,15) namque .III$^a$. Spiritus sanctus descendit in discipulos et eadem hora (cf Acta 2.11): loquebantur *magnalia
Dei.* Hora .VI$^a$. Petrus (cf Acta 10.9-13) ascendit cenaculum
oraturus quando raptus est in extasim et linteum plenum rep-
40 tilibus de celo ante eum vidit dimitti, et audivit: *Petre, macta
et manduca. Hora nona* (Acta 3.1) *Petrus et Iohannes ascen-
debant in templum* causa *orationis.*"

17-18 *Gladio lingue*: cf. Aug. *Enarr. in psalmos* 63.3 (PL 36.763).
23-28 Dur. 5.10.12.
24-42 Cf. *Commentarii in Danielem* 6.10 (PL 25.524CD).
28 Infra, n° 61.
29-42 Cf. Amal. 4.3.1 (II.414); Dur. 5.1.7.

### 5. DE OMNIBUS HORIS IN ESDRA

Sed de omnibus horis plenius documentum in Esdra (cf II
[Nehemias] 9.1-3), in quo dicitur quia populus conveniebat
45 ad confitendum peccata et orandum quater ın die et quater
in nocte, et legebatur eis lectio de libro Domini, quod exponens,
Beda dixit quod hinc habemus quod hora .Iª., .IIIª., .VIª.,
.IXª., orare debeamus.

### 6. QUARE CAPITULUM IN SINGULIS
### HORIS DICATUR

Inde etiam inolevit consuetudo ut in singulis horis Lectio
50 que Capitulum dicitur dicatur.

### DE PRIMA

### 7. QUARE ET UNDE IN PRINCIPIO HORARUM
### DICATUR: *DEUS, IN ADJUTORIUM*

Cantamus ergo horam primam quia (cf Jn 15.5) sine divino
adiutorio nihil boni possumus facere.  Idcirco opilio, id est
sacerdos noster, cuius oves sumus, incipit: (Ps 69.2) *Deus
in adiutorium meum intende*, et hoc tractum est a Veteri
55 Testamento, nam (Num 10.35) *cum arca levebatur, dicebat
Moyses: Exsurge, Domine; et dissipentur inimici et fugiant
qui oderunt te a facie tua. Exsurge, Deus*, id est fac exsurgere,
sic et sacerdos noster dicit (Ps 69.2): *Deus, in adiutorium
meum intende*, hoc est presta mihi auxilium in resurgendo
60 a peccatis et contra varios inimicos qui Ecclesiam tuam circum-
dant, que per arcam illam intelligitur.

### 8. QUARE *GLORIA PATRI*

Et quia Dominus dicit (Is 52.6) adhuc te loquente: *Ecce
adsum*, quia iam nos intelligimus exauditos, gratiarum actiones retribuimus Trinitati, dicentes *Gloria Patri*, etc.

43-48  Cf. Amal. 4.3.2-3 (II-414-415).
47-50  Cf. Beda, *In Esdram et Nehemiam Expositio* 3.28 (PL 91.908C);
Dur. 5.1.2.
53-61  Cf. Amal. 4.3.11-12 (II.408-409); Dur. 5.2.7.
62-64  Cf. Amal. 4.3.12 (II.409); Dur. 5.2.17.

### 9. QUARE PSALMUS: *DEUS, IN NOMINE TUO*

65    Sequitur hymnus ex cuius continentia manifeste videtur quare ponitur psalmus (53.1): *Deus, in nomine tuo salvum me fac*, quem cantavit David pro liberatione Ziphei. *Ziphei* interpretantur "florentes" et significant demones, qui seducunt homines per flores[d] temporalium. Oramus ergo in hoc
70   psalmo ut sicut Dominus liberavit David de Zipheis, et nos liberet a demonibus.

### 10. QUARE *BEATI IMMACULATI* ET *QUICUMQUE VULT*

Sed quia ad hoc ut liberemur duo sunt necessaria: boni mores et fides, sequitur psalmus (118): *Beati immaculati*, qui totus est de moribus, et *Canticum Athanasii*, in quo de fide
75   manifeste docemur. Non tamen in omnibus ecclesiis cantatur *Quicumque vult* ex primaria institutione.

### 11. QUARE DICATUR CAPITULUM

Post hoc sequitur Lectio, que pertinet ad doctrinam de predicta causa, que sumpta est de Esdra, et quia oportet ut precedant bona opera et tandem sequatur doctrina de spiri-
80   tualibus et secretioribus, iuxta illud (Acta 1.1): *Cepit Iesus facere et docere*. Hec autem Lectio dicitur Capitulum, quasi parvum caput, quia quedam particula sumuntur de Novo vel Vetere Testamento, sicut est illud (Is 33.2): *Domine, miserere* et *Omnis homo*[e].

---

65-71  Amal. 4.2.5-6,14 (II.407,409); Dur. 5.5.5.
72-76  Cf. Amal. 4.2.15 (II.410); Dur. 5.5.6. De *Symbolo Athanasiano*, cf. John H. Miller, *Fundamentals of the Liturgy* (Notre Dame, Ind. 1959), p. 174; *Clavis patrum latinorum* (*Sacris Eruditi* 3), ed. altera 1961, nº 167.
77-84  Cf. Amal. 4.2.25-28 (II.413); cf. Dur. 5.2.51-52.
84  *Omnis homo*: locus non repertus.

[d] florem BK    [e] sumuntur . . . homo *om* K

## 12. QUARE NON DICATUR *IUBE [DOMINE]* *BENEDICERE* IN CAPITULO SICUT IN LECTIONIBUS MATUTINIS

85    Differunt autem hee Lectiones que in Prima et horis dicuntur a lectionibus nocturni officii quia ante illas dicitur: *Iube Domine*, et in fine (Ps. 40.11): *Tu autem*, sepius in istis vero neutrum. Ideo autem in his non dicitur *Iube Domine*[f] quia dicuntur a maioribus qui sunt in ecclesia[g] vel qui obtinent
90    vicem ipsorum, scilicet hebdomadarii, et nemo suam petit licentiam faciendi sermonem vel aliquid aliud. Lectiones autem que dicuntur in nocturno officio a minoribus leguntur et idcirco petunt licentiam a maiori, dicentes: *Iube, Domine, benedicere*. Lectiones enim ille obtinent locum sermonum qui
95    fiebant ad populum, et nullus maior vel minor extraneus audet vel audebat facere sermonem in ecclesia sine licentia illius ad quem pertinet. Ita etiam diaconus lecturus Evangelium licentiam petit a sacerdote, dicens: *Iube, domine, benedicere* et ille dat benedictionem, dicens: *Dominus sit in ore*,
100   etc.

### 13. QUOD EPISCOPUS QUANDOQUE PETIT BENEDICTIONEM AD LEGENDUM LECTIONEM, QUANDOQUE NON

Etiam si episcopus lecturus est Lectionem in Matutinis, in quibusdam ecclesiis, omisso *Iube, domine*, ipsemet imponit benedictionem et postea legit, sed secundum Romanam consuetudinem causa humilitatis dicit: *Iube, Domine*, sed ali
105   us respondet: *Ora pro nobis, pater*, et tunc ipse dat bene-

85-100 Cf. Dur. 5.2.50.
87 Lector petit benedictionem ante lectionem; "Tu autem Domine, miserere nobis" post lectionem dicitur.
101-121 Cf. Dur. 5.2.46.

[f] et in fine . . . domine *om* K     [g] in ecclesia *om* KMS

dictionem et legit, in quo tantum officium minoris exercet, nam lectiones nocturne minores sunt.

### 14. QUOD LICET MAIOR POSSET SUBTICERE
### *IUBE [DOMINE]*, *BENEDICERE*, TAMEN DEBET DICERE *TU AUTEM*

Inde est etiam quod si non est ibi alius sacerdos, alius dicit *Iube*, *Domine*, in quo notatur quod non est minoris be-
110 nedicere maiorem sed econverso, sed si, [est] ibi alius sacerdos, ipse dominus domus dicit *Iube*, *Domine*, quia scriptum est (Rom 12.10): *Honore invicem prevenientes*, et hoc se quasi minorem causa humilitatis exhibet. Unde in longo sermone vix est quin predicator aliquid favoris pulveris contrahat,
115 inde est quod in fine ponit *Tu autem*, *Domine*, quasi dicat: Domine, si aliquid peccati contraxi vel humanum favorem captando vel plus vel minus vel aliter quam deberem, dicendo *Miserere*, id est de misericordia tua dimitte.

### 15. QUARE RESPONDEAT CLERUS:
### *DEO GRATIAS*

Et clerus non ad *Tu autem* sed ad Lectionem respondet
120 *Deo gratias* quasi dicat: Deo gratias referimus, qui per tuum ministerium intelligentiam divini Verbi nobis aperuit.

### 16. QUARE IN FINE CAPITULI NON DICITUR
### *TU AUTEM* SED *DEO GRATIAS*

In Lectionibus[h] autem que dicuntur Capitula non dicitur *Tu autem Domine*, quia in brevi sermone inter familiares vix est qui capiatur aura humani favoris vel   quia sacerdos
125 perfectus esse debet qui suggestionibus diaboli non de facili succumbat[i]; respondetur tamen *Deo gratias* ex predicta causa.

122-127  Dur. 5.2.50.

[h] omnibus M      [i] vel . . . succumbat *om* KM

### 17. QUARE RESPONSORIUM

Post Lectionem sequitur Responsorium *Christe, Fili Dei*, et Ecclesia ostendit se annuere et applaudere his que lecta
130 sunt, nihilominus tamen orat pro se.

### 18. QUARE ET UNDE VERSICULUS

Inde sequitur Versiculus (Ps 43.26) *Exsurge, Domine*, quod similiter tractum est a Veteri Testamento. Nam (Num 10.36) *Cum deponebatur arca dicebat Moyses: Revertere, Domine, ad multitudinem filiorum Israel*, id est fac nos reverti
135 ad te; inde est: exsurge et fac nos exsurgere. Exsurgere enim a vitiis nihil aliud est quam reverti ad Dominum.

### 19. QUARE DICATUR VERSUS

Propter hanc reversionem cantus ille Versus vocatur quia etiam ipso gestu corporis representamus quia tunc ad altare vertimus, quasi dicamus: Nos, qui quasi evagati sumus in
140 exteriora vel per visum vel aliquando, fac ad interiora redire, et da nobis cor ad te redire[k].

### 20. QUARE IN QUIBUSDAM ECCLESIIS UT IN PARISIENSI OMITTUNTUR CAPITULUM ET RESPONSORIUM IN PRIMA

In quibusdam tamen ecclesiis solus versiculus *Exsurge* dicitur, pretermisso Capitulo et Responsorio, et illud non sine causa fit, nam in hoc morem apostolorum videntur imitari.
145 Legimus enim apostolos, post ascensionem ante adventum Spiritus sancti, perseverasse in orationibus et in bonis operibus, sicut dicit Lucas (24.52-53), qui dicit quia *ipsi adorantes*

128-130  Cf. Dur. 5.5.7.
131  Respons. ad Capitulum in Prima.
131-136  Amal. 4.2.16-17 (II.410.29-30).
137  Amal. 4.3.30 (II.422).
142-158  Dur. 5.5.7.

[k] ad te redire] ut possimus orare A

*reversi sunt in Ierusalem cum gaudio magno, et erant semper*
*in templo, laudantes et benedicentes Deum*, et non legimus tunc
150  eos fecisse sermonem ad populum, sed in die Pentecostes
dato Spiritu sancto, hora tertia ceperunt tanquam confirmati
loqui ad populum[1]. Instruimur ergo quod usque ad horam
tertiam bonis operibus et orationibus vacare debemus, et
tunc tandem alios docere, quod notat ipsa Lectio, nam psal-
155  mus ad opera, id est ad doctrinam. Propter hanc causam non
ponitur in Prima Lectio; qua subtracta, subtrahitur et Responsorium, sed in hora tertia et deinceps Lectio ponitur et
Responsorium.

### 21. QUARE TER *KYRIE, ELEISON*

Post Versiculum Ecclesia sternit se in oratione et dicit ter
160  vel tantum semel *Kyrie, eleison*, et postea *Christe, eleison*,
et *Kyrie, eleison* similiter, in quo misericordiam Domini
imploramus humiliati, et quasi tria tempora figuramus, tempus ante assumptam humanitatem, in quo sancti Trinitatem
venerabantur et implorabant in temptationibus suis, unde
165  dicimus ter *Kyrie eleison*.

### 22. QUARE SEMEL *CHRISTE ELEISON*

Tantum semel *Christe eleison* propter unitatem essentie.
Inde recolimus tempus assumpte humanitatis in quo Dominus
inter homines conversatus est. Unde dicimus *Christe eleison*,
nam secundum humanitatem ipse (cf Heb 1.9) *unctus est oleo*
170  *exultationis pre* consortibus *suis* et secundum eam dicitur
Christus. Cum ergo dicimus ter *Kyrie, eleison* notamus hominem assumptum a Trinitate numquam fuisse separatum.
Significat etiam quod sicut[m] tres persone, Pater et Filius et
Spiritus sanctus, sunt in una natura, ita[n] tres nature, scilicet

159-182 Amal. 4.2.18-20 (II.411); Dur. 5.5.9.

[1] sed . . . populum *om* K       [m] *om* KMS       [n] id est KMS

175 deitas, anima et caro, sunt in una Dei Verbi persona. Cum
autem dicimus semel *Christe eleison* notamus quod ipse solus inter homines erat, cui nullus in bonitate poterat com-
parari. Quod iterum tertio dicimus *Kyrie, eleison,* tempus
illud recolimus in quo Dominus orabat ut deposita mortali-
180 tate, ipse clarificaretur, sicut ipse dicit (Jn 17.1): *Pater, cla-
rifica filium tuum claritate quam habuit antequam mundus
fieret.*

### 23. QUARE *DOMINICA ORATIO* DICATUR IN SECRETO

Postea dicimus dominicam Orationem, que cum magna in-
tentione dicenda est et devotione. Propter quod eam singuli
185 secreto dicimus quasi ad interiora reversi.

### 24. PER QUE .VII^ies. IUSTUS CADAT IN DIE

Sunt autem duo genera hominum in ecclesia pro quibus
oramus, scilicet illi qui numquam per mortale peccatum ce-
diderunt, etsi per venialia sepius, sine quibus hec vita agi non
potest, secundum quod dicit Salomon (Prov 24.16): *Septies*
195 *in die cadit iustus et resurgit. Cadit* enim, id est peccat, per
ignorantiam, per oblivionem, per fragilitatem, per accidiam,
id est fastidium orandi vel aliquid boni faciendi, per cogitationem, que est ab ipso, et per suggestionem, que est a diabolo,
et per otiosum sermonem. Sed talis resurgit, immo nec iustus
195 esse desinit, quia per hoc eius iustitie nullum fit preiudicium.

### 25. PRO QUIBUS DICATUR *DOMINICA ORATIO*

Sunt alii qui cadunt per mortale peccatum, sed per penitentiam addiscunt° ut resurgant. Pro his duobus generibus hominum orat Ecclesia.

183-185  Amal. 4.2.22 (II.412); Dur. 5.5.10.
186-195  Amal. 4.2.21,23 (II.411-412).

° additiunt *mss*

### 26. QUARE DICAT *VIVET ANIMA*, ETC

Pro primis dicit Orationem dominicam, pro secundis dicit
200 (Ps 118.175): *Vivet anima mea et laudabit te.* *Vivet* dicit
quasi mortua prius fuerit per mortale peccatum sed ipsa vivet
gratia tua adiuvante, *et laudabit te, et iudicia tua adiuvabunt
me,* quibus dicit (Ezech 33.11): *Nolo mortem peccatoris,* etc.
Errorem suum exponit, dicens (Ps 118.176): *Erravi sicut ovis
205 que periit.* Medicinam querit ubi dicit (*ibid*): *Quere servum
tuum, quia mandata tua non sum oblitus,* id est paratus sum
ea implere.

### 27. QUARE DICATUR SYMBOLUM

Sed quia (Hebr 11.6) *impossibile est sine fide* aliquem *placere
Deo,* sequitur Symbolum apostolorum, *Credo in Deum.*

### 28. RATIO DE SINGULIS QUE PETUNTUR
### PER PRECES

210     Sed quia (Eccli 15.9) *non est speciosa laus in ore peccatoris,*
petit sibi gratiam conferri, qua repletus digne possit laudare,
dicens (Ps 70.8): *Repleatur,* Domine, *os meum laude,* etc.
Inde orat pro peccatis, et sunt .IIII$^{or}$. pro quibus maxime
orat, scilicet pro immunditia removenda et munditia confe-
215 renda, pro tristitia, que est ex morsu conscientie, removenda
et letitia conferenda, pro quibus .IIII$^{or}$. particulas illius psalmi (50) *Misereri mei* dicit. Pro immunditia removenda dicit
(Ps 50.11) *Averte iram tuam a peccatis meis,* id est noli ea
eternaliter punire, sed quia posset esse quod non curaret ea
220 deleri cum non modo punirentur, idcirco addit (50.11): *Et
omnes iniquitates meas dele.* Pro munditia conferenda dicit
(50.12) *Cor mundum crea in me, Deus,* sed quia etiam collata

199-207  Amal. 4.2.23-24 (II.412-413); Dur. 5.5.12.
208-209  Dur. 5.5.11.
210-249  Dur. 5.5.13.

munditia homo sibi eam collatam ignorat et adhuc morsu
conscientie torquetur, addit (50.13): *Ne proicias me a facie*
225 *tua,* etc. Inde pro letitia conferenda dicit (50.14): *Redde
mihi letitiam salutaris tui,* sed quia restant adhuc inimici qui
ad mala trahere nituntur, qui sunt .III., scilicet caro, mundus et diabolus, idcirco contra inimicos tres Versiculos ponit
(*Ps* 139.2): *Eripe me,* et alios sequentes duos.   Inimicis vero
230 repressis[p], iam laudare potest, unde dicit (Ps 60.9): *Sic psalmum dicam nomini tuo in seculum seculi,* et quia laudandus
est omni tempore adiungit (Ps 60.9): *Ut reddam vota mea,*
etc. et omni loco ideo apponit (Ps 64.6): *Exaudi nos, Deus,
salutaris noster,* etc. et quia per passionem redempti sumus
235 et per eam oratio nostra percipit efficaciam, idcirco reduci-
mus ad memoriam que in passione Domini cantamus et legimus: *Sanctus Deus, sanctus fortis.*   Inde hortamur animam
nostram ad benedicendum Deum[q] propter[r] beneficia nobis
collata, ibi (Ps 102.1): *Benedic, anima mea,* etc.

### 29. QUARE IN PRIMA FIT CONFESSIO

240   Ut autem pura sit eius oratio Confessionem facit et quia
hominis confessio nihil valet nisi interius convertatur, ideo
subiungit (Ps 84.5): *Converte nos, Deus, salutaris noster,* etc.
et quia est in capite diei, orat a peccato per diem liberari, dicens: *Dignare, Domine, die ista,* etc., sine quo ad monu-
245 mentum vix potest esse humana fragilitas; et quia necesse est
ut misericordia Dei sequatur sicut prevenit diem, idcirco addit (Ps 32.22): *Fiat misericordia tua, Domine, super nos.*

---

237  In Improperiis feriae sextae in Passione et morte Domini.
244  *Dignare, Domine:* Circa finem cantici.
247  Ps. 32.22. In Precibus in Laudibus et Vesperis feriae IV[ae] et VI[ae]
nunc legitur.

---

[p] repulsis M      [q] sunt *mss*      [r] per BKMS

Deinde orat pro universis gradibus Ecclesie et tandem concludit per psalmum (50) *Miserere mei, Deus.*

### 30. QUANDO ET UBI DICI DEBEAT *PRETIOSA*, ETC.

250    Post quem[s] noster opilio solus pro omnibus orat in Collecta
dicens quod sequitur (Ps 115.15): *Pretiosa* est *in conspectu
Domini*, etc., quod non est de Prima. Inde est quod dicunt
quidam post Matutinas, quidam post Primam, quidam interponunt Missam animarum, sed de Constitutione in capitulo
255    dici debet post Lectionem que legitur fratribus de *Regula* et
post nominationem sanctorum quorum festivitas erit. Inde
ad honorem Trinitatis orat generaliter pro se et pro omnibus
dicendo (Ps 69.2): *Deus, in adiutorium meum intende.*

Et in quibusdam ecclesiis post *Gloria Patri et Filio* non
260    sequitur *Alleluia*, idcirco quia locus ille in quo ista dicuntur
sacer non est: sicut enim sacer locus significat celestem illam
Ierusalem in qua vox illa angelica auditur, scilicet Alleluia,
ita locus iste non sacer peregrinationem nostram representat
in qua peccamus et pro peccatis orare compellimur. Propter
265    quod subiungimus *Kyrie eleison, Christe eleison, Kyrie eleison* et *Pater noster* et postea (Ps 89.16): *Respice, Domine,
in servos tuos*, [et in *opera tua et dirige filios eorum*] etc. Filii
nostri sunt cogitationes, que de mente nostra nascuntur, quas
ad opera Domini implenda rogat dirigi. *Opera vero ma-
270    nuum nostrarum* sunt opera exteriora, que ex internis cogitationibus procedunt, sed quia omnia ad unum tendunt, ideo[t]

---

250-274 Cf. Dur. 5.5.18. Hi textus in "officio capituli" Primae habentur,
a Chrodegango Mettensi addito vel primo relato: *Regula canonicorum* 18
(PL 87.1067); cf. C. Callewaert, *De breviario romano*, pp. 186-188;
P. Salmon in Martimort, *L'église en prière*, p. 834.
255  Id est *Regula sancti Benedicti*.
265-274 Cf. Amal. 4.2.25-26 (II.413).

[s] post  quem] postquam M     [t] *om* K

postea dicit *opus* singulariter cum dicit (Ps 89.17): *Et opus manuum mearum dirige.* Iterum opilio pro omnibus ovibus orat generaliter, dicens: *Dignare dirigere, Domine,* etc.

### 31. DE HORA TERTIA

275 Hora tertia, iam aliquantulum corroborati, ad bella procedimus, ad similitudinem illorum qui edificabant muros Ierusalem, de quibus dicitur in Esdra (II [Nehemias]. 4.7-19) quod ab hostibus infestabantur, qui una manu ponebant lapides in muro et alia manu pugnabant contra hostes.

280 Hos muros cotidie nos edificamus et edificando hostes inpugnamus. In his muris sunt lapides exteriores quadrati, expoliti, continentes interiores lapides minores, qui coniungantur cemento, quod fit ex calce et sabulo et aqua. Lapides quadrati et politi sunt viri fortes qui sunt in Ecclesia, a conta-
285 gio mortalium peccatorum purgati. Minores lapides quos continent sunt infirmi, qui a maioribus reguntur et sustentantur ne defluant, qui cemento unitatis ecclesiastice coniunguntur, in quo calx est fervens caritas, sabulum bona opera que quasi ex terra nostra sunt, aqua gratia Spiritus sancti que coniungit
290 illos[u]. Hostes nos impugnantes sunt caro, mundus, diabolus quos prosternimus manu iustitie cum manu misericordie opera bona facimus.

De his hostibus in prima parte dicitur (Ps 118.42): *Et respondebo exprobrantibus mihi verbum* et in secunda (118.51):
295 *Superbi inique agebant* et in tertia (118.69): *Multiplicata est super me iniquitas superborum.* Post psalmos, per quos bona opera intelliguntur, sequitur Lectio, per quam fidei doctrina religionis significatur.

275-298 Amal. 4.3.4-11 (II.415-417).
297 Lectio, id est Capitulum "per annum"; Jer. 17.14.

[u] illa ABKS

### 32. QUARE IN .III*ª*. RESPONSORIUM ET QUARE
### IBI DICAMUS *SANA ANIMAM,* ETC.
### ET QUARE VERSICULUS *ADIUTOR.*

Inde Responsorium in quo nos precedentibus assentire os-
300 tendimus. Verum quia in predictis preliis vix est quin vulne-
remur idcirco in Christo medicinam petimus, dicentes (Ps 40.5):
*Sana animam meam,* etc.

Sed quia non valet sanari nisi sanitas conservetur, idcirco
dicitur in Versiculo (Ps 26.9): *Adiutor meus est,* Domine,
305 quasi dicat: quamvis liber et sanus in via tua sim constitutus,
tamen non sufficio sine tuo adiutorio ad illum meridiem pervenire, de quo dicitur (Cant 1.6): *Indica mihi ubi pascas, ubi
cubes in meridie.* Unde dico (Ps 26.9): *Adiutor meus esto*
Domine, et subiungo (9): *Ne derelinquas me,* id est inceptum
310 ne intermittas, quia sine te nihil est conatus meus, (9) *neque
despicias me,* id est ne contemnas quia ego mortalis. Te Eternum audeo querere, quia (cf Ps. 61.3) *Tu es Deus meus* qui me
creasti *et salutaris meus,* id est qui sanas plagas peccati mei.

### 33. QUARE DICANTUR *PRECES*

Inde prosternuntur omnes ad orationem et faciunt ea que
315 Apostolus docet. Prosequitur enim sacerdos modum orationis
quem Apostolus docet dicens (I Tim 2.1): *Primo omnium
sint obsecrationes, orationes, postulationes, gratiarum actiones.*
Obsecratio fit pro removendis malis, oratio pro adipiscendis
bonis, postulatio pro superandis malis, gratiarum actiones
320 pro bonis iam collatis. Obsecratio est in illo versu (Ps 40.5):
*Ego dixi: Domine,* ubi petit vulnera sanari, id est medicinam
dari; oratio in illo versu (Ps 32.22): *Fiat misericordia tua;*
postulatio in illo versu[v] (Ps 89.13): *Convertere, Domine, us-*

299-313  Cf. Amal. 4.3.30-31 (II.422.423); Dur. 5.6.1. Responsoria ferialia
Capituli Tertiae "per annum".
314-327  Cf. Amal. 4.4.3-8 (II.423-425); Dur. 5.6.1-2.

[v] ego dixi . . . versu *om* K

*quequo,* in quo postulamus ut per Domini auxilium omnia a
325  nobis adversa removeantur; gratiarum actiones in illo versu
(Ps 131.16): *Sacerdotes tui induam*<sup>w</sup>, et hoc (I Tim 2.1): *pro
omnibus hominibus.* Inde orat *pro regibus* et aliis hominibsu

### 34. QUARE INFRA *PRECES* DICATUR *MISERERE MEI, DEUS*

Sequitur (Ps 50) *Miserere mei, Deus,* pro [his qui] sunt in
gravioribus peccatis sicut precessit Dominica Oratio pro his
330  qui sunt in quotidianis.

### 35. QUARE SACERDOS *PRECES* PROSTRATUS ET *COLLECTAM* STANS

Post hoc resurgit opilio et omnibus prostratis orat pro universis. Quod ipse orat prostratus notat quod ipse erat pecca-
tor inter peccatores, quod stans orat notat quod illius gerit
vicem (cf Rom 8.34, Hebr 7.25) *qui pro nobis interpellat* in
335  celis. In quibusdam ecclesiis omnes surgunt eo surgente, et in
quo significant se spem recepisse surgendi a peccatis.

### 36. QUARE *BENEDICAMUS* ET *DEO GRATIAS*

Orationi preponitur salutatio et sequitur benedictio et inde
gratiarum actio. In hoc significatur quod post resurrectionem
suam (Lc 24.36; Jn 20.19, 26; 21.1) salutavit discipulos suos
340  et in die ascensionis (Lc 24.51-52) benedixit eis, et illi gratias
agendo adoraverunt in loco ubi steterunt pedes eius.

### 37. QUOD PRECES IN QUIBUSDAM ECCLESIIS PROLIXIORES, IN QUIBUSDAM BREVIORES

Nota quod implorationes, salutationes, benedictiones et
gratiarum actiones idem pene sunt in .VI<sup>a</sup>., .IX<sup>a</sup>. et Vesperis,
nisi quod in quibusdam ecclesiis prolixiores in Vesperis Preces

---

328-330  Amal. 4.4.9 (II.425); Dur. 5.5.14.
331-336  Cf. Amal. 4.4.10 (II.425-426); Dur. 5.5.14.
337-341  Amal. 4.4.14 (II.426); Dur. 5.2.62.

<sup>w</sup> induantur KM

345 dicuntur, et de illis quedam ponuntur in .III<sup>a</sup>. et .VI<sup>a</sup>., que varietates forte magis fiunt ad tollendum fastidium quam propter mysterium. Non tamen sine causa in vespertino officio prolixius oramus, secundum quod inferius dicemus cum de illo agemus officio.

### 38. DE .VI<sup>a</sup>.

350     Statui temporis respondet officium .VI<sup>e</sup>. sicut et aliarum horarum, nam in Prima est inchoatio et in Tertia profectus, in .VI<sup>a</sup>. consummatio, secundum quod in Prima sol incipit lucere, in Tertia magis calet, et in .VI<sup>a</sup>. est in summo fervore.

### 39. NOTA CONTINUATIONEM HORARUM

Inchoationi respondent verba que dicuntur in psalmis
355 (53.5): *Deus, in nomine tuo salvum me fac et in virtute tua libera me,* id est separa me a Zipheis. In principio namque nostre conversionis incipimus a malo separari merito, quia ibi petimus qui tandem separandi sumus loco et premio. Ad idem pertinet quod dicit (118.5): *Utinam dirigantur vie mee*
360 et in secunda parte, ubi dicitur (118.17): *Retribue servo tuo,* id est frequenter retribue, et *vivifica me, et custodiam sermones tuos.* Per hoc quod dicit: *Vivifica me,* quod prius mortuus erat per peccatum, unde petit per gratiam vivificari.

Ad perfectum pertinet quod dicitur in principio Tertie
365 (118.33): *Legem pone mihi, Domine*: sibi enim posito in via petit dari legem correctionis. Ad correctionem pertinet quod dicitur in principio .VI<sup>e</sup>. (118.81): *Defecit in salutari tuo anima,* posita in salutari tuo, defecit in terrenitate; vel *defecit in salutare tuo,* id est anima mea, tendens salutare tuum,
370 defecit a terrenitate.

Quanto enim quis magis fervet in dilectione Dei, tanto magis deficit a terrenis et quasi pre nimio desiderio languet,

348 Infra n° 58.
350-353 Amal. 4.5.2 (II.428-429); Dur. 5.7.1.
354-380 Dur. 5.7.1.

iuxta illud (Cant 2.5): *Fulcite me floribus, stipate me malis, quia amore langueo.* Per flores initia bonorum operum, per
375 mala perfectio accipitur, que in aliis attendens quodam modo consolatur; non tamen hic plenam recipit consolationem sed postea affligitur ex dilectione. Unde sequitur (118.123): *Defecerunt oculi mei in salutare tuum* et in secunda parte (118.97): *Quomodo dilexi legem tuam, Domine,* et in tertia (118.123)
380 *Oculi mei defecerunt in salutare,* etc.

Ad hanc pertinet Responsorium (Ps 33.2): *Benedicam Dominum* et Versiculus (Ps 22.1): *Dominus regit me* nam, sicut habet alia translatio, (Ps 22, 1-2): *Dominus pascit me et nihil mihi deerit. In loco pascue, ibi me collocavit,* id est
385 Dominus est pastor meus, in quo sum tutus et etiam sufficiens. Unde subditur: *Et nihil mihi deerit*: spiritualem enim substantiam credit sibi a Deo conferendam, quia iam scit se esse collocatum in loco pascue, ubi fideles in fide plenius corroborantur. Unde dicit: *Ibi me collocavit*: quem enim pascit
390 Dominus spiritu adventus sui, eundem regit, id est in bonis operibus facit delectari eum, et per rectum iter deducit ad tutissimam civitatem Ierusalem. Tali nil deest, testante Apostolo, qui dicit (Phil 4.13): *Omnia possum in eo qui me confortat.*

## 40. DE HORA NONA

395     In nona hora declinavit sol a centro[x]. Status ergo temporis minuit fervorem virtutum, in quo animus prius erat propter

---

377-394   Amal. 4.5.3-5 (II.428-429); Dur. 5.7.1-2.
381-384   *Benedicam Dominum* et *Dominus regit me*: initia responsorii et versiculi Capituli Sextae "per annum".   Alia translatio Hieronimi est ex Hebraeo, *Liber Psalmorum* (PL 28.1205C).
395-417   Amal. 4.6 (II.429-430); Aug. *Enarr. II in Ps.* 18.13 (PL 36.162C); Dur. 5.8.2.

[x] cancro KMS

temptationes tepefactus; nam ait beatus Gregorius: "Vitia nos temptant, virtutes in nobis humiliantur." Cum enim vir perfectus temptatur, ab altitudine intimi gaudii descendit ad
400 considerandum suam fragilitatem et videndum quam facilis sit ad casum, verbi gratia in Apostolo, qui dicebat (2 Cor 12.7): *Ne magnitudo revelationum extollat me,* etc. Gaudebat Paulus de revelatione, dolebat de temptatione; unde ipse dicit (12.8): *Propter quod ter Dominum rogavi,* etc.: nisi enim ei molesta
405 esset temptatio, non rogaret ut tolleretur; non est tamen sublata quia (2 Cor 12.9) *per infirmitatem virtus perficitur,* cui gaudium debetur.

Has tribulationes et angustias notant aliqui versus None, ut in prima parte (118.143): *Tribulationes,* etc., et in secunda
410 (118.157): *Multi qui persecuntur* et in tertia (118.176): *Erravi,* etc. Ab eisdem petimus liberari, et in Responsorio (Ps 25.11) *Redime me, Domine,* id est fac, Domine, ut effectum redemptionis tue que facta est in sanguine tuo sentiam in tribulationibus. Hoc idem est in versu (Ps 18.13): *Ab occultis meis,*
415 etc., quod exponit Augustinus dicens: [Tolle mihi ex corde malam cogitationem,] id est repelle a me malam cogitationem, id est compesce suasorem.

### 41. CONCORDANTIA RESPONSORIORUM DOMINICALIUM ET FERIALIUM

Nota quod Responsoria dominicalia in tribus horis, scilicet in Tertia, .VIª., .IXª., convenienter respondent Responsoriis
420 ferialibus. Nam in Responsorio [IIIe] (Ps 40.5): *Sana animam meam* petitur sanitas vulnerum que preterita fecerunt peccata et in Responsorio dominicali petitur cautela de futuris, que fit inpletione divinorum mandatorum, quod notat Responso-

397-398 Locus non repertus. Locum apud Gregorium perperam citat Hanssens II.429.
411-416 Cf. Aug. *Enarr. I in Ps.* 25.11 (PL 36.188).
415-417 *Enarr. II in Ps.* 18.13 (PL 36.162).
418-435 Dur. 5.8.3.

rium (Ps 118.36): *Inclina cor meum*, etc. et Versus (37): *Averte*
425 *oculos*. In Responsorio .VIᵉ. (Ps 33.2): *Benedicam Dominum*,
etc. fit iugis laudis divine promissio; in dominicali Responsorio (Ps 118.89): *In eternum, Domine*, fit promissionis impletio: ibi enim promittit se laudaturum et hic laudat. In
Responsorio None (Ps 25.11): *Redime me, Domine*, petitur
430 redemptionis effectus, quo fit ut pes mentis, id est animus,
fit directus ad eum; in Responsorio dominicali proponitur effectus pedis, id est amoris, scilicet clamor ad Dominum. Ex
amore enim est clamor cordis, unde dicit (Ps 140.1): *Clamavi
in te*, etc. Versiculi in pluribus sunt, id est tam in ferialibus
435 quam in dominicalibus.

### DE NOCTURNO OFFICIO

Dictum est de diurno officio. Nunc dicendum est de nocturno, iuxta ordinem Esdre (II [Nehemias] 9.1-3), qui sedit ut con-
veniret populus[ad] confitendum quater in die, quater in nocte.

### 42. QUE OFFICIA DIURNA QUE NOCTURNA

Quadruplex est officium nocturnum, sicut et diurnum, sci-
440 licet Vespertinum, Completorium, Nocturnum et Matutinum.
Quod Vespertinum pertineat ad noctem inde patet quod, sicut dicit Isidorus in Libro *Etymologiarum*, "Vespertinum dicitur a vespere stella, que initio noctis lucet."

In festivitatibus quoque que non sunt multum sollemnes ad
445 Vesperas cantare incipimus de festo et cantamus usque ad
Secundas Vesperas, ut "usque" exclusive teneatur; in quo
apparet quod officium vespertinum pertinet ad noctem. Si
autem sollemne est festum, tunc ad maiorem festivitatem
faciendam Secundas Vesperas quasi mutuo accipimus, nam de
450 ipso festo in eis cantamus. Tamen ille Vespere quodammodo

436-443 Amal. 4.7.1-2 (II.430-431).
444-453 Cf. C. Callewaert, *Liturgicae institutiones*, II, *De breviarii romani liturgia* (Bruges 1939), pp. 196-198.

communes, nam de futuro festo adminus Antiphona cum Collecta dicitur, quod apparet in Nativitate Domini. Illud est regulare licet quedam ecclesie minus observent.

### 43. QUARE .V. PSALMI

In vespertino autem officio .V. psalmi cantantur ad correc-
455 tionem .V. sensuum corporis. In eo igitur quare[y] deflemus excessus qui per .V. sensus ad nos intraverunt, secundum quod dicit Ieremias (9.21): *Mors intravit per fenestras vestras.* Quis est enim qui visu non concipiat unde mens cogitatione immundatur? Auditu percipimus detractiones, adulationes et
460 alia plura, ex quibus cogitatio reproba surgit; ita et de aliis sensibus. Cantus ergo .V. psalmorum informat fletum eorum quibus occidit sol iustitie, et ita sunt in vespero, de quo dictum (Ps 29.6): *Ad vesperam demorabitur fletus*, qui durat usque ad matutinum, id est que usque oriatur lux fidelibus, que
465 occiderat peccatoribus, secundum quod sequitur (6): *et ad matutinum letitia.*

### 44. QUARE ANTIPHONE SUPER PSALMOS

Post .V. psalmos cantamus antiphonatim, quod a beato Ignatio, qui tertius a beato Petro Antiochie prefuit, initium habuit. Hic enim audivit in visione angelos psalmos antipho-
470 natim[z] psallentes, et intellexit Deo placere ut ita cantaretur. Unde in ecclesia sua istud instituit[a], et ab eius ecclesia ad alias derivatum est.

### 45. QUID ANTIPHONE SIGNIFICENT

In psalmis enim, ut dictum est, intelligitur bona operatio, in antiphonis mutua dilectio.

454-466  Amal. 4.7.3 (II.431); Dur. 5.9.3.
467-472  Amal. 4.7.9 (II.432-433); cf. Cassiodorus, *Historia ecclesiastica tripartita* 10,9 (PL 69.1171D); Dur. 5.2.26.
473-474  Cf. Amal. 4.7.11 (II.433); Dur. 5.2.27.

[y] quasi K      [z] antiphonarum BKMS      [a] constituit A

## 46. QUID TONI

475   Secundum tonum antiphone melodia psalmorum informatur, nam dilectio bona opera nostra informat.

## 47. QUARE ALTERNATIM TAM ANTIPHONAS
## QUAM PSALMOS IN CHORO CANTEMUS

Et quia mutua esse debet dilectio, inde est quod antiphone
alternatim a partibus chori incipiuntur, et quia (Gal 6.2)
alter alterius onera portare debemus, inde est quod psalmi al-
480 ternantur. Unusquisque enim fratrum, si vere frater est, fra-
tri suo suum opus porrigit. Verbi gratia, unus discit in scholis,
alter in agro seminat; tempore fructus, qui[b] didicit ministrat
seminanti doctrinam et econverso seminator doctori cibum.
De dilectione autem surgit commune gaudium.

## 48. QUARE ANTIPHONE COMMUNITER CANTENTUR

485   Unde antiphone post psalmum ab omnibus communiter
cantantur. Post psalmum vero in quibusdam ecclesiis statim
sequitur hymnus et post hymnum Lectio, in quibusdam econverso.

## 49. QUOD HYMNUS NON EST DE SUBSTANTIA OFFICII

In quibusdam vero nec hymnum cantant; quo apparet quod
490 hymnus non est de substantia officii. Non tamen sine causa
a sanctis patribus hymni instituti sunt. Hymnus enim est laus
Dei cum cantico; unde per hymnum intelligitur mentis exultatio, sicut secundum psalmum bona operatio.

## 50. QUARE QUIDAM POST PSALMUM
## HYMNUM ET POSTEA CAPITULUM

Qui ergo post psalmum ponunt hymnum congruum ordi-
495 nem servare videntur. Primo enim est in corde dilectio, ex

475-476  Isid. *Etym.* 6.19.7.
477-484  Amal. 4.7.10-11 (II.433); Dur. 5.2.28.
477  Isid. *Etym.* 4.19.7.
484-488  Cf. Dur. 5.2.29; 5.9.4.

b quod BKMS

dilectione surgit bona operatio, ex bona operatione mentis exultatio. Iuxta hunc ordinem prima est Antiphona, per
quam, ut dictum est, intelligitur dilectio, inde psalmus, per
quem bona operatio, postea hymnus, per quem exultatio.
500 Sed quia exultatio sepius negligentiam parit, idcirco sequitur
Lectio, que hominem ad cor revocat.

### 51. QUARE CAPITULUM HYMNO PREPONATUR

Qui vero Lectionem preponunt hymno, hymnum volunt ob-
tinere locumᶜ Responsorii. Unde cum in festivitatibus cantatur Responsorium post Lectionem, in multis ecclesiis preter-
505 mittitur hymnus.

### 52. NOTA QUOD SEMPER DEBET PRECEDERE
### LECTIO RESPONSORIUM

Ad maiorem tamen exultationem notandum in quibusdam
ecclesiis uterque cantatur. Istud tamen generale est: quan-
documque cantatur Responsorium, precedere debet Lectio.

### 53. QUARE QUIDAM HYMNUM IN VESPERIS
### NON CANTENT

Qui vero [nec Responsorium] nec hymnum cantant hoc at-
510 tendere videntur quod (Lc 1.46-55) Canticum beate Virginis
sequitur, quod Responsorium excludit. Nam si Canticum
Zacharie (Lc 1.68-79) in Matutinis Laudibus Responsorium
excludit, multomagisᵈ Canticum beate Virginis excludere videtur. Sequitur Versiculus, in priori nocte dominice diei *Ves-*
515 *pertina oratio* et aliis noctibus (Ps 140.2) *Dirigatur, Domine.*
Isti tamen Versiculi ad idem tendunt, nam ille Versiculus,
*Vespertina oratio* vespertinum tempus designat in quo cantatur.

501  Cf. Amal. 4.7.21 (II.436,1.7).
509-518  Amal. 4.7.14,17 (II.434-435).

ᶜ loco MS      ᵈ nihilominus BKMS

### 54. QUOD OMNES VERSICULI AUT REFERUNT AD TEMPUS. UT HIC, AUT AD REM DE QUA AGITUR

Quilibet enim Versiculus vel ad tempus refertur in quo cani-
520 tur vel ad rem de qua agitur. Ad tempus, ut hii; ad rem de
qua agitur, ut in diebus passionis. Versiculus enim qui tunc
dicitur de passione est, quia tunc de passione agitur. Optat
ut oratio dirigatur ad Dominum, quod tractum est a Veteri
Testamento. In Veteri namque Testamento (Ex 30.6-8) hora
525 vespertina intrabat sacerdos sanctum tabernaculum vel templum ut offeret thymiama super altare incensa, sicut mane
intrabat ut offeret. Thymiama significat suavitatem odoris.

### 55. QUARE IN VESPERIS THURIFICETUR

Hinc habet consuetudo ut cum dicitur Versiculus, sacerdos
thurificet altare. Ad idem refertur alter Versiculus (Ps 140:2)
530 *Dirigatur, Domine,* quod portant verba que in psalmo ipsum
versiculum secuntur, scilicet (140.2) *elevatio manuum mearum*
etc. Consuevimus enim in oratione manus elevare, licet spiritualiter de Christo illud exponatur, cuius manus in vespera
mundi pro peccatis nostris in cruce elevate sunt.

### 56. DE CANTICO BEATE VIRGINIS

535 Inde sequitur Canticum beate Virginis in quo notantur cogitationes, sicut in psalmis opera. Nam si diligenter consideres
verba beate Virginis et facta, non te movebit favor humanus
indebitus, non temporalium immoderatus appetitus, non temporalis afflictio, non de impetranda venia desperatio. Non
540 movebit te favor humanus, quia cum Beata Virgo commenda-
retur a beata Elizabeth dicente: (Luc 1.43): *Unde hoc mihi*

519-527 Amal. 4.7.18 (II.435); Dur. 5.9.4-5.
527 Isid. *Etym.* 4.12.2.
528-534 Cf. Amal. 4.7.17-19 (II.435).
530-531 Dur. 5.9.4.
535-558 Cf. Amal. 4.7.24-26 (II.437-438); Beda, *Homilia* II, *in festo
visitationis beatae Mariae* (PL 94 21C-22B); Dur. 5.9.6-8.

*ut veniat mater Domini mei ad me,* etc., non ipsa mota fuit
aliquo favore, sed ipsa servans humilitatem clamavit (1.46):
*Magnificat anima mea Dominum,* et tandem adiecit (1.48):
545 *Quia respexit humilitatem ancille sue,* scilicet non temporalium appetitus removit, quia sic ipsa dicit, iudex noster (1.53):
*divites dimittit inanes* et (1.52) *deponit potentes de sede.* Non
temporalis afflictio movebit me, quia Dominus (1.52) *exal-
tat humiles;* non desperatio de impetranda venia movebit te[e],
550 quia (1.50): *misericordia a progenie in progenies timentibus
eum;* sed observantia castitatis et opera virtutis ad beate Virginis imitationem perseverabunt in te.

### 57. QUARE IN VESPERIS CANTETUR CANTICUM BEATE VIRGINIS?

Inde inolevit consuetudo, ut dicit Beda, quod in officio vespertino cantetur Canticum beate Virginis. Sed quare potius
555 in vespertino quam in alio officio[f]? Quia in ipsa vespera
mundi suo singulari assensu mundo succurrit perdito, et per
hoc fit incarnationis Domini in vespera mundi facte iugis recordatio.

### 58. QUARE PROLIXIUS IN VESPERIS QUAM ALIIS HORIS ORET ECCLESIA

Et quia ipsa est stella maris, que in hoc mundi vespere no-
560 bis lucere cepit sicut vespera [stella], a qua dicitur vespertinum officium, initio noctis lucere incipit. Inde prosternit se
Ecclesia in oratione, prolixius orans quam in officiis aliis, quia
specialiter orat pro his quibus occidit sol iustitie, licet et pro
aliis oret, et facit ea que dicta sunt superius cum de Precibus

559-567  Dur. 5.9.8-9. Cf. C. Callewaert, *Liturgicae Institutiones* II, *De
breviarii romani liturgia,* pp. 196-198.
564  Cf. supra, Liber IV, n° 33.

[e] quia . . . te *om* K     [f] vespertino . . . officio *om* K

565 Tertie ageretur. Hoc in profestis diebus; in solemnibus autem diebus in pluribus ecclesiis statim dicitur Collecta, ut supra ostensum est, et quasi stantes oramus in spe resurrectionis.

### 59. QUARE *DOMINICA ORATIO* DICATUR

In quibusdam tamen ecclesiis, licet astantibus, in omnibus dicitur officiis dominica Oratio. Nam dominica Oratio est quasi
570 sal et condimentum nostri sacrificii et in Veteri Testamento nullum sacrificium sine sale fiebat, et ita nullum nostrum officium sine dominica Oratione fieri debere videtur, sicut ex precedentibus haberi potest.

### 60. DE PSALMIS QUI PER SINGULOS DIES CANTANTUR IN VESPERIS

In Vesperis cantamus .V. psalmos ad correctionem exces-
575 suum qui contrahuntur ex .V. sensibus corporis. Sed hoc facimus in .VI. officiis vespertinis. In septima autem agimus de victoria et laude Dei que sequitur victoriam. Nam in primo, scilicet (Ps 143): *Benedictus Deus,* ad litteram agitur de victoria David contra Goliam, quantum ad spiritualem sensum
580 de victoria nostra qua diabolum superamus. Post victoriam non restat nisi laudare eum per quem victoriam habemus. Unde secuntur[g] psalmi qui sunt de laude. In prima laudem promittit Ecclesia (Ps 144) *Exaltabo Dominum,* in secunda se ipsam incitat (Ps 145) *Lauda, anima,* in tertia alios invi-
585 tat (Ps 146) *Laudate Dominum,* in .IIII[a]. aggratulatur Ierusalem celesti dicens (Ps 147): *Laudate Ierusalem.*

566-567 Cf. supra, Liber IV, n° 35.
568-573 Dur. 5.5.17.
571 Cf. P. P. Saydon, "Leviticus", *A Catholic Commentary on Holy Scripture,* (Th. Nelson & Sons, New York 1953) p. 231.
574-586 Amal. 4.7.20-23 (II.436-437); Dur. 5.9.4.

[g] iiii[or] *add* A

### DE COMPLETORIO

#### 61. QUARE IN COMPLETIORIO DICATUR
*CONVERTE NOS, DEUS*

In principio huius officii, preter morem aliorum officiorum dicimus (Ps 84.5): *Converte nos, Deus.* Quia enim quasi toto die psalmodie instituimus[gbis] et pene impossibile est quin
590 aliquem pulverem superbie contraxerimus, inde est quod nos humiliantes dicimus *Converte nos, Deus, salutaris noster.*

#### 62. QUARE DICATUR HOC
OFFICIUM *COMPLETORIUM*

Hoc officium dicitur Completorium quia in eo complere debemus cotidianum usum cibi et potus, que et ad necessitatem nostram sunt; ita etiam communem collocutionem in eo
595 terminare debemus. Nam beatus Benedictus[h] instituit ut monachi cum officio hoc claustra oris muniant et a communi collocutione aliena faciant usque dum iterum ad opera redeant. Unde hoc officium a quibusdam conticinium vocatur quasi dicamus: Si quid pulveris superbie contraximus, illud, Do-
600 mine, dele; inde advocamus[i] divinum adiutorium. Cum dicitur (Ps 84.5): *Converte nos, Deus*, referatur ad mala preterita tollenda, et quia dicimus (Ps 69.2): *Deus, in adiutorium*, ad bona opera futura facienda, et quia sine Dei adiutorio, nil bona facere possumus et quia totum ad laudem Trinitatis
605 faciendum est, sequitur *Gloria Patri.*

#### 63. QUARE .IIIIor. PSALMOS

In hoc autem officio .IIIIor. psalmi cantantur, quia .IIIIj. elementa ex quibus constat corpus nostrum castigamus, id est

587-591 Dur. 5.10.2.
592-597 Cf. Amal. 4.8.1 (II.439 usque ad verbum *conticinium*); *Regula sancti Benedicti* 42 (PL 66.672A); ed. R. Hanslik. CSEL 75 (Vienna 1960), p. 105.
606-623 Cf. Amal. 4.8.2-5 (II 439-440); Dur. 5.10.5.
606 Psalmi 4, 30, 90, 133.

gbis) institutus *mss*     h̄ bernardus K     i invocamus A     j *om* KMS

nos ipsos ex .IIII<sup>or</sup>. elementis constantes. Quid autem sint
noctis pericula quilibet in semetipso experimento didicit qui
610 aliquid sapit, nam dormientes multa incurrimus sicut et vigi-
lantes mala. Somnus enim est quedam mortis imago; unde
aliquo modo assimulamur his in officio qui in morte se Domino
commendant. Quod notat Versiculus primi psalmi (4.9) *In pa-*
*ce in idipsum,* id est que est invariabilis. Pax in idipsum non
615 est in hac vita. Quidquid enim est in hac vita in idipsum
est etiam aliud, id est variabile. Ad hanc pacem suspiramus
dum in tribulationibus a Domino protegi rogamus. Hoc autem in hoc officio maxime petimus, quod notat primi Versiculus (Ps 4.2) *Cum invocarem* etc. *in tribulatione dilatasti*
620 *mihi*; et secundus psalmus, scilicet (30) *In te, Domine,* etc.,
intitulatur "pro ecstasi," id est pro mentis excessu sive aliena-
tione quam pavor facit in tribulatione cum timetur defectus
totius orbis.

### 64. QUARE TANTUM .VI. VERSUS CANIMUS
### HUIUS PSALMI *IN TE, DOMINE, SPERAVI*

Istius psalmi (30) tantum sex cantantur<sup>k</sup> versus. Dicimus
625 quod in . VI<sup>a</sup>. etate a Domino redempti sumus, sicut habet
finis ultimi versus (30.6): *Redemisti me, Domine, Deus meus*
*veritatis,* et quia Dominus principium huius versus in cruce
dixisse legitur, dicens (Jn 19.30): *Inclinato capite emisit spiri-*
*tum*, sicut dicit Lucas (23.46).
630 De protectione in tribulatione totus psalmus tertius (90)
plenus est.

In .IIII<sup>o</sup>. etiam psalmo (133) ad idem hortamur, ut a
Domino protectionem in tribulatione petamus, ibi (133.2):
*In noctibus extollite manus vestras in sancta.* "Nox," ut su-

624-629  Dur. 5.10.5.
630-641  Amal. 4-8.6-7 (II.440-441); Dur 5.10.4.
634-636  Aug. *Enarr. in Ps.* 133.2 (PL 37.1737).

<sup>k</sup> sunt *mss*

635 per hunc psalmum dicit Augustinus, "res tristis est, dies autem res letitie"; ergo per noctem intelligitur adversitas, per
diem prosperitas. In adversitate benedicendus est Dominus
sicut et in prosperitate, quod faciebat Iob quando amissis
filiis suis et omnibus rebus suis dicebat (1.21): *Dominus dedit,*
640 *Dominus abstulit,* etc., *sit nomen Domini benedictum.* Unde
et hic dicitur et *Benedicamus*^kbis *Domino.*

### 65. QUARE QUIDAM POST PSALMOS IMMEDIATE CANTANT HYMNUM, QUIDAM VERO MEDIATE

Hic notandum quod in quibusdam ecclesiis statim post psalmos dicitur hymnus, quorum forsitan hec est ratio: quia per
bonam operationem pervenitur ad exultationem absque omni
645 purgationis medio ab his qui purgati transeunt ab hac vita.
Alii interponunt Antiphonam vel Alleluia, per Antiphonam
sequentes ordinem beati Ignatii, de quo supra dictum est.

### 66. QUARE INVARIABILIA SINT OFFICIA PRIME ET COMPLETORII UT IN PRIMA DOMINICE DIEI

Item nota quod hoc officium est invariabile sicut officium
Prime, quantum est ad psalmos et quantum ad hymnum,
650 Lectionem et Preces et Collectam, ita quod numquam variatur pro aliqua^kter alicuius sancti festivitate. Quare? Quia
illi canimus qui est *alpha* et *omega,* id est, principium et finis.
Et omnia officia diurna[1] invariabilia sunt quantum ad psalmos
hoc solo excepto quod in dominicis diebus illos psalmos dici-
655 mus qui sunt post dominicalem nocturnam et illum psalmum
(117) *Confitemini Domino,* ut ita totum psalterium in hebdomada perficiamus. Semper enim in hebdomada perficien-
dum est psalterium nisi festa sanctorum interveniant. Et
etiam est causa quare potius in Prima quam in alio loco pona-

642-647  Dur. 5.10.6.
647  Supra, Liber IV, n° 44.
648-677  Cf. Dur. 5.10.11-12.

^kbis) benedicite *mss* ^kter) aliquo ABMS/ *om* K      [1] divina K

660 mus illum psalmum: (21) *Deus, Deus meus, respice,* et in
Completorio (Ps 30): *In manus tuas commendo spiritum
meum,* quia ille qui est principium et finis hunc hymnum hic,
utrumque in cruce, legitur dixisse, immo, sicut a quodam magistro nostro audivimus, Dominus in cruce incepit hunc Psal-
665 mum (21.2): *Deus, Deus meus, respice* et per ordinem cantavit
omnes psalmos usque ad versum illum (30.6): *In manus
tuas commendo spiritum meum.*

### 67. QUARE VARIABILIA SINT OFFICIA
### NOCTIS ET NON DIEI

Omnia diurna officia, ut diximus, sunt invariabilia; nocturna vero variabilia sunt preter istud. Per noctem enim intelli-
670 gitur mundus ille qui variabilis est, et per diem ille eternus
qui invariabilis est$^m$, de quo scriptum est (Ps 118.91): *Ordina-
tione tua perseverat dies.* Verior enim est littera *perseverat*
quam *perseverant,* licet omnes cantent *perseverant.* Hoc autem officium est invariabile propter predictam rationem, et
675 quia in eo spiritualiter de illa pace agitur ad quam suspiramus,
que invariabilis est, et quia secundum aliam considerationem
hoc officium ad ultimam horam diei pertinet.

### 68. NOTA QUOD CUILIBET HORE DIEI
### ASSIGNANDA EST LAUS DEI PROPRIA

Nam sicut dictum est in precedentibus, in Prima dicimus
.IIII$^{or}$. octonarios, .II$^{os}$. pro prima et II$^{os}$ pro secunda; et in
680 Tertia .VI., duos pro tertia et duos pro .IIII$^a$. et duos pro .V$^a$.,
et in .VI$^a$. sex, duos pro .VI$^a$, duos pro .VII$^a$. et duos pro octava; et sex in Nona, .II$^{os}$. in Nona et duos pro .X$^a$. et duos pro
undecim. Restat ultima hora, scilicet .XII$^{ma}$, ad quam pertinet
Completorium, quod notat hymnus *Te lucis ante terminum.*

664-667  Amal. 3.25.7 (II.342).
678-694  Dur. 5.10.12,6.
678  Supra, Liber IV, n° 3.

$^m$ et quia secundum aliam considerationem *add* K

685    Nota quod in quibusdam ecclesiis statim post psalmos Antiphonam vel Alleluia statim sequitur Lectio cum Responsorio, (Ps 30.6): *In manus tuas, Domine, commendo spiritum,*
vel alio quodam Responsorio, quia, iuxta *Decretum,* asserere
volunt in quolibet officio esse Lectionem. Lectio suum debet
690  habere Responsorium. Post adiciunt hymnum, in quo optant
protegi a nocturnis tribulationibus, et inde Versiculus, qui
notat totius officii effectum, scilicet (cf Ps 16.8) *Custodi nos
Domine,* postulat enim custodiam Domini contra noctis pericula.

### 69. QUARE QUIDAM NON DICANT
### CAPITULUM IN COMPLETERIO

695    Quidam autem pretermissa Lectione statim dicunt Versiculum, quia tempus illud tempus dormitionis est, non aptum ad
doctrinam, et quia significat illud tempus de quo dictum est
(Jn 6.45): *Erunt[n] omnes docibiles Dei,* et de quo dicit Apostolus (1 Cor 13.8): *Sive prophetie evacuabuntur sive lingue ces-*
700  *sabunt, sive scientia destruetur.* In quo erit illa summa pax
quam optavit Simeon et nos cum eo in hoc quod dicimus (Luc
2.29): *Nunc dimittis servum.* Propter hoc canimus hymnum
Simeonis.

### 70. QUARE CONFESSIO IN COMPLETORIO[o]

Sed quia ad illam pacem per orationum instantiam est ve-
705  niendum, idcirco Preces adiciuntur, inter quas in pluribus ecclesiis sicut in Prima fit Confessio, quia, sicut dictum est, tunc
ad modum transeuntium de hac vita nos commendamus Domino, et transeuntibus non est tutum transire sine confessione. Post Preces opilio noster, commendans gregem suum

688  Locus non repertus.
695-703  Dur. 5.10.6.
704-712  Dur. 5.10.6,9.

[n] erant KMS       [o] quare . . . completorio] canticum symeonis K

710 Domino, dicit Collectam, etc. Unde non congruum est ut post hoc officium<sup>p</sup> aliquid aliud fiat nisi quod pertineat ad quietem.

### 71. QUARE MONACHI DICANT COLLATIONEM

Nota quoque quod viri religiosi Lectionem pretermittunt in hoc officio ex causa predicta, ne ordinem Esdre excedere vi-
715 deantur. Ante officium Lectionem dicunt, similes in hac parte Marie Magdelene, de qua scriptum est (Mc 14.8): *Prevenit ungere corpus meum in sepulturam*, id est hoc fecit vivo quod factura erat mortuo si licuisset ita. Et Lectio hec quasi ungit animas, reddendo ante commendationem dormitionis.

### DE MATUTINIS

720 Sequitur de nocturno officio, in cuius principio dicimus (Ps 50.17): *Domine, labia mea aperies.* Post Completorium quasi in quibusdam sepulchris quievimus et soli Domino mente astitimus, cui non sunt necessaria verba quia (cf 1 Cor 3.20) omnes cogitationes novit.

### 72. QUARE *DOMINE, LABIA MEA*

725 Sed quia iterum modo convenimus, precamur ut sua direc-tione Dominus labia nostra aperiat, et quasi ab eo licentiam agendi petimus cui nos commendaveramus tanquam de vita transeuntes, implorato Dei adiutorio, ad laudem Trinitatis *Gloria Patri* dicimus.

### 73. QUARE INVITATORIUM

730 Post adicimus Invitatorium, in quo circumstantes in utroque sexu ut excitentur ad confitendum Domino invitamus. Quod notat secundus versus, scilicet (Ps 94.2) *Preoccupemus fa-*

---

713-719  Amal. 4.8.10 (II.441-442); Dur. 5.10.6.
720-727  Amal. 4.9.1 (II.442).
730-736  Cf. Amal. 4.9.2 (II.442); Dur. 5.3.11.

<sup>p</sup> hoc officium *om* AK

*ciem eius*, etc. Unde in quibusdam ecclesiis consuetudo est
quod ante Matutinas iacent ad singula altaria, sed cum au-
735 diunt (94.1) *Venite, exultemus Domino*, tunc [chorum]�q intrant si prius non intraverant.

### 74. QUARE HYMNUS POST INVITATORIUM

Inde sequitur hymnus in pluribus ecclesiis in signum quọd
gentes gavise sunt, sicut dicitur in Actibus apostolorum (13.48),
quod ipse ad fidem vocate sunt. Post hanc exultationem se-
740 quitur psalmus, quia non valet fides sine operibusʳ (Jac 2.26):
*Fides enim sine operibus mortua est.* Quod autem hymnus
non debeat pretermitti ex verbis ipsorum hymnorum patet.
Duo enim hymni sunt instituti, unus ad Nocturnum, alius ad
Laudes, scilicet *Nocte surgentes* et *Ecce iam noctis. Nocte*
745 *surgentes* quod ad noctem pertineat, ipsa verba ostendunt.
Similiter *Ecce iam noctis* quod ad matutinas laudes pertineat, verba ipsa ostendunt, licet quidam unum uno tempore
alium alio tempore cantant ad Laudes.

### 75. QUARE .XII. PSALMI IN PRIMO NOCTURNO

In hoc notandum est quod in primo dominicali nocturno
750 dicimus .XII. psalmos: .IIIIᵒʳ. primos psalmos sub uno *Glo-*
*ria Patri*, et in secundo nocturno et in tertio sub totidem
*Gloria.* Dominica enim nox resurrectionem nobis Domini
ad memoriam reducit, quia eam Dominus sua resurrectione
glorificavit, et non tantum dominicamˢ resurrectionem sed
755 et resurrectionem omnium fidelium nobis ad memoriam reducit, qui fuerunt ab initio mundi et futuri sunt usque ad
finem seculi. Unde Apostolus (Rom 1.4): *Qui predestinatus*
*est Filius Dei in virtute, secundum spiritum sanctificationis,*

---

737-748  Dur. 5.3.13.
749-771  Cf Amal. 4.9.3-5 (II.443); Dur. 5.3.18-19.

 q *om mss/* chorum *Durandus*     ʳ operatione *mss*     ˢ *om* AKMS

*ex resurrectione mortuorum Domini nostri Iesu Chsisti.* Non
760 dicit: "ex resurrectione Domini nostri Iesu Christi" sed *ex
resurrectione mortuorum,* volens significare resurrectionem omnium electorum in resurrectione Domini esse significatum.

Tria autem sunt tempora Ecclesie, scilicet sub lege nature,
sub lege Moysi et sub lege gratie. Et quamvis multi sancti
765 fuerunt sub lege nature, specialiter tamen fuerunt .XII. patriarche, a quibus populus Domini in .XII. tribus fuit propa-
gatus, qui fuit Domino populus peculiaris.

Dicimus ergo .XII. psalmos in primo nocturno ad recolen-
dum resurrectionem eorum qui fuerunt in tempore legis natu-
770 ralis, quos canimus divisos per quaternarium sub triplici *Gloria.*

### 76. QUARE .IIII. PSALMI SUB UNA *GLORIA* DE .IIII<sup>or</sup>. VIRTUTIBUS CARDINALIBUS

Quomodo illi sancti patres servierunt Trinitati per .IIII.
principales virtutes, que sunt prudentia, fortitudo, iustitia et
temperantia. Hee .IIII<sup>or</sup>. virtutes inseparabiles sunt. Id-
775 circo .IIII<sup>or</sup>. psalmi sub una *Gloria Patri* ponuntur, nam ut
ait Augustinus: "Prudentia ad hoc quod sit vera oportet quod
sit fortis et iusta et temperans, et fortitudo iusta, prudens et
temperans, et iustitia prudens, fortis et temperans, et temperantia prudens, fortis et iusta."

### 77. QUARE .XII. PSALMI QUANDOQUE SUB UNA ANTIPHONA, QUANDOQUE SUB TRIBUS

780 Hos<sup>t</sup> autem psalmos quidam omnes cantant sub una Antiphona ad notandam delectationem<sup>u</sup> quam habent in cognitione unitatis; quidam sub tribus ad notandum delectationem

---

773-779 Cf. Amal. 4.9.6-7 (II.443); Dur. 5.3.19.
776-779 Aug. *Epist.* 167.5 (PL 33.733-741).
780-806 Dur. 5.3.19,23.

<sup>t</sup> *om* A    <sup>u</sup> dilectionem MS

quam habent in Trinitate, et istorum quidam, sicut dictum
est, ponunt .IIII. psalmos sub uno *Gloria Patri* propter
785 predictam causam et quidam ad quemlibet psalmum dicunt
*Gloria,* sed distingunt eos per tres Antiphonas, quia quilibet
tenetur ex suo dono reddere laudes Trinitati ex hac delectatione quam habet in cognitione Trinitatis.

Tres psalmi qui cantantur in secunda Nocturna cum tribus
790 Antiphonis et tribus glorificationibus recolunt resurrectionem
eorum qui fuerunt tempore legis Mosaice, et licet multi sancti
fuerunt sub lege, tres tamen ordines fuerant, videlicet legislator
cum suis imitatoribus et psalmista cum suis imitatoribus et prophete. Fuerunt enim aliqui doctrina legis contenti, et fuerunt
795 aliqui qui cum David vel ad modum ipsius Domino psalmos
cantaverunt ante arcam eius. Fuerunt et prophete, quibus
datum fuit corrigere populum doctrina et sapientia sibi a
Deo data, et predicere eis futura.

Propter$^v$ hos tres ordines tres psalmos dicimus, et quia isti
800 servierunt Trinitati cum delectatione spirituali, ad singulos
dicimus *Gloria Patri* cum Antiphona. Qui autem omnes
psalmos prime nocturne dicunt sub una Antiphona$^w$ et secunde nocturne sub tribus, hoc attendunt quia etsi illis qui
fuerunt tempore legis nature revelata sit veritas aliquatenus,
805 illis tamen qui fuerunt sub lege Moysi magis, et inde eis maior
exultatio; quod notat Antiphonarum triplicatio.

### 78. QUARE IN SECUNDO NOCTURNO AD SINGULOS PSALMOS *GLORIA PATRI*

Nota etiam quod illis qui fuerunt sub lege nature promissa
fuit hereditas, sed his qui fuerunt sub lege Moysi collata, per
quam tamen hereditas eterna intelligebatur, et quia maius

789-794 Amal. 4.9.8 (II.443-444).
807-837 Cf. Amal. 4.9.9-12 (II.444); Dur. 5.3.23-24,26.

$^v$ per *mss*  $^w$ qui ... antiphona *om* K

810 gaudium est in perceptione quam sit in sola promissione, idcirco hic plures dicunt Antiphonas et ibi unam.

### 79. QUARE ANTIPHONE TERTIE NOCTURNE SEPIUS TERMINANTUR CUM *ALLELUIA* ET QUARE LEC- TIONES DE NOVO TESTAMENTO ET *TE DEUM LAUDAMUS*

Tres tertie nocturne psalmi recolunt resurrectionem eorum
qui fuerunt tempore gratie, et sunt et erunt in tribus partibus
orbis, scilicet Asia, Europa et Africa. Et quia tempore gratie
815 maxime facta est revelatio veritatis et impletio, idcirco psalmi
illi sepius cantantur cum Antiphonis habentibus *alleluia* ad
notandum maius gaudium, et propter hoc etiam leguntur lectiones Novi Testamenti, scilicet expositiones Evangeliorum.
Propter hoc etiam adicitur *Te Deum laudamus*.

820 Isti sunt illi tres anni ficulnee quam invenit Dominus inutilem[x] et de qua dixit (cf Lc 13.7): *Dimitte me ut succidam*, et
responsum est ei (Lc 13.8): *Dimitte eam adhuc hoc anno ut cir-
cumfodiam eam et mittam stercora*. Cantamus in prima nocturna ut recolentes facta patrum qui fuerunt sub lege nature,
825 etiam inutiles non[y] inveniamur. Cantamus in secunda ut
recolentes patrum facta qui fuerunt sub lege Moysi, non inveniamur inutiles. Cantamus in tertia ut recolentes patrum
facta qui ante nos fuerunt sub lege gratie, non inveniamur
inutiles, et si inutiles sumus, oportet quod pastor noster fo-
830 diat circa nos, mortem eorum quos vidimus paulo ante florere
ad memoriam nobis reducens, dicens: Fili, vide quam fortis
fuit ille, quam fortis, quam nobilis, quam dives, quam potens,
et ecce ad momentum transivit. Oportet quod et stercora ponat, peccata nostra ante oculos nostros ponendo. Sed si non
835 habet effectum, dicat: in proximo est quod (cf Lc 3.9) Dominus ad radicem arboris securim ponat, et si te invenerit inutilem, te in ignem eternum ubi perpetuo combureris proiciet.

[x] isti . . . inutilem *om* K      [y] *om* AKMS

### 80. QUARE .IX. LECTIONES

Cuilibet dominicali nocturno tres Lectiones subiciunt ut ita sint .IX. quia trium temporum sanctos cum angelis in cogni-
840 tione Trinitatis gaudere credimus. In psalmis enim intelligitur bona operatio, in Lectionibus sanctorum conversatio, in Reponsorio eorumdem exultatio. Possumus etiam aliter dicere: tribus enim modis musice modulamur, scilicet pulsu, voce, flatu. Pulsu in psalterio et aliis instrumentis que ad hoc
845 ut sonent manu vel alio quodam modo pulsamus—dicitur enim psalterium a greco *psallin*, quod est tangere—voce sicut [cum] cantamus, flatu sicut in tuba. Cantando igitur psalmos quasi instrumento quod pulsu resonat utimur, legendo Lectiones quasi humana voce cantamus, in Responsorio quasi
850 in tuba vocem exaltamus. Precepit (cf Num 10.1-2) enim Dominus Moysi ut faceret duas tubas eneas ductiles quibus uteretur ad convocandum populum et in preliis et conviviis. Quid est tuba enea et ductilis nisi voluntaria carnis mortificatio, que est enea, que in auribus bene resonat et ductilis est,
855 que per longam macerationem ad perfectionem ducitur. Sed due sunt tube, quia carnis mortificatio inutilis est sine gemina Dei et proximi dilectione. Hac tuba gemina utimur in convocatione populi de aliorum conversione gaudendo, in preliis de victoria contra hostes exaltando, in conviviis spe eterni con-
860 vivii letando. Cantamus ergo Responsoria in singulis nocturnis post singulas Lectiones propter triplex tube nostre officium.

### 81. QUE DIFFERENTIA INTER HAS LECTIONES ET ALIAS

Nunc videndum que sit differentia inter Lectiones has et alias quas dicit pastor in aliis officiis. Lectiones quas dicit pastor in aliis officiis sunt quasi exhortationes ad domesticos
865 et scientes. Sicut enim ligna lignis adicimus ut ignis magis

838-861  Cf. Dur. 5.2.67.
862-872  Cf. Amal. 4.9.13 (II.445); Dur. 5.2.50.

areat, ita ignitis cordibus domesticorum ignita verba pastorum
adiciuntur ut magis igniantur. Hee Lectiones obtinent locum
Lectionum quas faciunt doctores ad nescientes ut per eas
instruantur. Scientibus enim necessaria est exhortatio[z], ne-
870 scientibus doctrina. Minus tamen proprie aliquando unum
pro altero ponitur. Post Lectiones sequuntur Responsoria
que, sicut diximus, significant gaudium eternum.

### 82. QUARE NULLUS VERSUS HABEAT *ALLELUIA*

Verum quia ad istud gaudium sine labore veniri non potest,
adicitur Versus qui laborem significat. Inde est quod nullus
875 Versus in se habet *Alleluia*, etiam cum inter Pascha et Pentecosten Responsoria fere [omnia] ad singulas Lectiones habeant
*Alleluia*.

### 83. QUARE FIAT REPETITIO TOTIUS RESPONSORII VEL PARTIS

Cantatur ergo Responsorium ad gaudium notandum, et sequitur Versus ad notandum quod per laborem veniendum est
880 ad gaudium, sed quia spes gaudii relaxat[a] laborem, idcirco
de Versu ad partem Responsorii redimus, quasi dicat Ecclesia:
Spe gaudii libenter tolero laborem.

### 84. QUARE POST TERTIUM RESPONSORIUM *GLORIA PATRI*

In tertio Responsorio adicitur *Gloria* quemadmodum Versus cantatur, in quo grates referimus Trinitati quod nobis
885 prestat voluntarie sustinere laborem pro gaudio eterno, quia
tertio tempore, id est tempore gratie, fidelibus est reseratum.
Unde iterum regressus fit ad Responsorium vel partem Responsorii.

[z] exultatio A    [a] revelat A relevat K

## 85. QUARE QUIDAM ANTIPHONIS PROPONATUR VERSUS

Et quia Versus laborem significat, inde est quod in quibus-
890 dam festivitatibus ad maiorem [laborem] notandum Antiphonis Versus preponuntur, sicut in commemorationem beati
Pauli [iunii 30], quia ipse plus aliis laboravit, et in festo beati
Laurentii [aug. 10], quia ei dictum est a beato Sixto: *Inde
maiora tibi debentur pro fide Christi certamina.*

## 86. DE VERSICULIS POST NOCTURNAM

895     De versiculis qui ponuntur post nocturnam dicendum.
Post primam nocturnam in die dominica dicimus (Ps 118.55):
*Memor fui in nocte,* et post secundam (Ps 118.62): *Media
nocte surgebam,* post tertiam (Ps 20.14): *Exaltare, Domine.* Ad
quid de lecto suo surrexerit Ecclesia primus Versus ostendit,
900 scilicet *Memor fui,* quo tempore surgendum sit notat secundus, *Media nocte,* et ad quid surgendum[b] ostendit quod sequitur: (Ps 118.62) *Ad confitendum tibi.* Verum quia nolunt
mentiri, quidam loco istius Versus ponunt illum (Ps 17.29):
*Quoniam tu illuminas lucernam meam, Domine.* Tertius
905 versus, *Exaltare, Domine,* manifeste pertinet ad Novum
Testamentum, in quo Salvator noster secundum humanitatem fuit exaltatus.

Quidam tamen dicunt (Ps 40.5): *Ego dixi: Domine, miserere
mei* quia ad gloriam que data est tempore Novi Testamenti
910 non perveniunt nisi per remissionem peccatorum. Quod autem
media nocte sit surgendum, ut Versus medie nocturne ostendit, ex illis verbis David manifeste habetur. *Media nocte,* etc.,
et ex illis aliis (Ps 118.147): *Preveni in maturitate et clamavi*

---

893-894 Antiphona 3 primi nocturni; AASS, Aug. II, ed. Palmé, Venetiis
1863, *Commentarius praevius* 491, nᵒ 30; Ambrosii, *De officiis ministrorum,*
I.41.205 (PL 16.85A).
895-920 Amal. 4.9.17-19 (II.446-447); Dur. 5.2.40.
897 *Memor fui* . . . et *Media nocte* adhuc usui sunt "per annum".

ᵇ notat . . . surgendum *om* KMS

vel, sicut Augustinus transfert, "Preveni intempesta nocte,
915 et clamavi," quod idem est, nam "immaturitate" una est ibi
dictioᶜ, unde et quidam libri habent "in maturitate." "Im-
maturum" autem sonat quasi tempus non aptum operi, sicque
"intempestum." "Tempestas" enim apud antiquos idem erat
quod "tempus;" unde apud historiographos adhuc invenitur:
920 "In illa tempestate hoc factum est," hoc est "in illo tempore."

### 87. QUARE VERSUS PRECEDIT LECTIONEM IN MATUTINIS SED IN ALIIS OFFICIIS SUBSEQUITUR LECTIONEM

Hic notandum est quod post Lectiones aliorum officiorum
ponuntur Versiculi sed ante Lectiones ponuntur statim post
psalmos, quia enim Lectiones nostre prolixiores sunt et plures,
idcirco ad excitandamᵈ intelligentiam nostram proponitur
925 Versiculus.

### 88. QUARE *DOMINICA ORATIO*

Et quia stando in psalmo laboramus, ne qua inde surgat
elatio, statim post psalmos sequitur Versus et post Versum
*dominica Oratio*, ut ad Deum conversionem et intelligentie ex-
citationem, quarum utramque ᵈ ᵇⁱˢ notat Versus, obtineat *Oratio.*
930 Post Lectiones autem aliorum officiorum ponitur Versus so-
lummodo ad notandum conversionem ad Deum, et non fuit
necesse quod ad excitandam intelligentiam ante Lectionem
poneretur, quia Lectio unica est et brevissima.

### 89. QUARE LECTIONEM PRECEDAT SANCTORUM IMPLORATIO

Ad optandum autem illud quod postulatur in *dominica Ora-*
935 *tione* imploratur sanctorum intercessio per Preces que *do-*
*minicam* secuntur *Orationem.*

921-925  Amal. 4.9.15 (II.455); Dur. 5.2.41.
926  Amal. 4.3.17 (II.419).
934-936  Dur. 5.3.15.

ᶜ dicto *mss*      ᵈ exercitandam M  ᵈ ᵇⁱˢ) uterque *mss*

## DE NOCTURNO OFFICIO ALIORUM DIERUM

### 90. QUARE .XII. PSALMI

Nunc de nocturno officio aliorum dierum. In illo officio
.XII. psalmos dicimus quia .XII. sunt hore noctis. Cum enim
omni tempore Domino esset serviendum et nimis esset nobis
940 difficile surgendum totiens, semel surgimus et singulis horis
singulos psalmos deputamus.

### 91. QUARE .VI. ANTIPHONE ET
### TOTIDEM *GLORIA PATRI*

Verum quia sunt .VI. mundi etates vel etiam hominis in
quibus operandum est vel per nos vel per alios in honorem
Trinitatis, idcirco per .VI. Antiphonas et totidem glorificatio-
945 nes illos psalmos distinguimus.

### 92. QUARE TANTUM TRES LECTIONES ET TRIA
### RESPONSORIA ET QUARE DUO PSALMI SUB UNA
### GLORIA

Inde dicimus tres Lectiones et tria Responsoria quia ad gaudium Trinitatis, quod notant Responsoria, per doctrinam quam
notant Lectiones et per bona opera que notant psalmi perveniendum est, et si quis sit gemina[e] dilectione Dei et proximi,
950 quod notat duorum psalmorum sub una *Gloria* connexio, qui
perseveraverit in hoc mundo qui sex etatibus conficitur,
gloria Patris et Filii et Spiritus Sancti in futuro plenius replebitur.

### 93. QUARE .IX. LECTIONES ET .IX.
### RESPONSORIA DE SANCTIS

In festivitatibus sanctorum vero quare .IX. Lectiones, .IX.
955 psalmi et .IX. Responsoria per tres nocturnas dicantur[f] nunc

937-945  Cf. Amal. 4.11-12 (II.454); Dur. 5.3.27.
944  Aug. *Enarr. in Ps.* 118, *sermo* 29.3 (PL 37.1586B).
946-953  Dur. 5.4.27-28.
954-960  Cf. Dur. 5.3.17.

[e] sit gemina] qui sunt *mss*     [f] cantantur A

videmus. Tria tempora in his intelligimus, scilicet tempus ante legem, sub lege et sub gratia. Distinguimus ergo in hunc modum ad notandum quod electi omnes qui fuerunt ante legem, sub lege, sub gratia sanctis angelis in cognitionem Trinitatis post laborem sociabuntur.

### 94. DE LAUDIBUS

Sequitur de officio matutino, quod ideo dicitur matutinum quia in aurora cantatur, scilicet in quarta vigilia, quam lucifer illustrat, qui et matutina dicitur.

### 95. QUARE HAC HORA MATUTINAS LAUDES CELEBREMUS

Hoc quod tunc cantatur quia recolit salvationem nostram, que ab initio baptismi facta est, et illud baptismum significatum est in Mari Rubro in quod, submersis Egyptiis peccata significantibus, liberati sunt Hebrei, secundum quod dicitur in Exodo (cf 14.24-25): *Factum est in vigilia matutina, respexit Deus*, etc. In hoc etiam gloriam resurrectionis representamus Domini nostri, que facta est in matutino vel potius notificata est. Propter hoc etiam matutinum officium Laudes appellatum est.

### 96. QUARE .VII. PSALMOS AD LAUDES ET UNUM CANTICUM

In hoc officio .VII. psalmos et unum canticum dicimus quia recolit statum Ecclesie que fuit ab initio baptismi et durabit usque in finem mundi, in quo .VIII. ordines continentur, qui figurati sunt per .VIII. animas (Gen 7.13) que salvate sunt in arca Noe.

961-963  Isid. *Etym.* 6.19.3;  Dur. 5.4.4.
964-972  Amal. 4.10.1 (II.448).
973-308  Cf. tabellam apud John H. Miller, *Fundamentals of the Liturgy* (Notre Dame 1959), pp. 326-328.
973-993  Amal. 4.10.4-9,11 (II.449-452);  Dur. 5.4.8-13).

Primus ordo fuit primitive ecclesie per predicationem Domini converse, scilicet in Iudeis; secundus fuit in transitu il-
980 lorum ad gentes convertendas; tertius in ipsa gentilitate; quartus erit in conversione Iudeorum per Enoch et Eliam; .V<sup>us</sup>. in persecutione Antichristi; .VI<sup>us</sup>., .VII<sup>us</sup>., et .VIII<sup>us</sup>. post mortem Antichristi de tota Ecclesia collecta de tribus partibus orbis, Asia, Europa et Africa.

985 Ad primum ordinem pertinet primus psalmus (92), in cuius primo Versiculo de regno Salvatoris agitur vel de eius potestate, de qua ipse dixit post resurrectionem (Mt 28.18): *Data est mihi omnis potestas*, etc.; in secundo Versiculo (1 b) de fundatione Ecclesie que tunc cepit fieri super illud fundamentum
990 de quo dicit Apostolus (1 Cor 3.11): *Fundamentum aliud nemo potest ponere nisi quod positum est, quod est Christus Iesus*, de quo etiam in titulo ipsius psalmi dicitur, qui sic est: *Laus cantici David in die ante sabbatum, quando fundata est terra.* In .VI<sup>a</sup>. enim feria passus est Dominus, que est ante
995 sabbatum, ita ipse meruit Ecclesie supra se fundationem.

Secundus psalmus (99) pertinet ad secundum ordinem, in quo apostoli transeuntes ad gentes omnem terram ad iubilandum Deo invitaverunt,<sup>g</sup> sicut dicitur ibi (Ps 99.2): *Iubilate Deo.*

1000 In tertio psalmo gentilitas grates reddidit Deo de sua conversione, dicens (62.2): *Deus, Deus meus, ad te de luce vigilo, et sitivit*, id est desiderium suum aperit cum dicit (41.3): *Sitivit anima mea.* Et ubi hoc factum est? (62.3) *In terra deserta*, hoc est a gentilitate, que prius fuerat a Deo deserta *et fuerat*
5 *invia*, quia per eam non habuit viam predicator, *et inaquosa*, quia sine aqua gratie Dei. In hac terra apparuit (cf 62.3) Sanctus Sanctorum per fidem et ipsa *in sancto*, id est in eius sanctitate, apparuit.

992-996 Aug. *Enarr. in Ps.* 92.1 (PL 37.1181A-1182).

<sup>g</sup> cantaverunt K

Quartus psalmus pertinet ad conversionem Iudeorum; unde
10 ipsi in conversione sua dicunt (Ps 66): *Deus misereatur
nostri*, etc. Et tunc gaudebunt cognoscere viam Dei quam in
gentibus esse cognoscent.

### 97. QUARE SUB UNA GLORIA *DEUS, DEUS MEUS* ET *DEUS MISEREATUR*

Et quia in tua fide unientur gentilitates[h] idcirco illi duo
psalmi (62,66) sub una *Gloria* clauduntur. Est etiam et alia
15 ratio quare sub una *Gloria* ponuntur, quia gratia quam Ecclesia in priori psalmo sitire ostenditur in secundo psalmo collata
esse monstratur, unde ad gratiarum actionem omnes invitantur cum dicitur (Ps 66.4,6): *Confiteantur tibi populi, Deus.*

### 98. QUARE CANTICUM *BENEDICITE*

Canticum (Dan 3.57-88, 56) quod quinto loco ponitur ordi-
20 nem illorum representat qui erunt sub persecutione Antichristi, cuius figura precessit in Nabuchodonosor, qui tres
pueros in caminum ignis posuit, qui a laude Dei in ipso camino
non cessaverunt. Ita et sancti in camino tribulationis Antichristi a Dei laude non cessabunt, et ipsi erunt tres pueri, id
25 est de tribus partibus collecti orbis vel tribus filiis Noe propa-
gati vel etiam illi tres salvandi quos vidit Ezechiel (14.14):
Noe, Daniel et Iob. Noe qui rexit arcam significat rectores
Ecclesie, Daniel qui fuit continens et vir desideriorum dictus
est, significat continentes et contemplativos, Iob qui fuit
30 coniugatus et multas habuit passiones significat activos,
et quia ad ignominiam Trinitatis persecutionem[i] patientur
sicut et hii tres pueri sunt.

13-19  Cf. Hon. *Sacramentarium* II. 48 (PL 172.772A).
15-19  Dur. 5.4.15.
19-32  Amal. 4.10.12,14,15 (II.452-453); Dur. 5.4.13.
26-32  Aug. *Quaestiones evangeliorum* 2.44 (PL 35.1357).

[h] unientur gentilitates] invenientur gentilitati A    [i] *om* KMS

### 99. QUARE NON DICATUR *GLORIA PATRI* POST *BENEDICITE*

Idcirco post canticum trium puerorum non sequitur *Gloria*, vel quia circa finem equipollens in se contineat, scilicet *Bene-* 
35 *dicamus Patrem et Filium*, etc. Post mortem Antichristi .VI[us]., .VII[us]., .VIII[us]. ordo, id est Ecclesia, de tribus partibus orbis collecta, erit in pace usque in diem iudicii et in laude Trinitatis.

### 100. QUARE TRES PSALMI SUB UNA *GLORIA*

Et idcirco illi tres psalmi ultimi (148, 149, 150) sub uno 
40 *Gloria* terminantur. Hoc et in arca Noe significatum est, que iuxta translationem quam sequitur Augustinus fuit bicamerata et tricamerata, quia Ecclesia continebit in se duos ordines, gentilium et Iudeorum, quos vocat Apostolus (Gal 2.7) preputium et circumcisionem, ad quos pertinent duo psalmi, sicut dictum 
45 est, et erit collecta de tribus partibus orbis, ad quas tres partes referuntur .III. psalmi. Post psalmos sequitur hymnus in quibusdam ecclesiis propter causam que supra dicta est.

### 101. QUARE HYMNI PRECEDANT IN OFFICIIS DIURNIS, ET QUARE ECONVERSO IN NOCTURNIS

Hic notandum quod in officiis diurnis hymni precedunt psalmos et in nocturnis econverso, excepto illo quod dici-
50 tur Nocturnum, in quo hymnus precedet psalmos ex causa precedenti. Dies enim pertinet ad spirituales, qui habent gaudium conscientie, nox ad penitentes, qui morsum conscientie habent. Illos exultatio ducit in operationem, quibus dicitur (Ps 32.3): *Cantate Domino canticum novum, beneplacite* 
55 *ei in vociferatione*. Istos per operationem oporteret venire

33-38  Cf. Amal. 4.10.13 (II.452); Dur. 5.4.7,13.
39-47  Amal. 4.10.10-11 (II.451-452).
41-44  Aug. *De civ. Dei* 15.26.2 (PL 41.473A).
47  Supra, n° 74.
48-57  Dur. 5.2.24.

ad exultationem. Idcirco in officiis diurnis precedunt hymni psalmos et in nocturnis econverso. De Lectione et Versiculo dictum est.

### 102. QUARE CANTICUM ZACHARIE DICENDUM

Sequitur Canticum Zacharie, (Lc. 1.68-79) quod semper in
60 matutinis Laudibus cantatur, in quo tempus illud representatur in quo Dominus (1 Cor 15.24) *tradidit regnum Deo et Patri*, in quo erunt sancti in pace et absque timore, et in sanctitate servient Domino omnibus diebus, id est eternaliter, quod dabitur eis in remunerationem. Sed dicitur in eodem
65 cantico (Luc 1.74): *Ut sine timore de manu*, etc., vel etiam quia initium gratie ibi recolitur, cuius Iohannis propheta fuit et precursor, sicut ibi dicitur (1.76): *Et tu, puer, propheta*, etc. Cetera sicut in vespertino officio.

### 103. QUARE IN FERIALIBUS CANTETUR *MISERERE MEI*

Sicut autem dies dominici recolunt resurrectionem eorum
70 qui fuerunt ab initio seculi et qui erunt usque ad finem mundi, ita alii dies peregrinationem eorum et penitentiam. Inde est quod ferialibus diebus primus psalmus semper est (50) *Miserere mei, Deus*. Quem psalmum illi qui fuerunt ad predicationem Petri computati frequentabant, et inde inolevit con-
75 suetudo ut illum psalmum semper in ferialibus noctibus primo diceremus. De illis duobus psalmis (62) *Deus, Deus meus*, et (66) *Deus, misereatur nostri*, et illis tribus ultimis (148) *Laudate Dominum de celis*, (149) *Cantate Dominum canticum novum*, et (150) *Laudate Dominum in sanctis eius* nihil aliud
80 quam supra diximus.

59-68  Amal. 4.10.17-18 (II.454).
69-80  Amal. 4.12.2-3 (II.454-455); Dur. 5.4.17.
79-80  Amal. 4.10.14 (II.452).
80  Cf. supra, n° 100.

DISTINCTIO DE MANE

104. QUARE .VI. PSALMI .VI. DIEBUS DEPUTATI,
QUORUM QUILIBET HABEAT *MANE*

De aliis .VI. psalmis et .VI. canticis dicendum, quorum
singuli singulis diebus sunt deputati. Quilibet autem illorum
.VI. psalmorum habet in se hoc vocabulum *mane* vel equipollens. Nota igitur quod mane in .VII. dividitur, scilicet in
85 mane temporis, in mane pectoris, in mane nostre redemptionis,
in mane hominis, in mane eternitatis, in mane mundialis prosperitatis.

Mane temporis et initium diei, unde dictum est (Gen 1.5):
*Vespere et mane dies unus.* Mane pectoris est initium gra-
90 tie, cum scilicet gratia incipit lucere in corde, unde (Ps 42.3):
*Emitte lucem tuum* et (Ps 5.4): *Mane exaudies vocem meam.*
Mane nostre redemptionis, matutinum tempus quo Dominus
resurrexit vel eius resurrectio innotuit, unde (Ps 64.9): *Exitus matutini et vespere delectabis.* Mane hominis est pueritia
95 in qua homo viret, vel adolescentia in qua viret et floret, unde (Ps 89.6): *Mane sicut herba transeat; mane floreat et transeat; vespere decidat et induret et arescat.* Et sepe est quod
homo mane pueritie transit, id est moritur; si contingat venire ad mane adolescentie in quo viret et floret, sepe est quod
100 et tunc transit; quodsi contingat eum venire ad vesperam
senectutis, tunc absque dubio in mortem decidit, induratur[j]
in cadaver et arescit in pulverem. Mane eternitatis initium
eterne glorie, unde (Ps 142.8): *Auditam fac mihi mane misericordiam tuam,* id est voce misericordie tue, scilicet (Mt 25.34)
105 *Venite, benedicti,* etc. Mane mundialis prosperitatis, id est

81-121  Hon. 2.51 (PL 172.629D) citat verba initialia psalmorum 5,42,64,
89,142,91; Dur. 5.4.22.
84-107  Locus a Praepositino in duobus sermonibus adhibitus; cf. Lacombe, *La vie* . . . pp. 79-80.

[j] mutatur  M

tempora prosperitatis, unde (Ps 91.3): *Ad annuntiandum mane misericordiam tuam*, etc.

Penitens ergo sollicitus de anima sua mane temporis surgit ad orationem ut dicere possit (Ps 5.5,4): *Mane astabo tibi et* 110 *videbo, mane exaudies vocem meam.* Verum quia oratio eius non habet effectum sine mane pectoris, id est sine initio gratie, ideo dicit (Ps 42.3): *Emitte lucem tuam.* Sed quia mane pectoris pendet ex mane nostre redemptionis, ideo dicit (Ps 64.9): *Exitus matutini*, et quia habita mane pectoris, quod est 115 effectus mane redemptionis nostre, homo incipit sibi vilescere sequitur (Ps 89.6): *Mane sicut herba transeat.* Sed quanto magis sibi vilescit quisque, tanto magis mane eternitatis affectat; idcirco dicit (Ps 142.8): *Auditam fac mihi mane misericordiam tuam.* Sed quia nemo ad hoc pervenit nisi qui laudat 120 Deum in adversitate et prosperitate, ideo adiungit (Ps 91.3) *Ad annuntiandum mane misericordiam tuam* etc.

Officia tamen matutina singularum feriarum variis temporibus adaptantur. Sicut autem in die dominico recolimus gloriam resurrectionis electorum, ita in aliis diebus peregrina- 125 tionem ipsorum et penitentiam. Unde singulis diebus primus psalmus est (50): *Miserere, Deus mei.* Secunda feria igitur recolimus compunctionem et penitentiam Iudeorum factam ad vocem Petri et aliorum, de quibus dicitur in Actibus Apostolorum (2.37-38): *His auditis, compuncti sunt corde, et dicebant* 130 *ad Petrum et ad*ᵏ *alios discipulos: Quid faciemus, viri fratres? Petrus vero ait ad alios: Penitentiam agite, et baptizetur unus quique vestrum in nomine Christi* et, ut dicit Amalarius, "Hunc psalmum cantabant penitentes (Ps 62): *Deus, Deus meus* [et] (Ps 66) *Deus misereatur nostri*," et ultimos tres psalmos 135 non mutamus, de quibus supra rationem posuimus.

122-135 Amal. 4.12.1-3 (II.455).
132 Apud *Librum officialis* verbotenus non repertus est.

ᵏ ad *om* BMS

## 105. DE DIFFERENTIA INTER PSALMUM
## ET CANTICUM

De aliis ergo psalmis et canticis dicendum est et primo que differentia inter psalmum et canticum. Hec differentia videtur esse que est inter bonam operationem et gratiarum actionem, unde in psalmo illo (5) *Verba mea* orat pro hereditate
140 eterna, quam per Christum Ecclesia percepit, unde in titulo dicitur *pro ea que consequitur*[1] *hereditatem.*

In Cantico autem gratias agit dicens (Is 12.1-6): *Confitebor tibi, Domine, quoniam iratus es mihi: conversus est furor, et consolatus es me.* Revera ira Dei permansit usque ad passionem
145 Salvatoris, sed tunc *conversus est a furore et consolatus est* Ecclesiam aperiens ei ianuam regni celestis. Cum omnes prius ad inferos descenderent, in psalmo sollicitudinem suam ostendens, Ecclesia dicit (Ps 5.5): *Mane astabo tibi et videbo*; in Cantico autem dicit quasi confidens (Is 12.2): *Fortitudo mea et laus mea Do-*
150 *minus,* id est ipse per quem sum fortis et quem laudare teneor.

Ad totam igitur pertinet Ecclesiam quod dicitur (Ps 5.2): *Verba mea*, etc., sed specialiter ad primitivam, cui per apostolos primo facta est promissio eterne hereditatis, et tunc vexillum crucis cepit in nationibus elevari, ad quod pertinet Canti-
155 cum, sicut ex his que precedunt canticum in Isaia manifeste apparet. Dicitur enim in libro paulo[m] superius (Is 11.10): *In die illa radix Iesse*[n], *qui stat in signum populorum, ipsum gentes deprecabuntur, et sepulcrum eius gloriosum*, et paulo post (11.12): *Elevabit signum in nationes et congregabit pro-*
160 *fugos Israel,* etc. Salvator noster est radix Iesse et ipse stat in signum populorum, quia ad eum respiciunt gentes et eum deprecantur, et eius sepulcrum fuit gloriosum, licet modo peccatis nostris exigentibus ad tempus sit ignominiosum, et ipse per apostolos et alios primitivos levavit in nationes signum

136-139 Amal. 4.12.8 (II.456); Dur. 5.4.23.

[1] sequitur K       [m] ysaye K       [n] superius . . . iesse *om* K

165 crucis in quo est victoria, ut sciant omnes in quo diabolus vic-
tus est. Sed ante congregavit ipse dispersos Israel quando
in die Pentecostes (Acta 2.5, 41) *erant viri religiosi* in *Ierusalem*
*ex omni⁰ natione que sub celo est,* et crediderunt ex illis tria
millia una die, alia die (4.4) .V. millia. Nam eis dicit Paulus in
170 Actibus Apostolorum (13.46): *Primum oportebat vobis loqui*
*verbum Dei.*

106. QUARE FERIA .IIIᵃ. *IUDICA* ET *EGO DIXI*

Tertia feria illud tempus recolimus quando ab impiis persecutionem Ecclesia patiebatur, sicut a Iudeis primo et postea
a perversis imperatoribus Romanis, que fuit maxime a tem-
175 pore Neronis usque ad tempora Diocletiani et Maximiniani.
Que autem tunc passa sit Ecclesia psalmus indicat (Ps. 42.1):
*Iudica me, Deus, et discerne causam meam de gente non sancta,*
et tristitiam suam ostendit cum dicit (Ps 42.2): *Quare tristis*
*incedo dum affligit me inimicus?*
180 Sed ab hac persecutione liberata est Ecclesia, unde cantat
canticum quod cantavit Ezechias (Is 38. 10-20) post liberationem a Sennacherib et post infirmitatem quam incurre-
rat, (cf Deut 17.20) *ne elevaretur cor eius in superbiam* vel quia
elevatum erat propter inopinabilem triumphum de exercitu
185 Sennacheribᵖ. Sicut ille liberatus reddidit gloriam Deo, sic
Ecclesia. Prius tamen quasi desperans dicit (Is 38.11): *Non*
*aspiciam hominem ultra et habitatorem quietis,* id est Salvatorem meum, per quem mihi quies deberet esse; immo (38.12):
*Generatio mea ablata est,* dicebat Ecclesia cum passim suos
190 videbat interfici, et item (*ibid*): *Precisa est velut a texente vita*
*mea; et dum adhuc ordirer, succidit me.* Tandem sperans Ecclesia dicit (38.19): *Vivens* nunc in protectione tua, *vivens*
post in futura quiete, *ipse confitebitur tibi, sicut et ego hodie,*

172-195  Amal. 4.13 (II.457-458); Dur. 5.4.23.

⁰ die . . . omni *om* K      ᵖ et post . . . sennacherib *om* A

liberata ab hostibus, et ego ita ago sicut bonus *pater filiis no-*
195 *tam facit voluntatem.*

### 107. QUARE FERIA .IIIIᵃ. *TE DECET* ET *EXALTAVIT*

In .IIIIᵃ. feria recolitur illud tempus quo Ecclesia cepit
exaltari super inimicos suos, reddita sibi pace per imperatorem Constantinum, unde cantat (Ps 64): *Te decet hymnus
Deus,* etc. Sion enim interpretatur speculatio sive contempla-
200 tio, et tempore quietis potuit Ecclesia vacare contemplationi.
Ad hoc etiam pertinet titulus, scilicet *psalmus David, canticum Ieremie et Ezechielis de populo transmigrationis,* vel verbo
peregrinationis, *cum inciperet exire.* Sicut enim populus ille de
Babylone exire cepit, recepta licentia a Cyro, ita et Ecclesia de
205 Babylone�q persecutionis per Romanum imperatorem Constantinum liberata, per quam patiebatur sub perversis imperatoribus, habet spem proficiendi in melius usque perveniat in
celestem Ierusalem. Unde recolens preteritam persecutionem dicit (64.4): *Verba iniquorum prevaluerunt super nos*
210 et, profectum suum ostendens, dicit (64.12): *Benedices corone
anni benignitatis tue* [*et campi tui replebuntur ubertate*]. *Corona anni benignitatis* tempus est gratie, que per circulum
dierum usque ad finem mundi decurrit, in quo *campi,* id est
illi qui sunt plani, tumore superbie carentes *ubertate* gratie
215 *replentur.*

Propter hanc liberationem cantat Ecclesia canticum Anne
matris Samuelis, quod cantavit liberata de persecutione sue
emule Phenenne, scilicet (1 Reg 2.1-10): *Et exultavit cor
meum in Deo.* Tunc enim res publica incepit per apostolicos
220 viros et imperatores Christianos ministrari, et potuit Ecclesia
dilatare os suum super inimicos suos, scilicet Iudeos, paganos
et hereticos; unde dicit (*ibid.*): *Dilatatum est os meum,* etc.

196-222 Amal. 4.14 (II.458); Dur. 5.4.23-24.

q exire . . . babylone *om* K

108. QUARE IN .Vᵃ. FERIA *DOMINE, REFUGIUM*
ET *CANTEMUS DOMINO*

Eadem pace qua gaudent gentiles conversi gaudent Iudei
conversi, unde in persona Iudaici populi conversi cantamus
225 in .Vᵃ. feria (Ps 89) *Domine, refugium factus es nobis.* Quod
autem ille ad Iudeos psalmus pertineat titulus ostendit (89.1):
*Oratio Moysis, hominis Dei.*

Ad idem pertinet Canticum (Ex 15.1-18) *Cantemus domino.*
Sicut enim exultaverunt Iudei, interempto Pharaone cum
230 exercitu suo, ita exultant hodie Christiani, deiectis perversis
imperatoribus qui Ecclesiam persequebantur in odium Christiani nominis.

109. QUARE IN DIE VENERIS *DOMINE, EXAUDI;*
*DOMINE, AUDIVI*

In VIᵃ. feria specialiter fit commemoratio passionis dominice, unde cantatur ille psalmus (142) *Domine, exaudi ora-*
235 *tionem meam,* cuius titulus est *Psalmus David, quando perse-*
*quebatur eum filius eius Absalon.* Sicut autem David plures
habuit filios, sed unus eorum, scilicet Absalon, persecutus
est eum, ita et Dominus noster habuit multos filios, de quibus
ipse dicit (cf Mt 9.15; Mc 2.19; Luc 5.34): Non possunt lugere
240 filii sponsi quousque cum eis est sponsus. Sed unus eorum,
scilicet Iudas, persecutus est eum, qui dicitur Absalon quasi
Abbassalem, id est pax Patris, propter osculum quod dedit
Domino, quod erat pacis signum.

Ad idem pertinet Canticum (Hab 3.2-19): *Domine, audivt*
245 in quo dicitur (4-5): *Cornua in manibus eius, ibi abscondita esi*
*fortitudo eius. Ante faciem eius ibit mors.* Per *cornua* regna
intelligere consuevimus; *cornua in manibus,* id est regnum in
potestate. Hanc autem potestatem meruit sibi dari vel potius
datam notificari per passionem, de qua ipse dicit (Mt 28.18):

223-232 Cf. Amal. 4.15 (II.459); Dur. 5.4.24.
233-301 Cf. Amal. 4.16-17.3 (II.460-461); Dur. 5.4.25.

250 *Data est mihi omnis potestas in celo et in terra.* Per *cornua* tamen convenienter intelliguntur duo cornua crucis, unde videtur quod potius esset dicendum "manus eius in cornibus" quam *cornua in manibus eius.* Maluit tamen hoc dicere propheta Habacuc ut ostenderet quia in potestate et voluntate eius

255 fuit crucifigi eum, sicut ipse dicit (Jn 10.18): *Nemo tollet a me animam meam, sed ego potestatem habeo ponendi animam meam, et iterum sumendi eam* (Hab 3.4). *Ibi,* scilicet in cruce, *abscondita fuit fortitudo eius* per tempus, quia reputatus est tanquam percussus a Deo et humiliatus, et *ante faciem eius*

260 *ibit mors,* quia mors per eius mortem destructa est.

Et nota quod hec est .Vᵃ. dies a secunda feria, in qua agitur de passione Salvatoris. Sicut in dominicis nocturnisʳ .V.ᵗᵒ loco ponitur canticum in quo (Dan 3.52-57 vel 3.57-88, 56) ponitur contemptus Nabuchodonosor et victoria trium puero-

265 rum in camino ignis, ut aspectus quarti similis eratˢ Filio Dei vel, sicut alia habet translatio, "Filio hominis," quia in passione Salvatoris facta est destructio diaboli et victoria Christiani populi de tribus partibus orbis collecti per eum qui est verus Filius Dei et verus Filius hominis.

110. QUARE IN SABBATO *BONUM EST CONFITERI*;
*AUDITE, CELI*

270 In sabbato fit commemoratio victorie Iudaici populi, qui erit coniunctus in fine mundi ecclesie Dei, qui cantabit cum Ecclesia (Ps 91.2-3): *Bonum est confiteri Domino, et psallere nomini tuo,* etc., *ad annuntiandum mane* prosperitatis *misericordiam tuam et veritatem tuam per noctem* adversitatis. Qui

275 autem psalmus intitulatur (91.1) *Psalmus cantici, in die sabbati.* Unde conveniens fuit ut in die sabbati cantaretur; propterea fit preposteratio istorum duorum psalmorum. Conveniens namque fuit ut in .VIᵃ. feria cantareturᵗ psalmus in quo agitur de persecutione Iude, qua persecutus est Christum

ʳ noctibus *mss*    ˢ esset *mss*    ᵗ proptera . . . cantaretur *om* M

280 in figura Absalon, qui persecutus est patrem, et in sabbato
ille psalmus qui intitulatur *in die sabbati*. Quod autem ille
psalmus, scilicet *Bonum est confiteri Domino*, pertineat ad
Iudaicum populum conicitur ex illo versu (91.4): *In decachor-
do, psalterio, cum cantico, in cithara*. "Psalterium decachor-
285 dum dicitur lex propter decem mandata legis."

Hoc autem psalterium quidam portant sed in eo non psallunt, ut Iudei perfidi, qui sunt nobis in codicibus testes et in
cordibus hostes. Quidam portant et psallere videntur nec
tamen psallunt, ut falsi Christiani, qui cum tristitia aliquando
290 bona operantur. Quidam portant et in eo psallunt, ut illi qui
cum hilaritate[u] bona operantur. Hoc autem erit in populo
Iudaico cum unum erit cum Ecclesia.

Qualiter canticum (Deut 32. 1-43) quod sequitur pertineat
ad sabbatum et ad populum Iudaicum ex verbis Bede haberi[v]
295 potest, qui super Lucam dicit quod "in diebus sabbati Iudei
ad synagogas confluebant ad meditanda legis divine monita
postpositis mundi negotiis, iuxta illud (Ps 45.11): *Vacate
et videte quoniam ego sum Deus[w]*, etc. In memoriam autem
pristine religionis canticum Deuteronomii in sabbato cantatur,
300 in quo status illius populi quem habuit, offenso vel propitio
Domino, plenius describitur."

Post quoslibet psalmos dicimus Versiculum (Ps 89.14),
*Repleti sumus mane*, in quo recolitur illud tempus in quo
iustis recompensabitur merces post huius seculi laborem, unde
305 dicit: *Repleti sumus mane*. Preteritum ponit pro futuro pro-
phetali certitudine, quia in mane eternitatis misericordia Domini replebitur, iuxta illud (Ps 16.15): *Satiabor cum apparuerit
gloria tua*.

285-292  Aug. *Enarr. in Ps.* 91.5 (PL 37.1174B).
293-301  Beda, *In Luce Evangelium Expositio* 2.4 (PL 92.372D-373A).
302-308  Cf. Amal. 4.12.9-10 (II.456-457).

[u] alacritate  A      [v] presbyteri K      [w] ego sum deus/ suavis est dominus
AKMS

DE .IIII^or. OFFICIIS NOCTIS

### 111. QUARE UNUM OFFICIUM NOCTURNUM ET .VII. DIEI

Iuxta predictum modum .IIII^or. officia attribuuntur nocti
310 et .IIII^a. diei, secundum quod in Esdra (cf II [Nehemias] 9.1-3)
legitur de populo qui quater in die, quater in nocte venit ad confitendum Domino. Convenienter tamen dicimus quod unum
officium pertinet ad noctem, scilicet Nocturnum, iuxta illud
David (Ps 118.162): *Media nocte surgebam* etc., et .VII. ad
315 diem, iuxta illud David (118.164): *Septies in die laudes dixi
tibi.* Sufficit enim Nocturnum nocti, in quo .XII. psalmos canimus, singulis horis noctis singulos psalmos deputantes. Ad
horas autem diei pertinent Prima, Tertia, .VI^a., .IX^a. et Completorium, sicut supra distinctum est. Matutinum autem of-
320 ficium et vespertinum idcirco cantamus quasi iuge sacrificium
Deo offeramus. Offerebant enim Iudei iuge sacrificium Deo
mane et vespere.

### 112. QUARE DIGNIORA OFFICIA MATUTINA VESPERTINA, CONCORDIA EORUM, DE EXCELLENTIA VESPERTINI

Et sacrificium vespertinum dignius erat matutino, ut Iudei dicunt, quia pinguius. Nos autem per matutinum officium
325 vel sacrificium intelligimus Legem, per vespertinum passionem
Salvatoris, qui in vespera mundi, id est .VI^a. etate, obtulit
se Deo pro nobis, unde (Ps 140.2) *Elevatio manuum mearum
sacrificium vespertinu*m.

Respondit autem hoc officium illi, quia ibi quasi .V. psalmi
330 ponuntur sub .V. distinctionibus per Gloria Patri, sicut et
hic, ibi hymnus et hic cum Lectione et Versiculo, ibi Canticum
Zacharie, hic Canticum Marie, etc.

309-322  Cf. Dur. 5.1.2.
309-312  Amal. 4.3.2 (II.414).
319   Cf. supra, Liber IV, n° 1.

### 113. QUARE IN VESPERIS RESPONSORIUM
### CANIMUS ET NON IN LAUDIBUS

Quia verum officium vespertinum dignius est propter rem digniorem quod significat, idcirco in maioribus sollemnitatibus
335  in vespertino officio sollemnius cantamus quam in matutino, responsorium interponentes.

Nos diximus de officio nostri autumni et in generali; nunc dicendum in speciali. Tempus illud quod vocamus autumnum est tempus declinationis, et idcirco oportet nos surgere ad pre-
340  lium contra hostes, ne forte per desidiam in hiemem recidamus.

### 114. QUARE LIBROS REGUM LEGAMUS HOC
### IN TEMPORE ET LIBRUM SAPIENTIE ET ALIOS

Inde est quod in hoc tempore de preliis antiquorum legimus et cantamus. Verum quia tria sunt—potentia, sapientia et benevolentia sive amor, quod idem est—per que nos ad Trinitatem redire oportet, nam et tribus personis illa tria appro-
345  priantur vel eorum potius nomina, idcirco de potentia, sapientia et de benevolentia cantatur. De potentia, sicut David quomodo fortis contra Goliam fuit, de sapientia ut de sapientia Salomonis, de benevolentia ut de patientia Iob et de eleemosinis Tobie.

### 115. QUARE PATRI POTENTIA, FILIO SAPIENTIA
### ET SPIRITUI SANCTO BENEVOLENTIA

350  Hec autem appropriantur tribus personis, nam Patri potentia, Filio sapientia, Spiritui sancto bonitas sive benevolentia appropriatur. Magister hanc rationem quare Patri potentia. Filio sapientia, Spiritui sancto bonitas sive amor attribuuntur in *Sententiis* suis assignat. Ita consueverunt patres ex an-
355  tiquitate fragiliores esse filiis et filii ex iuventute minus sapientes, ne forte cum audimus in Trinitate Patrem et Filium no-

350-367  Cf. Petrus Lombardus, *Libri IV Sententiarum* (Quaracchi 1916), I.34. 3-4 (pp. 217-218); Petrus Pictaviensis, *Sententiae* I, ed. P. Moore et M. Dulong (Notre Dame 1943), 19 et 22 (pp. 166 et 184-186).

minari, aliquid tale non esse credamus, scilicet Patri potentiam, Spiritui sancto bonitatem sive amorem, Filio sapientiam attribuendam. Quia etiam "spiritus" consuevit esse no-
360  men indignationis, unde dicimus (cf Is. 2.22): *Cave tibi ab eo*
*qui habet spiritum in naribus*, idcirco ne forte Spiritum
sanctum fugeremus quasi furibundum, ea que sunt benignitatis ei attribuuntur; etiam nomen eius imperatur ex hoc
quod ei adicitur hoc nomen "sanctus," Etsi enim posset
365  dici Pater sanctus, Filius sanctus, tamen non dicitur in communi usu loquendi, quia ista duo nomina amoris; naturale
est enim ut pater diligat filium et filius patrem.

### 116. ALIA RATIO

Est et alia ratio huius appropriationis. Scimus quod quelibet substantia aliquid habet potentie, et in quacumque est ali-
370  quid sapientie et aliquid est potentie, sed non convertitur.
In herbis enim et lapidibus videmus aliquid potentie, id est
efficacie, sed nihil sapientie. Sapientia autem in quibuscum-
que [est], ex potentia est, nam hoc ipsum, scilicet sapere, potentie est, quod apparet per contrarium, cum dicitur: "Iste^x
375  nescit lectionem quia discere non potest." Amor autem ubi-
cumque est, ibi aliquid potentie et aliquid sapientie, id est
cognitionis, sed non convertitur. Nam in demonibus est potentia et sapientia, sed nil amoris, id est benevolentie. In bru-
tis animalibus aliquid est amoris, quia fetum suum diligunt,
380  sed hoc non facerent nisi aliquid esset in eis cognitionis. Sapientia ergo est ex potentia et amor ex utroque, scilicet potentia et sapientia, sed potentia ex neutro est; ita Pater a nullo
Filius a Patre, Spiritus sanctus ab utroque.

Iure appropriatur ergo Patri potentia, que quasi a nullo est,
385  et Filio sapientia, que est a potentia, et Spiritui sancto amor
sive benevolentia, que est ab utroque, scilicet potentia et sa-

---

^x quare *add* ABKS

pientia. Verum quia Spiritus sanctus est amor Patris et Filii et quasi quidam complexus$^y$, idcirco etiam cum legimus de potentia, cantamus de benevolentia.

### 117. DE TRIPLICI BENEVOLENTIA

390    Est autem triplex benevolentia, scilicet Dei ad hominem, hominis ad Deum, hominis ad hominem. Prima est dignationis, secunda compassionis, tertia devotionis. De prima agitur in tribus primis Responsoriis, scilicet *Deus omnium*, (1 Reg 17.37) *Dominus qui eripuit*, [et] (2 Reg 7.8): *Ego te* 395 *tuli*; de .II$^a$. in quarto Responsorio (2 Reg 1.21, 19): *Montes Gelboe*, et XI (1 Reg 7.3): *Preparate corda vestra*; de tertia in .V$^o$., .VI$^o$., et .VII$^o$., et aliis.

### 118. DE HISTORIA *DEUS OMNIUM*

Agitur ibi in primis de benevolentia Dei ad David. Verum quia in figura omnia contingebant illis, hec in persona prelato- 400 rum intelliguntur. David sumptus est de ovibus patris sui, et unctus est unctione misericordie Dei, ut pasceret gregem populi eius; David est fidelis; Pater eius est ille de quo cotidie

394-627 "Deus omnium": Haec et verba similia initia sunt responsoriorum ad lectiones dominicales et feriales pertinentium, seu "historiarum," sumptorum ex libris Regum ("Deum omnium") et sapientialibus ("In principio") atque Iob ("Si bona suscepimus"), a prima septimana post octavam Pentecostes ad finem secundae septimanae septembris, aliis vero ordine et numero, e.g. Pseudo-Gregorii *Liber responsalis sive antiphonarius* [*Antiphonarius Compediensis* (Compiègne), Paris, Bibl. nat. 17436] (PL 78.832-834); Beleth, 62 (PL 202.67-68); J. Janssens, "Liber de ordine antiphonarii. Tabellae" (II.134-135,218-220; R. J. Hesbert-R. Prevost, *Corpus antiphonalium officii. II. Manuscripti "cursus monasticus"* (Rerum ecclesiasticarum documenta. Series Maior, Fontes VIII), Rome 1965, pp. 458-459, 506-507, 546-547; 726-735. Cf. supra, I, n$^o$ 140, II, n$^o$ 122.

396 V$^o$: cf. (3. Reg. 9.3) Exaudisti, Domine orationem servi tui ut aedificarem templum nomine tuo (cf. infra, 1.416). VI$^o$: (2 Paral. 6.24-25) Domine, si conversus fuerit populus tuus et oraverit. VII$^o$: (3 Reg. 8.28-29) Audi, Domine, hymnum et orationem.

$^y$ amor autem ubi . . . complexus *om* K.

dicimus: *Pater noster, qui es in celis*; oves Patris, opera innocentie.

405   David sumptus est de ovibus patris et unctus est unctione misericordie ad pascendum gregem Domini. Nullus enim sumendus est in regnum populi Dei nisi habuerit opera innocentie. Talis qui habet opera innocentie meretur inungi "unctione misericordie," quod dicitur in primo responsorio. Ta-

410   lis meretur eripi de manibus inimicorum, quod dicitur in secundo. Talis meretur constitui supra gregem Domini, quod dicitur in tertio. Talis plorat pro Christianis captivitatis vel interemptis in montibus Gelboe, id est in superbia demonum, super quos (2 Reg 1.21) *nec ros nec pluvia cadit,* id est nec

415   minor nec maior gratia, quod dicitur in quarto. Tales edificant templum Domino, quod dicitur in quinto. Tales merito orant pro populo et exaudiuntur, quod notatur in .VIᵒ, .VIIᵒ. Responsorio.

### 119. NOTULA DE ASCENSIONE

Verum quia prelatum aliquando peccare contingit, de eius

420   penitentia sequitur in .VIIIᵒ., *Peccavi super numerum.* Sed quia per ascensionem Salvatoris, qui ascendens misit Spiritum sanctum et sedens (Rom 8.34) *ad dexteram* Patris cotidie *interpellat pro nobis*; hec implentur idcirco sub figura Elie.

Agitur de ascensione Salvatoris in .IXᵒ. (4 Reg 2.12, 11):

425   *Factum est dum tolleret.* Elias (cf 4 Reg 2.11) enim ascendit, Eliseus pallium retinuit. Elias interpretatur Deus meus, Eliseus Dei mei salus, Elias Christus, Eliseus populus Christianus, pallium Elie incarnatio Salvatoris. Elias ascendit et Eliseus pallium eius retinuit, (cf 4 Reg 2.14) ex cuius virtute

430   aquas transivit, et Christus ascendit et populus Christianus fidem incarnationis retinuit, ex cuius virtute fluctus huius

419-463 Hoc legitur apud Praepositinum, *Summa super Psalterium,* Paris, Bibl. nat. lat. 454, f. 97b, iuxta Lacombe, *La vie . . .* p. 103.
421 Ex oratione Manassae regis Iuda, circa medium (Marbach 537).

seculi pertransit. Eliseus (cf 4 Reg 2.9) petiit ab Elia spiritum duplicem et obtinuit. Elias quasi duplicem non habuit spiritum et Eliseus ab eo obtinuit duplicem, et Christus non
435 habuit remissionem peccati, quia non indiguit, sed bonam operationem. Populus christianus utrumque habuit et habet. Verum Elias dixit Eliseo (4 Reg 2.10): *Si videris me, cum ego tollar a te, fiet quod petisti. Si autem non [videris, non erit,]* quia nisi fidem incarnationis, resurrectionis et ascen-
440 sionis habuerimus, nequaquam quod petimus ab eo obtinebimus.

Ascendit ergo Dominus et *interpellat pro nobis ad dexteram Patris*, sicut dicit Apostolus[z] (Rom. 8.34). Sed ob hoc non debemus esse negligentes, immo tria nobis sunt necessaria:
445 oratio ad Deum, exhortatio ad proximum, dilectio usque etiam ad inimicum, que informat duo priora. Idcirco secuntur tria responsoria. In primo est oratio, scilicet (1 Paral 21.15) *Recordare, Domine,* in secundo exhortatio, scilicet (1 Reg 7.3) *Preparate*; in tertio dilectio (2 Reg 1.17): *Planxit au-
450 tem David.* Non tamen omnes ecclesie cantant istud, scilicet *Planxit autem.* Sed loco illius infra hebdomada repetunt illud (4 Reg 2.12, 11): *Factum est dum tolleret,* quia per orationem in qua intelligitur dilectio Dei et per exhortationem in qua intelligitur dilectio proximi, membra caput sequi ne-
455 cesse est, ut illuc sequatur humilitas gregis quo precessit humilitas pastoris. Cotidie enim Christus in membris suis ascendit, sicut ipse dicit (Jn 3.13): *Nemo ascendit in celum nisi qui de celo descendit, Filius hominis, qui est in celis.*

Ut dictum est, Patri appropriatur potentia, Filio sapientia,
460 Spiritui sancto benevolentia, et quia Spiritus sanctus est amor Patris et Filii, legentes de potentia cantamus de benevolentia. Post ea igitur que locuntur de potentia, rationabiliter leguntur que sunt de sapientia.

[z] quia prelatum . . . apostolus *om* K

### 120. DE HISTORIA *IN PRINCIPIO*

Post libros igitur Regum in quibus legitur liber Salomonis
465 in quo agitur de sapientia, et tunc cantatur et legitur de sapientia. De sapientia hoc ordine cantatur. In principio et
in medio et circa finem ipsa introducitur loquens. In primo
enim Responsorio agitur de eterna[a] generatione sua, in .V⁰.
de potentia sua, scilicet (Eccl 24.8) *Gyrum celi*, circa finem,
470 in aliquo Responsorio de benignitate sua, ubi fidelem quemlibet tanquam filium suum ad doctrinam suam invitat.

De generatione sua dicit (cf Prov 8.22): *In principio Deus
antequam terram*, etc., usque in finem, ubi dicitur: *Generavit
me Dominus*, et in libro unde hoc sumptum[b] est aliquid plus
475 dicit (Prov 8.30): *Cum eo eram, cuncta componens*, ubi ostenditur quod una et eadem est operatio Patris et Filii.

Audita ergo generatione eterna, Salomon in persona cuiuslibet fidelis alloquitur Patrem, dicens (Sap 9.10): *Emitte,
Domine, sapientiam de sede magnitudinis tuae*. Verum (Sap
480 1.4) *quia in malivolam animam non introibit sapientia* ex purgatione mentis a vitiis, subiungit in tertio Responsorio, scilicet (Eccli 23.1, 4) *Domine, Pater*, ubi quasi in tria malum
cogitatum distinguit, scilicet in vitium superbie, quod notat
cum dicit (Eccl 23.5): *Extollentiam oculorum*, in vitium
485 avaritie, quod notat ibi (*ibid.*): *Desiderium* malignum, in
vitium luxurie, quod notat ibi (Eccli 23.6): *Aufer a me con-
cupiscentiam*, hoc, scilicet sub quibus omnia vitia compre-
henduntur in epistola canonica, ubi dicitur (1 Jn 2.16): *Omne
peccatum est concupiscentia carnis vel concupiscentia oculorum vel
490 superbia vite*. Referuntur singula singulis retrograde. Verum
quia vix est aliquis qui non inveniatur in aliquo istorum, idcirco
addit (Eccl 23.6): *Et animo irreverenti et infrunito ne tradas
me, Domine* quasi dicat: Si contingat me in aliquod istorum

469-471 Cf. infra l.578.

[a] *om* KMS     [b] scriptum A

peccare, tamen irreverentem animam, id est sine reverentia,
495 et infrunitam, id est sine fronte, id est sine pudore, Domine,
me habere non permittas.

Verum quia hoc non potest haberi nisi in virtute vel<sup>c</sup> unitate Ecclesie, idcirco in quarto Responsorio agitur de hac, scilicet unitate, ubi dicitur quia (Sap 9.5) *servus tuus sum ego*
500 *et filius ancille tue*, id est Ecclesie. Non sine causa adiectum
est; *et filius ancille tue*<sup>d</sup>, quia est servus qui non est filius
et est servus qui est filius. Servus est et non filius qui servi-
tum facit invitus, unde (Jn 15.15): *Iam non dicam vos servos*
sed amicos meos, *quia servus nescit quid faciat*<sup>e</sup> *dominus eius*,
505 servus qui et filius quem facit subiectio voluntarie, unde (Mt
25.23): *Euge, serve bone.*

Verum quia quidam sunt rebelles et ex superbia animi
sapientiam contempnentes<sup>f</sup>, idcirco ipsa sapientia de sua potentia loquitur in .V.º Responsorio ut si non amore, timore
510 adminus coerceantur, unde dicit (Eccl 24.8) *Gyrum celi cir-*
*cuivi.* Hoc ad intelligentiam refertur, qua Dei sapientia, id
est Filius Dei, omnia comprehendit. *Et in fluctibus maris*
*ambulavit.* Hoc ad litteram fecit Deus, Dei filius, cum (cf
Mt 14.25; Mc 6.48) super mare ambulavit, qui superborum
515 Iudeorum et sublimium demonum colla in passione propria
virtute calcavit. *In fluctibus* quoque *maris*, id est seculi,
*ambulavit*, id est suos ambulare illesos fecit, per quos superborum et sublimium colla calcavit, cum huius mundi reges Ecclesie subiecit.

520   Respectu vero divine potentie timorem incutit, unde in .VI.<sup>to</sup>
Responsorio de timore agitur ubi dicitur (Eccli 1.16; Ps 110.
10): *Initium sapientie timor Domini*, ubi congruus nostre religionis progressus ostenditur. Primo est enim intellectus potentie Dei, hunc sequitur amor Domini, timorem bona opera

<sup>c</sup> ex purgatione mentis . . . virtute vel *om* K    <sup>d</sup> id est . . . tue *om*
KMS    <sup>e</sup> facit K    <sup>f</sup> condempnunt K

525 operationem omnium bonorum Deo attributio. Primum notatur cum dicitur (*ibid.*) *Intellectus,* secundum [cum] dicitur:
*initium sapientie timor Domini,* tertium cum dicitur: *Om-*
*nibus facientibus eum,* quartum ibi: *Laudatio eius manet*
*in seculum seculi.* Operationem ex parte exponit in Versu
530 ubi dicitur (Ps 111.9): *Dispersit, dedit pauperibus,* et sub
amore iniungit premium^g: *iustitia eius manet in seculum se-*
*culi.*

### 121. DE IMPEDIMENTIS CONFESSIONIS ET SATISFACTIONIS

Ex timore Domini surgit confessio et satisfactio; unde sequitur .VII^um. Responsorium, in quo de his agitur (Prov
535 30.8; Ps 40.9): *Verbum iniquum.* Duo autem sunt que confessionem auferunt vel inutilem reddunt, scilicet peccati aperta negatio et eiusdem palliatio. Primum *verbum iniquum*^h
vocat, secundum *verbum dolosum,* quorum utrumque a se
removeri rogat ut ita sit pura confessio. Et duo sunt que
540 satisfactionem impediunt, scilicet nimia prosperitas et immo-
derata adversitas, unde *Ne dederis mihi divitias et pauperta-*
*tes,* et hoc removeri a se orat dicens (cf Prov 30.8): *Divitias*
*et paupertates ne dederis mihi, Domine,* sed *victui meo* spirituali *tribue necessaria* vel etiam corporali. In Versiculo di-
545 cit (Prov 25.16): *Ne forte satiatus evomam illud,* hoc ad divitias, (Prov 30.9) *et periurem nomen Dei mei,* hoc ad paupertatem. Emovat enim qui bonum spirituale habebat, prosperita-
tem emittit temporalem. Periurat qui propter paupertatem
nomen Dei sui in vanum accepit.
550 Ad hoc informatur homo, considerans Dei iudicium quo
malus damnatur et populus Dei in presenti ut in futuro hono-
ratur, unde in octavo Responsorio dicitur (Sap 17.1): *Magna*
*enim sunt iudicia tua, Domine,* (Sap 19.20) *Magnificasti popu-*
*lum tuum,* et hoc verum, quia sanctificationem homo ab hos-

---

^g primo est ... premium *om* K    ^h duo autem ... verbum *om* K

555 tibus petit quandoque, idcirco in .IX. Responsorio orat ne Dominus eum cadere permittat coram hostibus suis.

Post contemptum rerum temporalium et victoriam de inimicis non restat nisi dilectio, qua vir perfectus sapientiam solam desiderat et amplectitur, cupiens (Philip 1.23) *dissolvi*
560 *et esse cum Christo*, unde sequitur [.X$^{um}$.] Responsorium (cf
Sap 7.10): *Super salutem et omnem pulchritudinem.* Hoc intelligitur de salute et pulchritudine corporali, nec est intelli-
gendum quod ista diligat et sapientiam istis preferat sed potius ista desiderio sapientie contemnat, ut pro ipsius amore
565 mortem habeat in desiderio et vitam in patientia. Malorum
enim est vitam habere in desiderio et mortem in patientia,
consummatorum mortem habere in desiderio[1] et vitam in patientia. Hoc iste se habere ostendit cum dicit (Sap 7.10):
*Super salutem*, etc., et se eam pregustasse cum dicit (Sap 7.11):
570 *Venerunt mihi omnia bona pariter cum illa*[j].

Verum quia multi se habere hoc ficte dicunt, in .XI$^o$. responsorio Deum hoc cognoscere ostendit ut sic homo fictionem
fugiat: dicit enim (cf 1 Reg 16.7) quia *Deus videt in corde ho-*
*mo in facie.*

575 In sequentibus Responsoriis agit de incipientibus—non tantum perfectos sed etiam incipientes recipit Dominus—, ubi
sapientia introducitur loquens quasi ad filium. In primo
[.XII.] enim monet filium attendere verbis eius et promittit
premium, dicens (Prov 1.9): *Ut addatur gratia capiti tuo,*
580 id est menti tue, scilicet gratia proficiens, gratia consummans,
et gratia remunerans. In secundo [.XIII.] monet ut patiens
sustineat correctionem et disciplinam Domini, quia (cf Hebr
12.6) *Dominus diligit* quos arguit et *castigat.* In tertio [.XIV.]

573-574  Cf. Respon. 3 feriae 2 post Dom. I Augusti (Marbach 30).
577  *In primo* (XII): (Prov. 23.26) Praebe, fili, cor tuum mihi.

[1] et mortem . . . desiderio *om* A      [j] illis BMS

monet eum implere mandata Christi et Ecclesie, et premium
585  promittit, annorum scilicet multiplicationem in vitam eternam
In ultimo [.XV.] terret, ut quem non alliciunt premia terreant
supplicia, unde dicit (Prov 1.32): *Aversio parvulorum interfi-
cit eos*, etc[k].

### 122. DE HISTORIA *SI BONA SUSCEPIMUS*

(Prov 1.32) *Aversio parvulorum et prosperitas stultorum*
590  *perdet eos.* Verum quia multi sunt quos non enervat prosperitas, quos tamen frangit adversitas, idcirco patientia Iob in
exemplum nobis proponitur ut nos cum ipso dicamus (2.10):
*Si bona suscepimus de manu Dei, mala quare non sustineamus?*
etc. Sed quia totum tempus plenum est miseria in quo, ubi
595  sanctus esurit iustitiam et scit se non posse satiari nisi post hanc
vitam, idcirco subiungit in secundo Responsorio (Iob 3.24):
*Antequam comedam, suspiro*, etc. In celesti patria, sicut predictum est, satietas est, de qua dictum est (Ps 16.15): *Satiabor cum apparuerit gloria tua.* Sed ad hanc perveniendum est
600  suspiriis, intimis[1] gemitibus crebris, fletibus irriguis. Hic enim
est suspirandum, gemendum, flendum ut ad satietatis eterne
cibum perveniamus. Hic enim quod veremur accidit. Veremur enim tribulationes, infirmitates et mortem, et hec omnia
nobis eveniunt. Verum quia multi sunt qui deflent peccata
605  sua et tribulationes presentes et pro cibo eterno suspirant, qui
tamen pro levi verbo proboso moriuntur[m], idcirco vir fidelis
subiungit[k] (Iob 3.26): *Nonne dissimulavi? Nonne silui? Nonne*[n]
*quievi?* quasi diceret: Iniurias passus sum et dissimulavi,
immo turpia dicta sunt in me et silui et quievi, de vindicta non
610  cogitavi, (*ibid.*) *et* tamen *indignatio tua, Domine, venit super*
*me,* qua me presentibus miseriis affligis.

Verum quia ad miserias pauci attendunt et ante adventum
Salvatoris peccatores attendebant qui hunc mundum patriam

---

[k] sed potius (1. 563) . . . eos etc *om* K    [1] ieiuniis M    [m] moventur A
[k] sed ad hanc . . . subiungit  *om* K    [n] et iam AKS

reputabant, idcirco adicitur tertium Responsorium (Iob 6.2):
615 *Utinam appenderentur peccata mea,* etc., in quo vir fidelis
optabat mediatoris adventum, qui ostendit quam leve sit Deo
dimittere peccata et quam magnum sit quod miser homo per
peccatum amisit et quam grave sit quod tolerat, unde ipsum
mediatorem stateram vocat, dicens (Iob 6.2): *Utinam ap-*
620 *penderentur peccata mea in statera!* etc., quasi dicat: utinam
veniat statera, id est mediator Dei et hominum, qui ostendit
quam leve sit Deo dimittere peccatum quo iram meruit et
quam gravis sit calamitas quam per peccatum incurri. Sicut
optavit vir fidelis, ita factum est. Venit enim Salvator, qui
625 peccatum nostrum leviter relaxavit, et ita quasi leve fecit et
calamitates nostras graves esse demonstravit, ut ita de miseria
huius mundi ad patrie gloriam suspiraremus. EXPLICIT
LIBER OFFICIORUM PREPOSITINI DE DIVINO OFFI-
CIO NOCTURNO ET DIURNO PER TOTUM CIRCULUM
630 ANNI°.

° S / *om* AB / explicit liber officiorum prepositini de divino officio et
divino per totum circulum anni sifridus valete vale K / explicit liber officiorum prepositini de divini officio diurno et nocturno per totum circuitum anni M.

# CITATIONES E SACRA SCRIPTURA

## Genesis

1.1-2.2 — *139, 146, 201.*
1.2 — *153.*
1.5 — *262.*
1.9 — *209.*
1.26 — *140, 141.*
1.27 — *140.*
3.19 — *65, 68, 101.*
3.22 — *22, 65.*
3.24 — *100.*
4.3 — *190.*
4.12 — *100.*
5.31-6.22 — *146.*
7.11-14, 18-21, 24 — *146.*
7.13 — *257.*
8.1-3, 6-12, 15-21 — *146.*
9.20 — *100.*
17.5 — *210.*
22.1-19 — *147, 202.*
22.18 — *19.*
27.3-5 — *83.*
27-35 — *83.*
32.10 — *100.*
41.14 — *101.*
41.41-45 — *85.*
49.10 — *102.*

## Exodus

3.6 — *19.*
3.18 — *5.*
12.1 — *165.*
12.1-5 — *95, 125.*
12.1-11 — *123, 148.*
12.5 — *125.*
12.12-13 — *162.*
12.29 — *132.*
12.46 — *124.*
13.5 — *177.*

13.21 — *134, 155, 209.*
14.1-2 — *201.*
14.24-15.1 — *135, 139, 142, 147, 201, 257.*
15.1 — *139, 201.*
15.1-2 — *142, 147, 184.*
15.1-18 — *267.*
20.13-14 — *10.*
22.29 — *60.*
27.3-5 — *83.*
27.20 — *109.*
27.35 — *83.*
30.6-8 — *239.*
32.10 — *100.*
34.33 — *76.*
36.36-38 — *10.*

## Leviticus

25.11 — *181.*

## Numeri

3.13 — *211.*
8.17-18 — *211.*
10.1-2 — *252.*
10.35 — *219.*
10.36 — *223.*
24.17 — *44.*
33.3-6 — *134.*

## Deuteronomium

8.2-8 — *127.*
17.20 — *265.*
18.15 — *9.*
18.18 — *13.*
28.12 — *13.*
31.22-30 — *148, 201, 202.*
32.1-4 — *145, 148.*
32.1-43 — *269.*
32.2 — *145.*

30.6 — *243, 245, 246.*
32.2 — *233.*
32.3 — *260.*
32.6 — *91.*
32.12 — *91.*
32.22 — *227,230.*
33.2 — *235.*
33.9 — *72, 108, 178, 207.*
33.12 — *91.*
34.14 — *85.*
39.13 — *101.*
40.5 — *6, 230, 234, 254.*
40.9 — *278.*
40.11 — *221.*
41.2 — *146, 148.*
41.3 — *141, 146, 148, 258.*
42.1 — *192, 265.*
42.2 — *265.*
42.3 — *262, 263.*
43.23 — *75.*
43.26 — *223.*
44.2 — *32.*
44.3 — *32, 84.*
44.8 — *8, 17.*
44.13 — *38.*
44.15 — *32.*
44.17 — *32.*
45.5 — *42.*
45.11 — *269.*
47.2 — *32.*
47.10 — *12, 32.*
48.3 — *13.*
49.2 — *18.*
49.3 — *17.*
50.1 — *66, 226, 228, 231, 261, 263.*
50.11-14 — *226, 227.*
50.17 — *247.*
53.1 — *220.*
53.5 — *232.*
54.2 — *111.*
59.4 — *67.*
60.4 — *143.*
60.9 — *227.*

61.3 — *230.*
62.1 — *258, 259, 261, 263.*
62.2, 3 — *258.*
64.2-4 — *266.*
64.6 — *227.*
64.9 — *262, 263.*
64.12 — *266.*
65.1-2 — *52.*
65.4 — *47, 51, 52.*
65.14 — *52.*
66.1 — *259, 261, 263.*
66.4, 6 — *259.*
67.16 — *143.*
67.20 — *203.*
67.29-30 — *205.*
68.2-3 — *98.*
68.18 — *98.*
69.2 — *219, 228, 242, 258.*
70.8 — *226.*
71.2 — *16.*
71.3 — *50.*
71.18 — *49, 50.*
75.2 — *173.*
75.9 — *176.*
77.53 — *178.*
78.9 — *80.*
79.2 — *14.*
79.3 — *14.*
84.5 — *227, 242.*
87.2 — *81.*
87.3 — *80, 81.*
89.1 — *267.*
89.2 — *267.*
89.6 — *262, 263.*
89.13 — *230.*
89.14 — *269.*
89.16 — *228.*
89.17 — *229.*
90.1 — *184, 243.*
90.4 — *75.*
90.13 — *75.*
90.15 — *61, 75.*
90.16 — *61.*
91.1 — *268.*

91.2-3 — *263, 268.*
91.4 — *269.*
92.1 — *25, 192, 258.*
94.1, 2 — *120, 247, 248.*
95.11, 13 — *23.*
96.1 — *51.*
96.7 — *7, 47, 54.*
96.8 — *56.*
96.11 — *25.*
99.1, 2 — *49, 258.*
101.2 — *99.*
101.4 — *99.*
101.14 — *99.*
101.16 — *54.*
101.17 — *54.*
102.1 — *227.*
103.2 — *25.*
103.15 — *53, 153.*
103.30 — *203, 205.*
104.43 — *178.*
106.20 — *51.*
108.14 — *64.*
109.1 — *23, 49.*
109.3 — *22, 23.*
110.10 — *91, 160, 277, 278.*
111.9 — *278.*
113.17 — *101.*
115.15 — *228.*
116.1 — *65, 80, 167, 169, 170.*
116.2 — *65, 80, 170.*
117.1 — *167, 170, 171, 175, 244.*
117.2 — *167.*
117.16 — *54.*
117.22 — *171.*
117.24 — *175, 190, 191, 192.*
117.26 — *171.*
117.27 — *25.*
118.1 — *220.*
118.5 — *232.*
118.17 — *232.*
118.33 — *232.*
118.36 — *235.*
118.37 — *77, 235.*
118.42 — *229.*

118.51 — *229.*
118.55 — *254.*
118.62 — *254.*
118.69 — *229.*
118.81 — *232.*
118.89 — *235.*
118.91 — *245.*
118.97 — *233.*
118.123 — *233.*
118.143 — *234.*
118.147 — *254.*
118.157 — *234.*
118.162 — *270.*
118.164 — *270.*
118.175 — *226.*
118.176 — *226, 234.*
125.6 — *164.*
126.2 — *176.*
131.16 — *230.*
133.1, 2 — *243.*
134.19-20 — *212.*
136.4 — *64.*
136.5 — *193, 194.*
137.1 — *192.*
138.1-2 — *173, 176.*
138.5 — *66, 173.*
138.6 — *66, 173, 176.*
138.12 — *131.*
138.18 — *66, 172, 176.*
139.2-10, 14 — *123, 126, 127.*
139.8 — *126.*
140.1 — *235.*
140.2 — *136, 238, 239, 270.*
142.6 — *209.*
142.8 — *262, 263, 267.*
143.1 — *241.*
144.1 — *241.*
145.2 — *241.*
146.1 — *241.*
147.1 — *241.*
148-150 — *260, 261.*

*Proverbia*

1.19 — *279.*

1.32 — *280.*
8.22 — *276.*
8.30 — *276.*
24.16 — *225.*
25.16 — *278.*
30.8-9 — *278.*

*Ecclesiastes*

9.8 — *163.*
11.2 — *164.*

*Canticum Canticorum*

1.3 — *111.*
1.6 — *230.*
2.5 — *233.*
2.6 — *181.*

*Sapientia*

1.4 — *276.*
5.6 — *163.*
7.10, 11 — *279.*
9.5 — *277.*
9.10 — *276.*
10.20 — *178.*
17.1 — *278.*
19.20 — *278.*

*Ecclesiasticus*

1.16 — *277.*
15.3 — *178.*
15.9 — *226.*
23.1-6 — *276.*
24.8 — *276, 277.*
29.15 — *69.*

*Isaias*

1.16-17 — *91.*
1.18 — *91.*
2.22 — *89, 272.*
4.1-6 — *139, 142, 143, 148, 201, 202.*
5.1-2 — *143, 148.*
9.2 — *22, 23.*
9.6 — *21, 22, 26.*
11.10 — *264.*
11.12 — *264.*

12.1-6 — *264.*
12.2 — *264.*
25.6 — *53.*
30.30 — *18.*
33.2 — *220.*
38.10-20 — *265.*
38.19 — *265.*
40.3-10 — *11, 12.*
45.8 — *11, 12.*
49.8 — *75.*
52.6 — *26, 150, 219.*
53.1-7 — *98.*
53.8 — *21.*
53.10 — *98.*
54.17-55.11 — *140, 144, 147.*
55.1 — *59, 79, 92, 145, 147.*
55.2 — *144.*
55.3 — *145.*
55.10 — *145.*
58.7 — *138.*
60.1-6 — *44.*
60.8 — *163.*
62.11 — *98.*
63.1-7 — *97-99.*
63.3 — *143.*
66.10-11 — *59, 85, 98.*

*Ieremias*

2.21 — *127.*
9.21 — *236.*
23.5 — *7, 7, 11.*
23.7-8 — *11.*
25.11 — *59.*
29.11 — *7.*
31.22 — *49.*

*Lamentationes* (Threni)

5.15-16 — *120.*

*Baruch*

3.9-28 — *147.*
3.38 — *147.*

*Ezechielis*

14.14 — *259.*

6.13 — *102.*
6.48 — *277.*
14.1 — *95.*
14.8 — *247.*
15.25 — *218.*
15.40 — *13, 284.*
16.1 — *184.*
16.3 — *186.*
16.5 — *185.*
16.6 — *284.*
16.14 — *188.*

*Lucas*

1.26-27 — *9.*
1.35 — *22.*
1.38 — *70.*
1.43-1.55 — *239.*
1.46-55 — *170, 238, 240.*
1.68 — *9.*
1.68-79 — *238, 261.*
1.69 — *143.*
1.74 — *261.*
1.76 — *261.*
1.78 — *3.*
2.1 — *21.*
2.11 — *26.*
2.14 — *23.*
2.20 — *25.*
2.25-38 — *57.*
2.29-32 — *246.*
2.32 — *58.*
2.40 — *49.*
2.42-45 — *47.*
2.48 — *49.*
2.49 — *49.*
2.51 — *49.*
2.52 — *54.*
3.9 — *251.*
3.21-22, 23-28 — *43.*
4.22 — *54.*
4.38-44 — *214.*
5.4-7 — *180.*
5.17-26 — *214.*
5.34 — *267.*

7.19-20 — *14.*
9.1-6 — *214.*
10.21 — *47, 55.*
10.42 — *208.*
13.7-8 — *251.*
13.9 — *251.*
13.32 — *188.*
15.11-32 — *81.*
15.18 — *81.*
18.13 — *74.*
18.8 — *4, 216.*
21.25 — *18.*
22.35 — *214.*
23.46 — *243.*
24.4 — *184, 185.*
24.5 — *185, 187.*
24.10 — *185.*
24.21 — *168.*
24.36 — *231.*
24.44 — *20.*
24.51-52 — *231.*
24.52-53 — *206, 223.*

*Johannes*

1.1 — *21, 26.*
1.8 — *25.*
1.11 — *26.*
1.12 — *159.*
1.13 — *106.*
1.14 — *11, 26, 30.*
1.16 — *84.*
1.29 — *132, 155.*
1.29-34 — *44.*
1.36-38 — *39.*
2.1-11 — *47, 52.*
2.9 — *50.*
2.11 — *50, 51.*
2.19 — *32.*
2.20 — *70.*
3.13 — *275.*
3.16 — *213.*
3.34 — *84.*
5.5 — *90.*
6.9-11 — *10.*

10.4 — *133.*
11.1 — *94.*
11.23-27 — *102.*
11.29-31 — *104.*
12.8-9 — *108.*
13.1-13 — *67.*
13.8 — *246.*
13.13 — *67.*
15.10 — *108.*
15.24 — *261.*

### II ad Corinthios

3.15 — *76.*
5.17 — *28.*
6.2 — *3.*
9.7 — *171.*
11.29 — *111.*
12.7 — *234.*
12.8 — *234.*
12.9 — *234.*

### Ad Galatas

2.7 — *260.*
2.20 — *167.*
3.6 — *19.*
3.27 — *159.*
4.19 — *12, 2.*
5.6 — *22.*
6.2 — *237.*
6.14 — *104, 177.*

### Ad Ephesios

4.5 — *158.*

### Ad Philippenses

1.23 — *279.*
2.7 — *33.*
2.8-10 — *96, 183.*
2.10 — *96.*
2.11 — *90.*
4.13 — *233.*

### Ad Colossenses

3.1 — *166.*

3.1-2 — *108.*
3.2 — *166, 182.*
3.3 — *166, 167.*
3.4 — *167.*
3.8 — *204.*

### I ad Thessalonicenses

5.14 — *80.*

### I ad Timotheum

2.1 — *230, 231.*

### Ad Titum

2.11 — *23.*
2.13 — *78.*

### Ad Hebraeos

1.2 — *26.*
1.3 — *26.*
1.9 — *224.*
7.25 — *231.*
11.6 — *226.*
12.6 — *279.*

### I Jacobus

2.26 — *248.*
5.7 — *17.*
5.14 — *103.*
5.14-15 — *104.*

### I Petrus

2.1 — *182.*
2.2 — *6.*
2.5 — *182.*
2.9 — *158.*
2.21 — *125.*

### I Johannes

2.16 — *276.*

### Apocalypsis

4.3 — *163.*
5.9 — *193, 194.*
19.1 — *20.*

# LIST OF AUTHORS AND WORKS CITED

Amann, E., "Robert Paululus", DTC 13.2753.

Andrieu, Michel, Les "Ordines romani" du haut moyen-âge, I. Les manuscrits (Spicilegium sacrum Lovaniense II), Louvain 1931.

—, Le pontifical romain au moyen-âge, III. Le pontifical de Guillaume Durand (Studi e Testi 88), Città del Vaticano 1940.

Bauerreiss, R., "Honorius von Canterbury (Augustodunensis) und Kuna I., der Raitenbucher, Bischof von Regensburg (1126-1136)" [Should be 1132], Studien u. Mitteil. Gesch. Benediktiner-Ordens 67 (1956) 306-313.

Bernards, M., "Nudus nudum Christum sequi", Wissenschaft und Weisheit 14 (1951) 148-151.

Botte, B, Les origines de Noël et de l'Epiphanie, Louvain 1932.

Cabaniss, A., Amalarius of Metz, Amsterdam 1954.

Callewaert, C., Liturgicae institutiones, II. De breviarii romani liturgia, Bruges 1939.

Catalogue of Additions to the Manuscripts in the British Museum 1848-1853; Additional Manuscripts acquired in the year 1848: 17278-19719, London 1868. Reprinted in 1965.

Chambers, E. K., The Medieval Stage, 2 vols., Oxford 1933.

Chavasse, A., "Le calendrier dominical romain au sixième siècle," Recherches de science religieuse 38 (1951); 234-246; 41 (1953) 96-122.

Copinger, W. A., Supplement to Hain's Repertorium bibliographicum, London 1895.

Cremaschi, Giovanni, Enrico da Settimello, Elegia (Orbis christianus I), Bergamo 1949.

Denifle, H. et Chatelain, Ae., Chartularium universitatis Parisiensis I, Paris 1889.

Duchesne, L., Le Liber pontificalis, texte, introduction et commentaire, 2ᵈ ed. 3 vols., Paris 1955-1957.

—, Les premiers temps de l'état pontificale, Paris 1909.

Garrigues, Marie-Odile, "Honorius et la Summa gloria", Positions des thèses soutenues par les élèves de la promotion de 1967 (École des chartes), Paris 1967 pp. 39-46.

Garvin, Joseph N. C.S.C., "Praepositinus", Lexikon für Theologie und Kirche 8 (1963) 696 and New Catholic Encyclopedia (1967) XI 660.

293

—, and Corbett, James A., *The Summa contra haereticos Ascribed to Praepositinus of Cremona* (Publications in Mediaeval Studies 15), Notre Dame 1958.

Gerits, Tr., "Notes sur la tradition manuscrite et imprimée du traité 'In unum ex quatuor' de Zacharie de Besançon", *Analecta praemonstratensia* 42 (1966) 276-303.

Glorieux, P., "Pour revaloriser Migne, Tables rectificatives", *Mélanges de science religieuse* 9 (1952), *Cahier supplémentaire*.

Grand-Carlet-Soulages, Geneviève, "Les mélanges poétiques d'Hildebert de Lavardin; édition et commentaire", *Positions des thèses soutenues par les élèves de la promotion de 1967* (École des chartes), Paris 1967, pp. 47-50.

Gratianus, *Corpus iuris canonici*, Pars prior, *Decretum magistri Gratiani*, ed. Ae. Friedberg, Lipsiae 1879.

Guérard, B. E. C., *Cartulaire de l'église Notre-Dame de Paris*, Paris 1850.

Guillaume Durand, *Rational ou Manuel des divins offices*... traduit par Charles Barthélemy, 5 vols., Paris 1854.

Gulielmus Durandus, *Rationale divinorum officiorum*, Lyons 1503.

Hain, L. F., *Repertorium bibliographicum*, Berlin 1925.

Hanssens, Ioannes Michael, *Amalarii episcopi opera liturgica omnia*, 3 vols. (Studi e Testi 138-140), Città del Vaticano 1948-1950. PL. 105.985-1242.

Hauréau, B., "Prévostin, chancelier de Paris", *Mélanges Julien Havet*, Paris 1895.

Hesbert, R. J. - Prévost, R., *Corpus antiphonalium officii*, II. *Manuscripti "cursus monasticus"* (Rerum ecclesiasticarum documenta, Series Maior, Fontes VIII), Rome 1965.

Hödl, Ludwig, *Die Geschichte der scholastischen Literatur und der Theologie der Schlüsselgewalt* I (Beiträge zur Geschichte der Philosophie und Theologie des Mittelalters XXXVIII/4), Münster 1960.

Kahles, Wilhelm, *Geschichte als Liturgie. Die Geschichtstheologie des Rupertus von Deutz*, Münster 1960.

Kennedy, V. L., "The 'Summa de Officiis Ecclesiae' of Guy d'Orchelles", *Mediaeval Studies* I (1939) 23-62.

Lacombe, Georges, *Praepositini cancellarii Parisiensis (1206-1210) opera omnia*, I. *La vie et les œuvres de Prévostin* (Bibliothèque Thomiste XI), Le Saulchoir, Kain, Belgium, 1927.

—, "Prepositinus Cancellarius Parisiensis", The *New Scholasticism* 1 (1927) 307-319.

—, "Prévostin de Crémone", DTC 13.162-169.

Lambot, C., *Sancti Aurelii Augustini Hipponensis episcopi ser-*

*mones selecti duodeviginti* (Stromata patristica et mediaevalia I), Utrecht-Brussels 1950.

Landgraf, Artur, "Petrus von Poitiers und die Quästionenliteratur des 12. Jahrhunderts", *Philosophisches Jahrbuch* 52 (1939) 202-222, 348-358.

Lefèvre, Yves, *L'Elucidarium et les Lucidaires*, Paris 1954.

*Lib. sacram.* = K. Mohlberg, A. Baumstark (edd.), *Die älteste erreichbare Gestalt des Liber sacramentorum anni circuli der römischen Kirche* (*Cod. Pad. D. 47, fol. 11ʳ-100ʳ*), (Liturgie geschichtliche Quellen und Forschungen, Heft 11/12). Münster 1927.

Lottin, Odon, "Le traité sur le péché original des *Questiones Prepositini*," *Recherches de théologie ancienne et médiévale* 6 (1934) 416-422. Reprinted in O. Lottin, *Psychologie et morale aux XIIᵉ et XIIIᵉ siècles* VI, Gembloux 1960, pp. 19-26.

Marbach, Carolus, *Carmina Scripturarum scilicet Antiphonas et Responsoria ex sacro scripturae fonte in libros liturgicos sanctae ecclesiae romanae derivata*, Strassburg 1907. Reprinted Hildesheim 1963.

Martimort, A. G. (ed.), *L'église en prière. Introduction à la liturgie*, 3ᵈ ed., Paris 1965.

Mazzatinti, G., *Inventari dei manoscritti delle biblioteche d'Italia* IV, Forlì 1894.

Miller, John H., *Fundamentals of the Liturgy*, Notre Dame, Indiana 1959.

Molinier, Auguste, *Obituaires de la province de Sens*, I. *Diocèses de Sens et de Paris* (Recueil des historiens de la France. Obituaires). Paris 1902.

Moore, Philip S. and Dulong, M., *Sententiae Petri Pictaviensis* I (Publications in Mediaeval Studies 7) Notre Dame, Indiana 1943.

Morin, G., *Sancti Augustini Sermones post Maurinos reperti* (Miscellanea agostiniana I) Romae 1930.

Pfeiffer, H. and Cernik, B., *Catalogus codicum manu scriptorum qui in Bibliotheca Canonicorum regularium S. Augustini Claustroneoburgi asservantur*, 2. vols. Vienna 1922.

Pilarczyk, Daniel E., *Praepositini Cancellarii De sacramentis de novissimis [Summae theologicae pars quarta]. A Critical Text and Introduction.* (Collectio urbaniana, series III, Textus ac documenta 7) Rome 1964.

Raby, F. J. E., *A History of Secular Latin Poetry in the Middle Ages*, 2 vols., Oxford 1934, 2ᵈ ed. 1957.

Reichling, D., *Appendices ad Hainii-Copingeri Repertorium bibliographicum. Additiones et correctiones*, Fasc. I, Munich

1905; *Indices fasciculorum* I-VI, Munich 1911; *Supplementum*, Munich 1914.

*Sacram. greg.* = Hans Lietzmann (ed.), *Das Sacramentarium Gregorianum nach dem Aachener Urexemplar* (Liturgiegeschichtliche Quellen und Forschungen, Heft 3), Münster 1921.

Sanford, Eva M., "Honorius, Presbyter and Scholasticus", *Speculum* 23 (1948) 397-425.

—, "De loquela digitorum", *Classical Journal* 23 (1927-1928) 588-593.

Saydon, P. P., "Leviticus", *A Catholic Commentary on Holy Scripture* (New York 1953) 229-244.

Spunar, Pavel, in "Bulletin codicologique," *Scriptorium* 20 (1966), 94, n° 66.

Tilliot, Mʳ du, *Mémoires pour servir à l'histoire de la fête des fous* Lausanne et Geneve 1751.

Valvekens, J. B., "Zacharias Chrysopolitanus", *Analecta praemonstratensia* 28 (1952) 53-58.

Van den Eynde, Damien, "Précisions chronologiques sur quelques ouvrages théologiques du xiiᵉ siècle", *Antonianum* 26 (1951) 223-246.

—, "Les 'magistri' du Commentaire 'Unum ex quatuor' de Zacharias Chrysopolitanus", *Antonianum* 23 (1948) 3-32, 181-220.

Van den Eynde, Damianus et Odulphus, *Guidonis de Orchellis Tractatus de sacramentis ex eius Summa de sacramentis et officiis ecclesiae* (Franciscan Institute Publications, Text series 4), St. Bonaventure, New York 1953.

Vregille, Bernard de, "Notes sur la vie et les œuvres de Zacharie de Besançon", *Analecta praemonstratensia* 41 (1965) 293-309.

Walther, Hans, *Carmina medii aevi posterioris latina. I. Initia carminum ac versuum medii aevi posterioris latinorum*, Göttingen 1959, II. 1-5. *Proverbia sententiaeque latinitatis medii aevi*, Göttingen 1963-1967.

Wilmart, André, "Le manuel de prières de Saint Jean Gualbert," *Revue bénédictine* 48 (1936) 259-299.

Young, Karl, *The Drama of the Medieval Church*, 2 vols., Oxford 1933.

# INITIA AUCTORUM

Anonymi:

Glossator: Qualitas temporum congruit qualitati peccatorum, p. 209.

Liber pontificalis: Hic instituit baptizatum chrismate liniri, p. 157.

Monachus: Adiecit Responsorium: *Aspiciens a longe*, p. 12-13.

Quinque milia sunt qui licite, p. 10.

Alcuinus:

Hoc festum per singulos dies variatur, p. 34.

Una fuit mors Christi, scilicet corporis, p. 63.

Alexander II, papa:

Quare vos non agitis festum unitatis? p. 215.

Amalario attribuuntur:

Hunc psalmum cantabant penitentes, p. 263.

Per dominicam orationem fiat consecratio, p. 128.

Quia non tanto premio frueretur, p. 157.

Ambrosius:

Duas fuisse Marias Magdalene, p. 186.

Exorcismos et benedictiones adiecerunt, p. 163.

Ipsam benedictionem invenit, p. 133.

Non est credendum quod dixerit, p. 188.

Augustinus:

Consilium inierunt Iudei quomodo Iesum, p. 97.

Cui resurgenti si paulo diutius, p. 131.

Dicendum est quare tanta celebritate, p. 131.

Duplex est nostra vetustas, p. 129.

Eos baptizatos esse baptismo Christi, p. 204.

Evangelizare autem Iesum est non tantum docere, p. 90.

Gratia quedam que est hominum, p. 107.

Hec autem duo scilicet misericordia et veritas, p. 167.

Hoc convenit perfectioni dominici corporis, p. 70.

Hoc in nomine Adam intelligitur quod ex. 1111$^{or}$ elementis p. 70.

Hoc in persona cathecumenorum dicitur, p. 146.

Hodie enim presentiam significat, p. 21.

Istud tantum pertinet ad memoriam, p. 34.

Iuxta translationem quam sequitur Augustinus, p. 260.

Nam illa pars. vi$^e$. ferie qua fuit in sepulchro, p. 118.

Narrat ita potuisse fuisse, p. 188.
Noctem vigilando agimus in qua Dominus, p. 131.
Non sine causa Mattheus ostendens Christum, p. 72.
Nox res tristis est, dies autem res, p. 243.
Nullus discipulorum dedit Spiritum sanctum, p. 115.
Oculorum enim linitio fuit quasi catezizacio, p. 92.
Ostendens quare quadragesimam in tristitia, p. 72.
Preveni intempesta nocte et clamavi, p. 255.
Prudentia ad hoc quod sit vera, p. 249.
Quecumque anima fidelis vis esse Maria, p. 94.
Quod cum Maria Magdalene cum aliis venerit, p. 186.
Quod per synedochen esse dictum, p. 118, 129.
Solam Mariam Magdalene nominat, p. 183.
Solvere primitias et decimas dierum, p. 60-61.
Tolle nihil ex corde malam cogitationem, p. 234.
Augustus Caesar:
    Precepit populo ne vocaret eum dominum, p. 8.
Beda:
    In diebus sabbati Iudei ad synagogas, p. 269.
    Inolevit consuetudo quod in officio vespertino, p. 240.
    Iris que fit sole irradiante nubes, p. 163.
    Quod hora Iª, IIIª, VIª, IXª orare debeamus, p. 219.
Benedictus:
    Instituit ut monachi cum officio, p. 242.
Berno [Augiensis], corrector officii antiphonarii:
    Dicit quod *In columbe specie*, p. 41.
Carolus Magnus:
    Quia LXXª, LXª, Lª, XLª, eundem finem habebunt, p. 60.
Clemens I, papa:
    Chrisma cum oleo [addidit], p. 162-163.
Damasus I, papa:
    Exorcismos et benedictiones adiecerunt, p. 163.
Chrysostomus:
    Tantum Salome mulier fuit, p. 185.
Gratianus:
    Vir ex uxor si aliquem levaverint de sacro fonte, p. 165.
Gregorius I, papa:
    Ecce dies veniunt quod. . . nonum est, p. 13.
    Incepit: *Aspiciebam in visu noctis* (Dan. 7, 13), p. 12.
    In primitiva ecclesia apostoli sola dominica oratione, p. 128.
    Instituit hanc litaniam et cum surgeret, p. 197.
    Maior quia a maiore instituta est, p. 196.
    Nullum in. Vª. feria instituit officium, p. 82.

Mel in cera est divinitas in humanitate, p. 132.
Ordinator matutini officii, p. 12.
Per litus maris finis intelligitur mundi, p. 180.
Vitia nos temptant virtutes in nobis humiliantur, [attribuitur] p. 234.
Gregorius II, papa:
Instituit ieiunium et officium. V. feria, p. 82.
Hieronymus:
Dominus noster ab Abraham venit, p. 74.
Expositio vulgaris est: *In medio duorum*, p. 126.
Hinc habet ecclesiastica traditio quod ter, p. 218.
Percutit Dominus et curat nos quia quem diligit, p. 125.
Traditio Hebreorum habet Christum media, p. 132.
Unde reor traditionem apostolorum fuisse p. 132.
Virgo de virgine natus qui non, p. 106.
Ignatius:
Per antiphonam sequentes ordinem, p. 244.
Post .V. psalmos cantamus antiphonatim, p. 236.
Innocentius I, papa:
Instituit ut in sabbato ieunaretur, p. 209.
Romani omni sabbati ieiunant, p. 209.
Isidorus:
Exorcismos adiuratio vel sermo imprecationis, p. 107.
Olea est arbor pacis insignis, pp. 105, 108, 112.
Vespertinum dicitur a vespere stella, p. 235.
Leo I, papa:
Unus tantum debet esse in baptismo, p. 165.
Mamertus, episcopus:
Litania minor instituta est a Mamerto, p. 196, 198.
Melchiades, papa:
Instituit quod nemo ieiunaret, p. 61.
Quelibet .V ª.feria erat soluta est a ieiunio, p. 82.
Ovidius:
Fratrum quoque gratia rara, p. 4.
Sergius papa:
Processionem cum luminaribus institut, p. 57.
Sixtus II, papa:
Inde maiora tibi debentur pro fide, p. 254.
Sylvester I, papa:
Constituit ut levati de aqua, p. 114.
Instituit fieri a presbyteris, p. 157.
Iussit ut liniretur neophytus, p. 114.

Telesphorus, papa:
    Clerici a .Lª., p. 60.
    Instituit ut missa eo tempore, p. 23.
    Volens quod clerici aliquid, p. 61.
Vergilius:
    Nusquam tuta fides, p. 4.
Zacharias Chrysopolitanus:
    Quod Maria Magdalena et alie venerunt, p. 186.
Zozimus, papa:
    Cereum dici instituit, p. 133.